Andreé

Danielle Steel

Douce amère

ÉDITIONS FRANCE LOISIRS

Titre original : *Bittersweet*
Traduit par Zoé Delcourt

Édition du Club France Loisirs,
avec l'autorisation des Presses de la Cité.

Éditions France Loisirs,
123, boulevard de Grenelle, Paris
www.franceloisirs.com

© Danielle Steel, 1999
© Presses de la Cité, 2000, pour la traduction française
ISBN 2-7441-4045-7

*A Tom
Pour le doux
et l'amer
        avec toute ma tendresse,
                D.S.*

Ne vous résignez jamais à abandonner vos rêves. Un jour, quelque part, d'une manière ou d'une autre, ils vous rattraperont.

1

APPAREIL PHOTO à la main, India Taylor suivait la progression sur le terrain d'une bande échevelée de garçonnets de neuf ans lancés à la poursuite d'un ballon de football. Quatre d'entre eux tombèrent les uns sur les autres, mélange indescriptible de bras et de jambes, et elle les mitrailla sous tous les angles ; parmi eux se trouvait son fils Sam. Elle avait promis de prendre des photos de l'équipe, comme elle le faisait toujours, et elle se réjouissait d'être là, à Westport, à regarder le match par ce bel après-midi de mai.

India accompagnait ses enfants partout, que ce soit au football, au base-ball, à la natation, à la danse ou au tennis. Elle faisait cela non seulement parce qu'on l'attendait d'elle, mais aussi parce qu'elle aimait ça. Ses journées étaient une suite ininterrompue de trajets entre la maison, l'école et les différentes salles de sport, pimentées parfois d'une visite occasionnelle chez l'orthodontiste ou le pédiatre. Avec quatre enfants âgés de neuf à quatorze ans, elle avait souvent l'impression de vivre dans sa voiture, et de passer ses hivers à déblayer la neige pour pouvoir sortir le véhicule du garage et vaquer à ses occupations.

India adorait ses enfants, son mari, son existence. Le destin les avait bien traités – et même si sa vie n'était pas exactement telle qu'elle l'avait imaginée autrefois, elle s'en accommodait parfaitement. De toute façon, les rêves que Doug et elle avaient nourris par le passé n'avaient plus de sens aujourd'hui, ne correspondaient plus aux adultes qu'ils étaient devenus, ni à l'endroit où ils avaient fini par s'installer, vingt ans après leur rencontre au sein du Peace Corps[1], au Costa Rica. Ils menaient désormais la vie que Doug avait toujours souhaitée, dans leur grande maison confortable du Connecticut. La sécurité matérielle, une demeure pleine d'enfants, un labrador, c'était ce dont son mari avait toujours rêvé. Il prenait chaque matin le train de 7 h 05 à la gare de Westport pour se rendre à son bureau, à New York. Jour après jour, il voyait les mêmes visages, parlait aux mêmes personnes, travaillait pour les mêmes clients. Employé par l'une des plus grandes entreprises de marketing du pays, il gagnait très correctement sa vie.

Pour India, au début, l'argent n'avait pas été une préoccupation essentielle, au contraire. Elle se satisfaisait parfaitement de sa vie précaire au Nicaragua, au Pérou ou au Costa Rica, de ses journées passées à creuser des canaux d'irrigation et de ses nuits sous la tente.

Elle avait adoré cette période : l'excitation, les défis, la sensation de faire quelque chose d'utile pour l'humanité. Et les dangers auxquels elle était confrontée alors, loin de la décourager, semblaient la motiver davantage.

Elle avait commencé à prendre des photos bien avant cela,

---

1. Organisation américaine de coopération avec les pays en voie de développement. *(N.d.T.)*

quand elle était encore adolescente. C'était son père, correspondant pour le *New York Times*, qui lui avait appris à se servir d'un appareil. Enfant, elle n'avait pas passé beaucoup de temps avec lui, car il était constamment en mission dans des pays en guerre. Mais elle adorait ses photographies et les histoires qu'il lui racontait, et elle rêvait de mener une vie comme la sienne quand elle serait grande. Ses rêves étaient devenus réalité lorsqu'elle avait commencé à faire des photos en free-lance pour des journaux, durant son contrat avec le Peace Corps.

Ses reportages la conduisirent au cœur des maquis et la mirent souvent en présence de bandits de grands chemins, de soldats ou de guérilleros. Pourtant, jamais elle ne pensa aux risques qu'elle prenait. Le danger ne lui faisait pas peur, en fait, il la stimulait. Elle adorait découvrir les gens, les spectacles, les odeurs, jouir du bonheur simple de se consacrer à fond à ce qu'elle faisait, et du sentiment de liberté qui l'envahissait lorsqu'elle travaillait. Même quand ils avaient quitté le Peace Corps et que Doug était rentré aux États-Unis, elle était restée plusieurs mois en Amérique centrale et en Amérique du Sud, avant de s'envoler pour des reportages en Asie et en Afrique. Et elle avait réussi à travailler dans tous les endroits chauds de la planète ; dès qu'il y avait un problème quelque part, on pouvait être sûr qu'India n'était pas loin, son appareil à la main. Bien plus que Doug, elle avait cela en elle ; c'était dans son âme, dans son sang. Doug n'avait rien contre l'aventure, mais ce n'était pour lui qu'une parenthèse, exaltante, certes, mais qu'il convenait de refermer tôt ou tard pour s'installer dans la « vraie vie ». India, elle, estimait au contraire que c'était précisément cela, la vraie vie...

9

Elle avait partagé pendant deux mois le quotidien d'une armée insurrectionnelle au Guatemala, et était revenue aux Etats-Unis avec des photographies extraordinaires qui, de l'avis de tous, rappelaient celles de son père. Elles lui avaient valu non seulement les éloges des critiques internationaux, mais aussi de nombreux prix, pour sa perspicacité, son courage et la qualité de son reportage.

Lorsqu'il lui arrivait de repenser à cette époque, elle se rendait compte qu'elle avait bien changé, depuis. L'India d'alors était comme une amie perdue de vue ; parfois, elle se demandait ce qu'elle était devenue. Oui, qu'était-il advenu de cette femme à l'esprit libre, sauvage, plein de passion ? India se souvenait d'elle, mais avait conscience de ne plus vraiment la connaître. Sa vie avait tellement changé qu'elle n'était plus la même. Parfois, tard le soir, dans sa chambre noire, elle se demandait comment elle pouvait se satisfaire d'une existence si éloignée de celle qu'elle avait tant aimée. Et pourtant, elle savait qu'elle adorait sa vie à Westport, auprès de Doug et des enfants. Ce qu'elle faisait aujourd'hui était important pour elle, tout aussi important que l'avait été sa vie d'avant. Elle n'avait pas le sentiment de s'être sacrifiée, d'avoir abandonné quelque chose qu'elle aimait, mais plutôt l'impression de l'avoir échangé contre autre chose. Et elle ne regrettait pas ce choix. Ce qu'elle faisait pour Doug et les enfants était très important, à leurs yeux. Cela, elle en était certaine.

Mais elle ne pouvait nier, lorsqu'elle regardait ses anciennes photos, qu'elle avait éprouvé une véritable passion pour son métier. Certains de ses souvenirs étaient encore si présents... Elle se rappelait l'excitation intense qui l'envahissait alors, le vertige qui accompagnait le danger, la jouissance qu'il y avait à capturer sur la pellicule un moment parfait, cette fraction de seconde durant laquelle tout se mettait en place, et où la force de la scène, sa signification profonde, devenait soudain évidente. Rien n'était comparable à cette sensation, et elle était heureuse d'avoir connu cela – comme elle était heureuse que ce soit terminé.

Son talent et son goût du reportage, elle les avait hérités de son père. Celui-ci était mort à Da Nang quand India avait quinze ans, un an après avoir reçu le prix Pulitzer. Par la suite, il n'avait été que trop facile pour elle de suivre ses pas. C'était un chemin tout tracé, et, à l'époque, elle avait eu le sentiment de ne pas avoir le choix, ni d'ailleurs la volonté, d'opter pour une autre carrière. Elle avait eu besoin de reprendre le flambeau paternel. Ce n'est que bien plus tard qu'elle avait changé.

Elle était rentrée aux Etats-Unis un an et demi après Doug, lorsqu'il avait fini par lui poser un ultimatum : si elle voulait qu'ils construisent quelque chose ensemble, avait-il dit, elle avait intérêt à « revenir fissa à New York » et à cesser sur-le-champ de risquer sa vie au Pakistan ou au Kenya. Pendant un bref instant, la décision avait été difficile à prendre. India savait qu'elle pouvait prétendre à un avenir digne de celui de son père ; elle avait même de bonnes chances de remporter le Pulitzer un jour, elle aussi. Mais elle était également consciente des dangers. Son père avait payé de sa vie sa passion pour son métier et, dans une certaine mesure, il lui avait également sacrifié son couple. Rien ne l'avait jamais vraiment intéressé, en dehors des moments où, au milieu des explosions et des fusillades, il risquait sa vie pour le cliché parfait. Doug, pour sa part, répétait à India que si elle voulait partager sa vie, mener une existence normale à son côté, il

11

lui faudrait tôt ou tard faire un choix, et abandonner ses reportages.

A vingt-six ans, elle avait choisi, et épousé Doug. Pendant deux ans, elle avait travaillé pour le *New York Times*, prenant des photos à New York et dans les environs, mais Doug avait hâte d'avoir des enfants. Et quand Jessica était née, peu après qu'India eut fêté ses vingt-neuf ans, la jeune femme avait quitté son travail au *Times*, s'était installée dans le Connecticut, et avait définitivement tourné la page. C'était le marché qu'elle avait conclu avec Doug : celui-ci lui avait clairement fait comprendre qu'il voulait qu'elle abandonne sa carrière dès qu'ils auraient des enfants. Et elle avait accepté, en songeant que, lorsque cela se produirait, elle serait prête.

Pourtant, quand elle avait quitté le *Times* pour se consacrer à plein temps à son rôle de mère, elle avait trouvé le changement plus difficile à vivre que prévu. Au début, son travail lui avait vraiment manqué. Puis le temps avait passé, et les moments de nostalgie s'étaient espacés, raréfiés, avant de disparaître totalement ; elle n'avait plus le loisir de ressasser des souvenirs. Avec quatre enfants nés en cinq ans, elle avait du mal à garder la tête hors de l'eau, et trouvait à peine le temps de recharger son appareil, entre les trajets en voiture, les couches, les dents qui poussaient, les allaitements, les fièvres, les goûters d'enfants, une grossesse suivant l'autre... Les personnes qu'elle voyait le plus, en dehors de son mari et de ses enfants, étaient son obstétricien et son pédiatre, et bien sûr les autres femmes au foyer qu'elle croisait chaque jour et dont les vies étaient identiques à la sienne, entièrement centrées sur leurs enfants. Certaines avaient elles aussi abandonné leur métier, ou acceptaient de mettre leur vie professionnelle entre parenthèses en attendant que les enfants aient grandi. Il y avait parmi elles des médecins, des avocates, des écrivains, des infirmières, des artistes, des architectes, et toutes avaient laissé tomber leur carrière pour s'occuper de leur famille. Certaines passaient leur temps à s'en plaindre, mais bien que son travail lui manquât parfois, India, elle, n'était pas mécontente de ce qu'elle faisait. Elle adorait être avec ses enfants, même lorsqu'elle était épuisée à la fin de la journée, qu'elle était enceinte jusqu'aux dents et que Doug rentrait trop tard du bureau pour l'aider. C'était la vie qu'elle avait choisie, la décision qu'elle avait prise, le contrat qu'elle avait passé et qu'elle devait honorer. D'ailleurs, elle n'aurait pas aimé quitter chaque jour ses enfants pour aller travailler. Il lui arrivait encore à l'occasion d'accepter un petit reportage près de chez elle – une fois tous les deux ou trois ans – mais comme elle l'avait expliqué à son agent, elle n'avait pas le temps de le faire plus souvent.

Ce qu'elle n'avait pas vraiment imaginé avant la naissance de Jessica, c'était le bouleversement qu'allait connaître sa vie. Rien n'aurait pu être plus éloigné de ce à quoi elle était habituée – prendre des photos de guérilleros au Nicaragua, d'enfants affamés au Bangladesh, d'inondations en Tanzanie – et cela l'avait transformée en profondeur.

D'emblée, elle avait réalisé qu'il lui faudrait tirer un trait sur les premiers chapitres de son existence, et elle l'avait fait sans penser aux prix qu'elle avait reçus, à l'exaltation qu'elle avait connue, ou au talent que tous lui reconnaissaient. Dans son esprit, et plus encore dans celui de Doug, quitter son travail était le prix à payer pour avoir des enfants. Il n'y avait pas d'autre solution. Certaines de ses amies parvenaient à concilier travail et vie de famille ; deux ou trois d'entre elles, avocates, se rendaient en ville plusieurs jours par semaine, afin de ne pas trop perdre la main. D'autres, écrivains, travaillaient chez elles. Dans un premier temps, elles s'efforçaient d'écrire entre la tétée de minuit et celle de 4 heures du matin – mais elles finissaient généralement par renoncer, trop épuisées pour suivre un tel rythme. Pour India, de toute façon, une telle organisation eût été impossible : elle ne pouvait conserver sa carrière d'autrefois. Certes, elle avait gardé contact avec son agent et accepté quelques reportages dans les environs de Westport ; mais couvrir des concours de jardinage ou des ouvertures de centres commerciaux ne signifiait rien pour elle. De surcroît, Doug n'appréciait guère de la voir partir ainsi. Aussi préférait-elle se servir de son appareil photo de façon exclusivement privée. Elle accumulait les clichés des premières années de ses enfants ou de ceux de ses amies, les photographiant tantôt à la demande de l'école, tantôt pour le plaisir, comme en ce moment, alors qu'elle regardait Sam et ses amis se défouler sur le terrain. Elle n'aurait pu envisager une autre façon de vivre. Elle était comme ancrée dans cette existence, attachée par mille petits liens visibles et invisibles. Tel était l'accord qu'elle avait passé avec Doug, et elle le respectait, même si son appareil photo était toujours au bout de son bras, dans son sac ou pendu à son épaule – elle n'aurait pas pu imaginer la vie sans lui.

De temps en temps, elle songeait à reprendre son travail, une fois que les enfants seraient grands ; peut-être dans cinq ans, quand Sam irait au lycée. Mais, pour l'instant, cela lui semblait parfaitement inconcevable. Il n'avait que neuf ans, Aimée onze, Jason douze et Jessica quatorze. Entre eux quatre, sa vie était un tourbillon ininterrompu d'activités diverses : sport après l'école, barbecues, championnats de base-ball, leçons de piano... Le seul moyen d'arriver à tout concilier était de ne jamais s'arrêter, de ne jamais penser à soi, de ne jamais s'asseoir cinq minutes. Son seul répit, c'étaient les vacances d'été à Cape Cod. Chaque année, Doug passait trois semaines là-bas avec eux et, le reste du temps, il venait les voir le week-end. Toute la famille appréciait ces vacances au bord de la mer. A Cape Cod, India prenait toujours des photos fantastiques, tout en réussissant à se ménager un peu de temps. Tout comme à Westport, elle disposait d'une chambre noire dans la maison. Mais là, elle pouvait s'y enfermer sans remords des heures entières, tandis que les enfants allaient rendre visite à leurs amis, s'amusaient sur la plage ou jouaient au volley et au tennis. Elle faisait moins office de chauffeur que durant l'année, car les enfants pouvaient aller partout à vélo, si bien qu'elle disposait de davantage de temps libre, surtout maintenant que Sam était un peu plus âgé. Il devenait grand... Et elle, se demandait-elle parfois, était-elle adulte ? Quelquefois, elle se sentait coupable de n'avoir pas le temps de lire ou de s'intéresser à la politique. Elle avait l'impression d'être en marge du monde, de ne plus évoluer, de faire du surplace. Pour elle, la vie se résumait à préparer à manger, à conduire les enfants à droite ou à gauche et à passer d'une année scolaire à l'autre.

En fait, son existence n'avait pratiquement pas changé depuis quatorze ans, depuis la naissance de Jessica. C'était une vie de dévouement, de sacrifice et d'engagement. Mais cela en valait la peine : elle avait des enfants heureux, en bonne santé. Ils vivaient dans un petit monde sûr, familier, entièrement centré sur eux. Rien de déplaisant, de dangereux ou d'inquiétant ne venait jamais les troubler ; se chamailler avec les enfants des voisins ou perdre un devoir à rendre pour le lendemain était ce qui leur arrivait de pire. Ils n'avaient aucune expérience de cette pénible solitude qui avait été la sienne durant toute son enfance, passée à attendre le retour de son père absent. Jamais ils n'étaient abandonnés ou livrés à eux-mêmes. Et leur papa rentrait à la maison tous les soirs pour dîner. India, à qui cela avait douloureusement manqué, y attachait une importance toute particulière.

Il n'y avait rien de commun entre l'univers dans lequel évoluaient ses enfants et celui des petits qu'elle avait photographiés deux décennies plus tôt, mourant de faim en Afrique, luttant chaque jour pour leur survie dans des pays sous-développés, ou fuyant devant des ennemis ou des catastrophes naturelles – maladies, inondations, famines. Ses enfants à elle ne connaîtraient jamais de telles souffrances, et elle remerciait chaque jour le ciel pour cela.

India regarda son fils cadet sortir de l'enchevêtrement de petits garçons qui lui étaient tombés dessus quand il avait marqué un but. Il lui fit un petit signe.

Elle sourit, prit une nouvelle photo, et retourna lentement vers le banc où d'autres mères étaient assises et bavardaient. Aucune ne s'intéressait au déroulement de la partie – elles étaient trop occupées par leur conversation. Habituées à se retrouver là chaque semaine ou presque, qu'il pleuve ou qu'il vente, elles prenaient rarement la peine de suivre les matches ou de surveiller leur progéniture. Elles attendaient, partie intégrante du paysage, au même titre que le banc sur lequel elles étaient assises ou que les équipements sportifs qui les entouraient.

L'une d'elles, Gail Jones, leva la tête lorsque India les rejoignit et sourit en la voyant. Elles étaient de vieilles amies, et Gail se poussa pour faire une place à India, qui venait de tirer une nouvelle pellicule de sa poche. Les arbres avaient

16

enfin retrouvé leurs feuilles, et tout le monde était de bonne humeur. Comme à l'accoutumée, Gail tenait à la main un gobelet de cappuccino ; on ne la voyait jamais sans, en particulier l'hiver, quand il gelait à pierre fendre, qu'il y avait de la neige par terre et qu'elles étaient obligées de taper du pied pour se réchauffer en attendant la fin des matches.

— Plus que trois semaines, et l'école sera finie, du moins pour cette année, dit Gail d'un air soulagé en portant son café à ses lèvres. Seigneur, je déteste ces interminables parties ! Si seulement j'avais eu une fille, rien qu'une... Je ne supporte plus les histoires de tacles et de hors-jeu.

India et elle échangèrent un sourire. India, ayant mis la nouvelle pellicule en place, referma son appareil avec un petit clic. Elle avait l'habitude d'entendre Gail se plaindre : cela faisait neuf ans qu'elle se lamentait d'avoir dû abandonner sa carrière d'avocate.

— Tu te lasserais aussi des cours de danse, crois-moi. Même principe, encore plus de pression... Seul l'uniforme change, déclara India, qui parlait en connaissance de cause.

Jessica avait fini par abandonner la danse quelques semaines plus tôt, après huit ans de cours, et India ne savait si elle devait s'en réjouir ou être déçue. Les spectacles allaient lui manquer, mais elle ne regrettait pas de ne plus avoir à conduire sa fille aux leçons trois fois par semaine. Jessica jouait désormais au tennis avec le même acharnement, mais, au moins, elle pouvait aller à ses cours à vélo.

— Au moins, les chaussons de danse sont jolis, observa Gail qui s'était levée et marchait lentement à côté de son amie le long du terrain.

India souhaitait prendre d'autres photos sous un angle différent, afin de pouvoir les donner à l'équipe.

17

Gail et elle étaient amies depuis que les Taylor avaient emménagé à Westport. Le fils aîné de Gail avait l'âge de Jessica, et elle avait également des jumeaux du même âge que Sam. Entre les deux, elle avait fait une pause de cinq ans pour retourner travailler. Cependant, elle avait démissionné de son cabinet à la naissance des jumeaux, et estimait à présent qu'elle avait quitté son travail depuis trop longtemps pour pouvoir envisager de le reprendre. Sa carrière était derrière elle mais, ayant cinq ans de plus qu'India – elle avait quarante-huit ans –, elle affirmait que de toute façon elle n'avait plus envie de passer ses journées au tribunal. Une seule chose lui manquait, disait-elle, l'occasion d'avoir des conversations intelligentes. Ce qui ne l'empêchait pas d'avouer qu'il n'était pas désagréable de pouvoir rester là, tranquille, et de laisser son mari batailler quotidiennement à Wall Street.

Comme celle d'India, sa vie était désormais rythmée par les matches de football et les aller et retour à l'école. Mais, contrairement à son amie, elle n'hésitait pas à admettre qu'elle s'ennuyait. Et elle semblait constamment sur des charbons ardents.

— Alors, quoi de neuf ? demanda-t-elle en finissant son cappuccino. Comment va la vie, au paradis des mamans ?

— Comme d'habitude. Frénétique.

India prit une série de photos, tout en écoutant Gail d'une oreille distraite. Elle réussit à faire un beau cliché de Sam, et quelques autres lorsque l'équipe adverse marqua un but.

— Nous partons bientôt pour Cape Cod, dès la fin des cours. Cette année, Doug ne pourra pas nous rejoindre avant le mois d'août, dit-elle.

D'habitude, il essayait de se libérer plus tôt.

— Nous, nous allons en Europe en juillet, annonça Gail sans enthousiasme.

L'espace d'une seconde, India ressentit une pointe de jalousie. Cela faisait des années qu'elle essayait de convaincre Doug d'organiser un tel voyage, mais il disait toujours qu'il préférait attendre que les enfants soient plus âgés. S'il continuait à repousser l'échéance, faisait valoir India, ils seraient à l'université, et iraient sans eux. Mais jusque-là, elle n'avait pas réussi à motiver son mari. Contrairement à elle, il ne voyait pas vraiment l'intérêt de voyager à l'autre bout du monde. Pour lui, le temps de l'aventure était révolu.

— C'est chouette, dit-elle en se tournant vers Gail.

Les deux femmes n'auraient pu être plus différentes. Petite, Gail avait des cheveux noirs coupés court et des yeux qui évoquaient du chocolat en fusion. India, elle, était grande et très mince, avec des traits d'une beauté classique, des yeux bleus, et une longue tresse blonde qui ondulait dans son dos. Elle se coiffait ainsi, affirmait-elle, parce qu'elle n'avait jamais le temps de se démêler les cheveux. En cet instant, côte à côte, Gail et elle offraient un spectacle saisissant ; nul ne leur aurait donné quarante ans.

— Où irez-vous, en Europe ? s'enquit India avec intérêt.

— En Italie et en France, plus deux jours à Londres. On ne peut pas vraiment parler d'aventure, ni de voyage à haut risque, mais avec les enfants, c'est parfait. Et Jeff adore les théâtres de Londres. Nous avons loué une maison en Provence pendant deux semaines début juillet, après quoi nous descendrons en Italie en voiture. Nous voudrions emmener les enfants à Venise.

Pour India, c'étaient là des vacances extraordinaires – bien plus exaltantes que son tranquille séjour à Cape Cod.

— En tout, le voyage va durer six semaines. Même si je ne suis pas sûre que Jeff et moi arrivions à nous supporter aussi longtemps, sans parler des garçons... Dès qu'il reste plus de dix minutes avec les jumeaux, Jeff devient fou.

Gail parlait toujours de son mari comme s'il s'agissait d'un colocataire pénible, mais, malgré cela, India était persuadée qu'elle l'aimait sincèrement.

— Je suis sûre que tout va bien se passer, vous aurez mille choses à voir, affirma-t-elle, bien qu'en vérité la perspective d'être coincée dans une voiture pendant de longues heures avec des jumeaux de neuf ans et un adolescent de quatorze ne lui parût pas franchement paradisiaque non plus.

— Et même pas moyen de rencontrer un bel Italien, avec les enfants sur mes talons et Jeff toujours en train de me demander de tout lui traduire !

India rit du portrait que lui peignait Gail et secoua la tête. Parler d'autres hommes — et parfois même, faire plus qu'en parler — était une des manies de Gail. Elle avait confié à India qu'elle avait eu plusieurs liaisons depuis son mariage avec Jeff, vingt-deux ans plus tôt, et, à la grande surprise de son amie, elle lui avait affirmé que, étrangement, cela avait amélioré ses rapports avec son mari. C'était une forme d'amélioration qui n'avait jamais attiré India, et qu'elle réprouvait même, mais cela ne l'empêchait pas de beaucoup aimer Gail, en dépit de son tempérament volage.

— Peut-être Jeff se découvrira-t-il des penchants romantiques, en Italie, suggéra India.

Elle mit son appareil photo en bandoulière tout en jetant un coup d'œil à cette petite femme pleine d'énergie qui, autrefois, avait été la terreur des cours d'assises. On n'avait aucun mal, d'ailleurs, à l'imaginer haranguant un jury ou interrogeant un témoin : Gail Jones ne s'en laissait conter par personne, et certainement pas par son mari. Mais c'était une amie fidèle et, malgré ses récriminations, une mère dévouée.

— Pff ! Même si on lui transfusait le sang d'un gondolier, Jeff ne deviendrait pas romantique. Et le fait d'avoir les enfants sur le dos vingt-quatre heures sur vingt-quatre ne risque pas d'arranger les choses. Au fait, savais-tu que les Lewison s'étaient séparés ?

India hocha la tête avec réserve. Les cancans du voisinage lui importaient peu ; elle avait trop à faire avec sa propre vie, son mari, ses enfants. Certes, elle avait des amis qui comptaient ; mais se mêler de l'existence des autres ne l'intéressait pas.

— Dan m'a proposé de déjeuner avec lui.

Comme India jetait un coup d'œil soupçonneux à son amie, Gail esquissa un sourire malicieux.

— Ne me regarde pas comme ça ! Ce qu'il cherche, c'est une épaule sur laquelle pleurer, et quelques conseils juridiques gratuits.

— Ne me prends pas pour une idiote.

India avait beau ne pas se mêler des ragots, elle n'était pas pour autant née de la dernière pluie. Et elle savait que Gail aimait flirter avec les maris des autres.

— Dan a toujours eu un faible pour toi.

— Je l'aime bien, moi aussi. Et alors ? Je m'ennuie. Il est seul, furieux et malheureux. Résultat : un déjeuner, pas nécessairement une torride histoire d'amour. Crois-moi, cela n'a rien d'excitant d'écouter un homme se plaindre du nombre de fois où sa femme lui a reproché de ne pas s'occuper des enfants ou de regarder le foot à la télé le dimanche...

21

Et je t'assure qu'à l'heure qu'il est, Dan n'est pas prêt à dépasser ce stade. Il espère encore pouvoir se réconcilier avec elle. C'est une situation un peu trop compliquée, même pour moi.

De nouveau, India regarda sa compagne. Elle ne tenait pas en place. A l'en croire, Jeff ne l'excitait plus depuis des années, et cela ne surprenait guère India. Jeff n'était pas quelqu'un d'excitant. Cela dit, elle n'avait jamais demandé à Gail ce qui, pour elle, était excitant.

— Qu'est-ce que tu cherches, Gail ? Pourquoi te compliquer ainsi l'existence, même juste pour déjeuner ? Qu'est-ce que ça t'apporte ?

Elles avaient toutes deux des maris, des vies bien remplies, des enfants qui avaient besoin d'elles, et assez à faire pour être constamment occupées. Pourtant, Gail donnait toujours l'impression d'être à la recherche de quelque chose de plus, quelque chose d'intangible qui la fuyait.

— Pourquoi me priverais-je ? Aller déjeuner de temps en temps avec un homme met un peu de piment dans ma vie. Et si ça débouche sur autre chose, ce n'est pas la fin du monde... Quand j'ai une aventure, ça me donne du ressort, je me sens revivre. Ça fait de moi un peu plus qu'un chauffeur et une ménagère. Ça ne te manque jamais, à toi ?

Elle s'était tournée vers India pour poser cette question, et plongeait son regard dans le sien comme pour lire en elle. La jeune femme songea que c'était sans doute de cette façon qu'elle regardait les accusés qu'elle interrogeait, autrefois, au tribunal.

— Je ne sais pas, répondit-elle avec honnêteté. Je n'y pense pas.

— Peut-être que tu devrais. Peut-être qu'un jour tu

commenceras à te poser des tas de questions sur ce que tu n'as pas eu et pas fait, sur ce que tu aurais dû avoir et faire.

Peut-être. Mais, pour India, trahir son mari, ne fût-ce qu'en déjeunant avec un autre homme, ne paraissait pas un remède idéal à l'ennui, bien au contraire.

— Sois honnête, continua Gail. Ne regrettes-tu jamais la vie que tu menais avant de te marier ?

India voyait dans le regard de son amie que celle-ci ne tolérerait pas de faux-fuyants.

— Il m'arrive en effet de penser aux choses que je faisais autrefois, à notre vie d'avant... A mon travail... à la Bolivie, au Pérou, au Kenya. Je pense à ce que j'ai accompli là-bas, et à ce que cela signifiait pour moi alors. Bien sûr, cela me manque parfois. C'était génial, et j'adorais mon métier. Mais les hommes que je fréquentais à cette époque, eux, ne me manquent pas du tout !

D'autant moins qu'elle savait que Doug était conscient de tout ce qu'elle avait abandonné pour lui, et qu'il appréciait son sacrifice.

— Alors, peut-être que tu as de la chance... Mais, dis-moi, pourquoi ne retournerais-tu pas travailler un de ces jours ? Avec ton expérience et ta réputation, tu pourrais reprendre n'importe quand. Ce n'est pas comme en droit ; moi, maintenant, je suis hors circuit, complètement finie. Toi, en revanche, du moment que tu as ton appareil photo, tu peux recommencer demain si tu veux. Tu es folle de gâcher une chance pareille.

Mais India se souvenait de son enfance, des longues heures passées à attendre son père toujours absent. C'était plus compliqué que ne l'imaginait Gail. Il y avait un prix à payer pour être grand reporter. Un prix très élevé.

23

— Ce n'est pas si simple, dit-elle. Que suis-je censée faire ? Appeler mon agent et lui dire : « Raoul, mets-moi dans un avion pour le Kosovo demain matin ? » Doug et les enfants seraient vraiment ravis !

Cela lui semblait si peu envisageable qu'elle ne pouvait qu'en rire. Elle savait que, pour elle, l'époque des missions à l'autre bout du monde était révolue. Et, contrairement à Gail, cela ne lui pesait pas ; elle ne ressentait pas le besoin de prouver son indépendance en abandonnant sa famille pour aller s'accomplir ailleurs. Elle aimait Doug et leurs enfants, et elle savait avec certitude que son mari était tout aussi amoureux d'elle qu'elle de lui.

— Ta famille préférerait peut-être ça, en fin de compte, plutôt que de te voir t'ennuyer et ronchonner tout le temps, souligna Gail.

India haussa un sourcil interrogateur.

— Je fais ça ? Je ronchonne, vraiment ?

Certes, elle se sentait parfois un peu seule, et même nostalgique en repensant au passé – même si cela ne lui arrivait plus guère –, mais jamais elle n'avait eu l'impression d'être réellement insatisfaite. A l'inverse de Gail, elle appréciait le lieu où sa vie l'avait menée ; elle l'aimait, même. Et elle savait que les enfants ne seraient pas toujours petits. Ils grandissaient déjà très vite, et Jessica allait même au lycée, maintenant. India pourrait toujours envisager de retourner travailler plus tard. Si Doug la laissait faire.

— Je suis persuadée qu'il t'arrive de t'ennuyer, tout comme moi, déclara Gail avec sincérité en s'immobilisant pour la regarder bien en face. Bien sûr, tu le prends bien... Mais tu as renoncé à bien plus de choses que moi. Si tu avais continué, tu aurais sans doute un Pulitzer à ton actif, à l'heure qu'il est, et tu le sais parfaitement.

— J'en doute, répondit India avec modestie. J'aurais très bien pu terminer comme mon père. Il avait quarante-deux ans quand il est mort, tué par un tireur embusqué. Je n'ai qu'un an de plus que lui alors, et il était bien plus intelligent et talentueux que moi... On ne peut pas mener une telle vie bien longtemps, tu sais.

— Certaines personnes y arrivent, objecta Gail. Bon sang, India, quel intérêt vois-tu à vivre ici jusqu'à tes quatre-vingt-quinze ans ? Réfléchis. A part nos enfants et nos maris, qui nous regrettera, à notre mort ?

— Peut-être que c'est suffisant, fit valoir India avec calme.

Gail la mettait face à des questions qu'elle-même ne s'autorisait que rarement à se poser – même si, durant l'année qui venait de s'écouler, elle avait plus d'une fois songé qu'elle n'avait rien fait de réellement créatif depuis des années, qu'elle n'avait relevé aucun défi. Elle avait essayé une ou deux fois d'en parler avec Doug, mais il lui répondait invariablement qu'il tremblait encore au souvenir de ce qu'ils avaient vécu dans le Peace Corps, et de ce qu'elle avait fait ensuite.

— Contrairement à toi, je ne suis pas persuadée que je pourrais changer le monde si je reprenais mon travail. Quand tu vois des photos d'Ethiopie, de Bosnie, ou d'une colline, Dieu sait où, sur laquelle un rebelle vient de se faire descendre, attaches-tu de l'importance à la personne qui les a prises ? Je crois que tout le monde s'en moque. Ce que je fais ici est peut-être plus important.

C'était en tout cas ce qu'elle croyait sincèrement, mais Gail n'était pas de cet avis.

— Peut-être, mais peut-être pas, rétorqua-t-elle sans

25

ambages. Peut-être que c'est dommage que ce ne soit pas toi qui sois là-bas en train de prendre ces photos. C'est quelqu'un d'autre qui le fait, India.

— Eh bien, tant mieux pour lui, répondit India, bien décidée à ne pas se laisser troubler par les raisonnements de son amie.

— Pourquoi ? Pourquoi quelqu'un d'autre aurait-il tous les avantages, pendant que nous, nous restons coincées dans cette satanée banlieue chic, à éponger le jus de pomme par terre chaque fois qu'un de nos gamins le renverse ? Et si on laissait ce travail-là aux autres, pour une fois ? Quelle différence, que ce soit nous qui le fassions ou pas, hein ?

— Je pense que pour nos familles ça fait une différence que nous soyons là. Quel genre de vie mèneraient Doug et les enfants s'ils me savaient en train de survoler des baraquements dans un minable coucou par mauvais temps ? Ou si je me faisais abattre dans une guerre dont personne n'a entendu parler, et dont tout le monde se moque ? Crois-moi, ça ferait bel et bien une différence pour mes enfants. Une différence énorme.

— Je ne sais pas. (Elles se remirent à déambuler le long du terrain. Gail semblait malheureuse, insatisfaite.) Depuis quelque temps, je n'arrête pas de me demander pourquoi je suis là, ce que j'y fais. C'est peut-être le retour d'âge, ou un truc comme ça. Ou peut-être que j'ai tout simplement peur de ne plus jamais être amoureuse, de ne plus jamais poser les yeux sur un homme et sentir mon cœur s'emballer... Je crois que c'est ça qui me rend folle, l'idée que je vais passer le restant de mes jours avec Jeff, à me dire : « OK, il n'est pas génial, mais je suis coincée avec lui, et c'est comme ça. »

C'était une manière bien déprimante de résumer vingt-deux ans de mariage, et India eut un pincement au cœur pour son amie.

— Tu noircis le tableau, et tu le sais.

Du moins India l'espérait-elle sincèrement ; dans le cas contraire, ce serait un terrible constat d'échec.

— A peine, répondit cette dernière. Ce n'est pas affreux ; c'est juste ennuyeux. Il est ennuyeux, je suis ennuyeuse, notre vie est ennuyeuse. Et dans dix ans, j'aurai presque soixante ans, et ce sera plus ennuyeux encore. Et ensuite...

— Tu verras, tu te sentiras mieux quand vous serez en Europe, cet été, affirma India.

Gail haussa les épaules.

— Peut-être, mais j'en doute. Ce n'est pas la première fois que nous y allons, et je sais exactement ce qui m'attend. Jeff va passer son temps à râler parce que les Italiens conduisent comme des fous et, une fois à Venise, il se plaindra de l'odeur pestilentielle du canal en été. Il faut être honnête, India, ce n'est pas un romantique, loin de là.

India savait que Gail avait épousé Jeff parce qu'elle était tombée enceinte. Elle avait perdu le bébé au bout de trois mois de grossesse, et avait ensuite passé sept ans à essayer d'avoir un autre enfant, tout en gravissant un à un les échelons dans son cabinet d'avocats. La vie d'India avait été beaucoup plus facile que celle de son amie. Et elle avait eu moins de mal à arrêter de travailler. Gail se demandait encore si elle avait fait le bon choix, neuf ans après avoir quitté le cabinet, à la naissance des jumeaux. A l'époque, elle s'était crue prête à changer d'existence, mais il était désormais clair qu'elle s'était trompée.

— Peut-être que déjeuner avec d'autres hommes, et aller plus loin de temps en temps, est ma manière à moi de

27

compenser ce que Jeff ne me donnera jamais, ce qu'il n'est pas, ce qu'il n'a sans doute jamais été.

En entendant Gail s'exprimer ainsi, India ne put s'empêcher de se demander si ses aventures sans lendemain ne la rendaient pas plus insatisfaite encore. Peut-être recherchait-elle quelque chose qui n'existait pas, ou qui n'était pas accessible, du moins pour des femmes comme elle. Peut-être refusait-elle tout simplement d'admettre que cette partie de leur vie était révolue. Doug non plus ne rentrait pas du travail chaque soir un bouquet de roses à la main ; mais India n'en attendait pas tant. Elle acceptait, et aimait, ce qu'il était devenu.

— Peut-être qu'aucun d'entre nous ne sera plus jamais follement amoureux. Ça pourrait bien être ça, le problème, observa-t-elle, pragmatique, ce qui lui valut un regard horrifié de Gail.

— Tu plaisantes ! Si je pensais ça, j'en mourrais. Pourquoi donc ne tomberions-nous plus jamais amoureux ? On a droit à l'amour à n'importe quel âge ! C'est d'ailleurs pour ça que Rosalie Lewison a quitté Dan. Elle est amoureuse d'Harold Lieberman, ce qui explique pourquoi Dan n'a aucune chance de la récupérer. Harold veut épouser Rosalie. Il est fou d'elle.

Pendant un instant, une expression abasourdie se peignit sur les traits d'India.

— C'est pour ça qu'il a quitté sa femme ? (Gail hocha la tête.) Je suis vraiment sur une autre planète, hein ? Comment ai-je pu passer à côté de ça ?

— C'est parce que tu es bonne et pure, une vraie petite épouse modèle, la taquina Gail.

India et elle étaient amies depuis longtemps, et savaient

qu'elles pouvaient compter l'une sur l'autre. Elles s'acceptaient totalement ; India ne critiquait jamais Gail pour ses liaisons extraconjugales, bien qu'elle ne les approuvât pas et ne comprît pas réellement ce qui poussait son amie à tromper Jeff. Gail semblait avoir en elle un manque impossible à combler, et qui avait toujours été là, d'aussi loin qu'India se souvînt.

— Est-ce vraiment ça que tu voudrais, Gail ? Quitter Jeff pour le mari d'une autre ? Qu'est-ce que ça changerait ?

— Probablement rien, reconnut Gail. C'est pour ça que je ne l'ai jamais fait. De plus, j'aime bien Jeff. Nous sommes amis. Simplement, il ne met guère de piment dans ma vie.

— C'est peut-être préférable, souligna India d'un air songeur. Crois-moi, j'ai eu assez de piment autrefois pour ne plus en avoir envie, ajouta-t-elle avec fermeté, comme si elle cherchait davantage à se persuader elle-même qu'à convaincre sa compagne.

Pour une fois, cependant, Gail ne mit pas ses paroles en doute.

— Dans ce cas, tu as beaucoup de chance.

— Nous avons toutes les deux de la chance, affirma India.

Elle aurait aimé aider Gail à se sentir mieux. A son avis, déjeuner avec Dan Lewison, ou avec n'importe quel autre homme du même acabit, n'était pas une solution. Où cela mènerait-il Gail ? Dans un motel entre Westport et Greenwich ? Et après ? India, pour sa part, n'arrivait même pas à s'imaginer au lit avec un autre que Doug. Après dix-sept années passées près de lui, elle n'avait envie de personne d'autre. Elle adorait la vie que son mari et elle partageaient avec leurs enfants.

— Je continue à penser que tu gâches ton talent, insista

Gail, qui savait parfaitement que c'était le seul point faible dans l'armure d'India. Tu devrais retourner travailler, un de ces jours.

Gail avait toujours estimé que le talent d'India était immense, et qu'il était criminel de ne pas l'exploiter. Mais India, elle, lui répondait invariablement qu'elle pourrait retourner un jour à la photographie, si elle le voulait. Pour l'instant, elle n'en avait ni le temps ni l'envie, et se satisfaisait parfaitement d'un reportage occasionnel. Elle était trop occupée avec les enfants, et n'avait pas envie de se quereller avec Doug. C'est ce qu'elle répéta une nouvelle fois à son amie.

— Et puis, ajouta-t-elle avec humour, si je retournais travailler, tu irais déjeuner avec Doug. Tu me prends pour une idiote ?

Elles éclatèrent de rire à cette idée, et Gail secoua la tête, une lueur amusée dans le regard.

— Tu n'as rien à craindre. Doug est le seul homme que je connaisse qui soit encore plus ennuyeux que mon mari.

— Merci pour lui !

India riait toujours. Certes, Doug n'était pas très fantaisiste, mais c'était un bon mari et un bon père, et elle ne lui en demandait pas davantage. Il était solide, honnête, loyal, et leur permettait de vivre confortablement. Par ailleurs, aussi ennuyeux que le trouvât Gail, India l'aimait. Elle n'avait pas la même passion que son amie pour l'intrigue et la romance ; cela faisait des années qu'elle avait tiré un trait sur tout cela.

Avant que Gail ait pu ajouter quelque chose, l'arbitre siffla la fin du match. Aussitôt, Sam et les jumeaux de Gail les rejoignirent en courant.

— Beau match, dit India en souriant à son fils, soulagée que sa conversation avec son amie fût arrivée à son terme.

Avec Gail, elle avait toujours l'impression de devoir se défendre et défendre son couple.

— C'était pas un beau match du tout, nous avons perdu ! s'exclama Sam avec un regard horrifié.

Il serra néanmoins sa mère dans ses bras, tout en se baissant pour éviter l'appareil photo qui se balançait à l'épaule d'India.

— Tu t'es bien amusé quand même ? demanda-t-elle en déposant un baiser sur ses cheveux emmêlés et en se délectant de la bonne odeur de shampooing, de soleil et de grand air qui se dégageait de lui.

— Mouais, ça va. J'ai marqué deux buts.

— Alors, tu vois que c'était un bon match.

Ils se dirigèrent vers le parking en compagnie de Gail et de ses deux garçons, qui la suppliaient à cor et à cri de les emmener prendre une glace. Sam voulait les accompagner.

— Nous ne pouvons pas. Nous devons passer chercher Aimée et Jason, lui rappela India.

Sam grogna à cette perspective, et India fit au revoir de la main à Gail avant de se glisser derrière le volant de son monospace. Ç'avait été une conversation intéressante, songea-t-elle. Décidément, Gail n'avait rien perdu de son talent pour les interrogatoires !

Elle mit le contact et jeta un coup d'œil à son fils dans le rétroviseur. Il semblait fatigué, mais heureux. Il était couvert de poussière, et l'on aurait dit qu'il avait coiffé ses cheveux blonds avec un pétard ; mais le seul fait de le regarder rappelait à India pourquoi elle n'était pas en train de ramper sous des buissons en Éthiopie ou au Kenya. Oui, ce petit visage maculé de boue suffisait à tout expliquer. Et quelle importance si sa vie était « ennuyeuse » ?

31

Ils passèrent chercher Aimée et Jason à l'école avant de retourner à la maison. Jessica venait juste de rentrer, ses livres de classe étaient éparpillés sur la table de la cuisine, et le chien, fou de joie, aboyait de toutes ses forces en remuant la queue. C'était la vie qu'elle connaissait, celle qu'elle avait choisie. Elle avait exactement ce qu'elle voulait. Si cela ne suffisait pas à Gail, eh bien, elle était désolée pour elle. En fin de compte, chacun devait faire ce qui lui convenait le mieux ; et c'était cette vie-ci qui plaisait à India. Son appareil photo pourrait bien l'attendre encore cinq ou dix ans. Même à ce moment-là, d'ailleurs, elle savait qu'elle ne quitterait pas Doug pour partir vadrouiller, à l'autre bout du monde, à la recherche de l'aventure. On ne pouvait pas concilier le métier de grand reporter avec une vie de couple, elle le savait depuis des années. Elle avait fait un choix, et continuait à penser que c'était le bon.

— Qu'est-ce qu'on mange, ce soir ? demanda Jason, hurlant pour couvrir les aboiements frénétiques du chien et les voix de ses frère et sœurs.

Il faisait partie de l'équipe d'athlétisme de l'école, et mourait de faim.

— Des serviettes en papier, si vous ne sortez pas de ma cuisine cinq minutes ! lui répondit India par-dessus le comptoir de la cuisine.

Comprenant le message, Jason attrapa une pomme et un paquet de chips et les emporta dans sa chambre pour les manger en faisant ses devoirs. C'était un garçon qui travaillait bien à l'école, avait de bonnes notes, était doué pour le sport et ne leur avait jamais causé d'ennuis. Doug et lui se ressemblaient comme deux gouttes d'eau. Il avait commencé à découvrir le sexe opposé l'année précédente, mais son explo-

ration s'était jusque-là bornée à une série de coups de téléphone timides. Il était bien plus facile que son aînée, Jessica.
India aimait répéter que Jess finirait avocate dans un syndi-
cat : elle se posait toujours en porte-parole des opprimés, et
n'hésitait pas à se mesurer à sa mère. En fait, elle adorait ça.

— Dehors !

India les chassa tous de la pièce, chien compris, et ouvrit
le réfrigérateur avec une expression pensive. Ils avaient déjà
mangé des hamburgers deux fois cette semaine, et un pain de
viande une fois. Il lui fallait bien admettre qu'elle manquait
d'inspiration. Quand on arrivait ainsi à la fin de l'année scolaire, elle n'arrivait plus à concocter des dîners un peu créatifs. L'heure des barbecues, des hot dogs et des côtelettes avait
sonné, et il était grand temps que les vacances arrivent.

Elle opta pour deux poulets surgelés, qu'elle mit à décon-
geler au micro-ondes pendant qu'elle préparait une douzaine
d'épis de maïs. Assise à la table de la cuisine, elle laissa son
esprit vagabonder pendant que ses mains s'activaient, et elle
repensa à sa conversation avec Gail, essayant de déterminer
avec honnêteté si elle regrettait sa carrière avortée. Mais non,
après toutes ces années, elle était toujours convaincue d'avoir
pris la bonne décision. De toute façon, la question ne se
posait pas : on ne pouvait courir le monde un appareil photo
en main et être une bonne mère pour ses enfants. C'était son
devoir de rester auprès d'eux. Et si Gail la trouvait ennuyeuse
à cause de cela, eh bien tant pis. Au moins, Doug, lui, n'était
pas de cet avis ! Elle sourit en pensant à lui et, ragaillardie,
se leva pour placer les épis de maïs dans une casserole d'eau
sur la cuisinière. Puis elle sortit les poulets du micro-ondes,
les beurra et les saupoudra d'épices avant de les mettre au
four. Il ne lui restait plus qu'à faire cuire un peu de riz, à

confectionner une salade, et hop : le dîner serait prêt. Avec le temps, elle avait acquis une certaine pratique. Certes, ce n'était pas de la grande cuisine, mais c'était rapide, simple et sain. De toute façon, avec tout ce qu'elle avait à faire, elle n'avait pas le temps de préparer des repas gastronomiques, et c'était déjà une chance qu'elle ne conduise pas toute la maisonnée au McDo...

Elle venait juste de poser le dîner sur la table lorsque Doug arriva, l'air un peu fatigué. Sauf en cas de crise au bureau, il rentrait toujours à la maison à sept heures. De porte à porte, cela lui faisait des journées de douze heures, et même un peu plus, mais il ne se plaignait jamais du temps passé dans les transports. Il embrassa distraitement India sur la joue, posa son attaché-case par terre, et se dirigea vers le réfrigérateur, d'où il sortit un Coca avant de relever la tête et de sourire à India. Elle était contente de le voir.

— Comment s'est passée ta journée ? demanda-t-elle en s'essuyant les mains avec un torchon.

Des mèches couleur de blé mûr échappées de sa tresse encadraient son visage. Elle ne se préoccupait jamais vraiment de son apparence ; elle avait la chance de ne pas en avoir besoin. Son physique était classique, sain, net, et sa natte lui allait bien. Sa peau était très belle, et avec sa silhouette longiligne, elle pouvait se permettre de porter les chemises, les jeans et les cols roulés qu'elle affectionnait. Elle faisait trente-cinq ans plutôt que quarante-trois.

Doug posa son Coca et desserra sa cravate avant de répondre.

— Pas mal. Rien d'excitant. J'ai eu une réunion avec un nouveau client.

Sa vie professionnelle n'avait jamais été très agitée, et lorsqu'il avait des soucis, il les partageait toujours avec elle.

— Et toi, qu'est-ce que tu as fait ?

— Sam avait un match de foot, et j'ai pris quelques photos pour l'équipe. Rien d'extraordinaire.

Comme elle prononçait ces derniers mots, elle songea à Gail, qui trouvait leurs vies si monotones. Elles l'étaient, de fait. Mais que pouvaient-elles espérer de plus ? Ce n'était guère « glamour » d'élever quatre enfants dans une petite ville du Connecticut... et quelques liaisons fugaces n'y changeraient rien. Mieux valait se faire une raison.

— Et si nous allions dîner chez Ma Petite Amie, demain soir ? suggéra Doug.

— Avec plaisir, répondit-elle en souriant.

Elle appela les enfants pour le dîner, et une fraction de seconde plus tard, un véritable cyclone déferla sur la cuisine. Mais cela ne la dérangeait pas. Ils étaient toujours contents de prendre leur dîner tous ensemble, en famille. Les enfants parlaient de leur journée, de leurs amis, de leurs activités, tout en se plaignant régulièrement des professeurs et de la quantité de devoirs qu'on leur donnait. Ce jour-là, Aimée annonça qu'un nouveau garçon avait appelé Jessica trois fois dans l'après-midi, et qu'il avait l'air vraiment vieux, peut-être seize ans ; Jessica la foudroya du regard. Puis, pendant l'essentiel du repas, ce fut Jason qui les divertit. C'était le clown de la famille, et il avait un don pour commenter tous les événements avec humour. Après le dîner, Aimée aida India à débarrasser la table et à remplir le lave-vaisselle. Sam monta se coucher tôt, épuisé par son match de football et les deux buts qu'il avait marqués. Lorsque India rejoignit Doug dans leur chambre, il lisait un dossier qu'il avait rapporté du bureau.

— On dirait que notre progéniture t'a épuisée, observat-il en levant les yeux de ses papiers.

Il y avait en lui un côté discret, solide, qui avait séduit India dès le premier instant. Il était grand et très mince, avec un physique athlétique et un visage juvénile. A quarante-cinq ans, il était encore très séduisant, et ressemblait à un champion de football américain. Il avait des cheveux et des yeux sombres, et affectionnait les costumes gris ou en tweed pour le bureau, et les pantalons en velours côtelé et les pulls en shetland le week-end. D'une manière tranquille, saine, India l'avait toujours trouvé très attirant, même si Gail le jugeait ennuyeux. A bien des égards, Doug était pour India le mari idéal. Il était, en règle générale, solide, digne de confiance, imperturbable, et ce qu'il attendait d'elle était toujours relativement raisonnable.

Elle se laissa tomber dans un large fauteuil face à lui et replia ses jambes sous elle en s'efforçant de se souvenir, l'espace d'un instant, du jeune homme qu'elle avait rencontré dans le Peace Corps. Il n'était pas si différent de l'homme assis près d'elle en ce moment, mais elle se rappelait l'étincelle de malice qui brillait alors dans son regard et qui l'avait enchantée, à une époque où elle était jeune et pleine de rêves de défi et de gloire. Doug n'était plus malicieux, mais il demeurait honnête et fiable, et elle savait pouvoir compter sur lui. Bien qu'elle eût aimé son père à la folie, elle n'aurait pas voulu partager son quotidien avec un homme comme lui, toujours absent et prêt à risquer – et perdre – sa vie pour son métier. Pour lui, la guerre avait été une histoire d'amour. Doug était bien plus sensé que cela, et elle était heureuse de savoir qu'elle pouvait compter sur lui, qu'il serait toujours à son côté.

— Les enfants avaient l'air un peu agités, ce soir. Qu'est-ce qui se passe ? demanda-t-il en posant son rapport sur sa table de chevet.

— J'imagine qu'ils sont juste excités à la perspective des vacances. Ça leur fera du bien d'aller à Cape Cod et de se détendre un peu. Ils ont besoin de souffler, nous en avons tous besoin.

A cette période de l'année, les trajets en voiture commençaient à lui peser sérieusement.

— J'aimerais pouvoir prendre un peu de vacances avant le mois d'août, dit Doug en se passant la main dans les cheveux.

Mais il savait qu'il devait superviser deux importantes études marketing pour dc nouveaux clients, et il ne voulait pas quitter New York trop tôt.

— Moi aussi, j'aurais aimé que tu te libères plus tôt, admit India. Au fait, j'ai vu Gail, aujourd'hui. Ils vont en Europe, cet été.

Elle savait qu'il était inutile de revenir sur le sujet des voyages et que, de toute façon, il était trop tard pour changer leurs projets de vacances, mais elle ne pouvait s'empêcher de le regretter.

— Nous devrions vraiment faire un truc comme ça, l'année prochaine.

— Ah, ne recommence pas avec ça... Je ne suis pas allé en Europe avant d'avoir terminé mes études. Ça ne tuera pas les enfants d'attendre encore deux ou trois ans. Et puis, c'est trop cher, avec une famille de la taille de la nôtre.

— Nous aurions les moyens de le faire, et nous ne pouvons pas leur mentir là-dessus, Doug.

Elle ne lui rappela pas que ses parents à elle l'avaient emmenée dans le monde entier quand elle était petite. Son père avait accepté des reportages dans tous les endroits qui lui semblaient amusants, durant les périodes de vacances scolaires, afin de pouvoir emmener sa mère et elle avec lui. Ces voyages avaient été très enrichissants pour elle, et elle aurait aimé partager ces expériences avec ses enfants.

— J'adorais partir avec mes parents, observa-t-elle d'une voix douce, mais Doug parut contrarié, comme toujours lorsqu'elle abordait ce sujet.

— Si ton père avait eu un vrai métier, tu n'aurais pas eu non plus l'occasion d'aller en Europe à peine sortie du berceau, dit-il presque sévèrement.

Il n'aimait pas qu'elle essaie de lui forcer la main.

— Ce que tu dis est idiot. Il avait un vrai métier. Et il travaillait très dur.

« Bien plus dur que toi aujourd'hui », aurait-elle voulu ajouter, mais elle s'abstint. Son père était infatigable, passionnément énergique. Il avait tout de même reçu le prix Pulitzer ! Elle détestait que Doug se permît de telles remarques à son sujet. Il semblait estimer que la carrière de son père n'avait eu aucune valeur sous prétexte qu'il avait gagné sa vie grâce à son appareil photo, ce qui, dans l'esprit de Doug, était d'une simplicité enfantine. Peu lui importait que le père d'India eût reçu des récompenses internationales pour son travail, ou qu'il eût perdu la vie dans l'exercice de son métier.

— Il avait de la chance, et tu le sais parfaitement, reprit Doug. Il était payé pour faire ce qu'il aimait : se balader et observer les gens. C'est vraiment un beau coup de bol, tu ne crois pas ? Ce n'est pas comme d'aller au bureau tous les jours, et de devoir gérer les conflits internes et tous les problèmes de ce genre.

— Non, en effet.

Une lueur dangereuse s'était allumée dans les yeux de la jeune femme, et Doug aurait dû sentir qu'il s'était engagé sur un terrain glissant. Il n'était pas seulement en train de rabaisser le père héroïque qu'elle vénérait ; ce faisant, il dénigrait également sa carrière à elle, sa personnalité, ce qu'elle avait été avant de l'épouser.

— Je pense que ce qu'il faisait était infiniment plus dur, et que parler d'un « beau coup de bol » est une véritable insulte.

Pour elle, pour son père. Ses yeux lançaient des éclairs, à présent.

— Oh là là, tu m'as l'air bien remontée, aujourd'hui ! C'est encore Gail qui est partie dans un de ses délires, je parie ?

Il n'avait pas tort, bien sûr. Gail était une agitatrice dans l'âme, et India l'avait plus d'une fois dit à Doug. Mais les remarques qu'il venait de faire à propos de son père l'avaient vraiment contrariée, et cela n'avait rien à voir avec Gail. Cela la concernait, elle, et le travail qu'elle avait effectué avant leur mariage.

— Cela n'a aucun rapport. Simplement, je ne comprends pas comment tu peux te permettre de dénigrer la carrière d'un journaliste lauréat du prix Pulitzer, et d'en parler comme s'il avait juste eu « le bol » de prendre deux ou trois photos sympas...

— Tu simplifies à outrance ce que j'ai dit. Mais regarde les choses en face : ton père n'était tout de même pas le P-DG de la General Motors ! C'était un photographe. Je suis persuadé qu'il avait du talent, mais admets qu'il a aussi probablement eu de la chance. S'il était encore vivant, il te dirait sans doute la même chose. Les types comme lui se montrent généralement honnêtes, et admettent qu'ils ont eu du pot.

— Pour l'amour du ciel, Doug, qu'essaies-tu de me dire ? Que moi aussi j'ai eu de la chance ? Que ma carrière a été un « coup de bol » ?

— Non, dit-il d'une voix posée.

Cela le contrariait de s'être engagé dans cette querelle conjugale au terme d'une longue journée de travail. Il se demandait si India n'était pas tout simplement fatiguée ou si les enfants ne lui avaient pas tapé sur les nerfs. Ou peut-être était-ce la faute de Gail. Il n'avait jamais aimé cette femme, qui avait le don de le mettre mal à l'aise. Il estimait que ses incessantes jérémiades avaient une mauvaise influence sur India.

— Je pense simplement que tu as connu une période très agréable quand tu étais journaliste, reprit-il. Cela t'a donné une bonne excuse pour continuer à t'amuser, peut-être plus longtemps que tu ne l'aurais dû.

— Si j'avais continué à travailler, j'aurais peut-être moi aussi un Pulitzer à mon actif, à l'heure qu'il est. Y as-tu jamais songé ? demanda India en soutenant son regard sans ciller.

Elle ne pensait pas réellement qu'elle aurait pu gagner le prix Pulitzer – mais c'était une possibilité. Durant la courte période où elle avait travaillé avant de devenir femme au foyer, elle avait attiré l'attention de beaucoup de gens, dans le milieu du journalisme.

— C'est ce que tu crois ? lui demanda-t-il d'un air surpris.

Regrettes-tu d'avoir laissé tomber ? C'est ça que tu cherches à me dire ?

— Non, absolument pas. Je n'ai jamais eu de regrets. Mais je n'ai jamais non plus considéré mon travail comme une distraction. Je faisais mon métier très sérieusement, et j'étais bonne... Je le suis toujours.

Rien qu'à regarder Doug, cependant, elle sentait qu'il ne comprenait pas ce qu'elle essayait de lui dire. Pour lui, le métier d'India n'avait été qu'un jeu, une transition amusante entre les études et « la vraie vie ». Or, même si elle avait vécu des moments merveilleux dans le cadre de son travail, celui-ci n'avait jamais été une partie de plaisir, elle avait risqué sa vie à plusieurs reprises pour obtenir les photos extraordinaires qui lui avaient valu sa notoriété.

— Doug, tu dénigres ce que j'ai fait. Tu ne te rends pas compte de ce que tu es en train de me dire ?

Il était essentiel qu'il comprît ce qu'elle essayait de lui faire sentir. En méprisant ce qu'elle avait abandonné pour lui, il lui donnait l'impression qu'elle n'était rien, que son sacrifice n'avait pas eu la moindre valeur.

— Je pense que tu es trop sensible, et que tu réagis trop violemment. Ce que je dis seulement, c'est qu'il y a une différence entre être photographe et être homme d'affaires. Tu admettras que ce n'est pas aussi sérieux, que ça ne demande pas la même discipline, le même jugement...

— Mais c'est mille fois plus dur ! Quand on bosse dans le genre d'endroits où mon père et moi avons travaillé, on met sa vie en jeu à chaque instant, et si on n'est pas constamment attentif et en alerte, on finit par sauter sur une mine et mourir. C'est autrement plus difficile que de travailler dans un bureau à remuer des papiers.

41

— Essaies-tu de me faire croire que pour moi tu as abandonné la carrière de ta vie ? demanda-t-il, l'air à la fois agacé et stupéfait. Tu cherches à me culpabiliser ?

— Non, mais j'estime mériter au moins un minimum de reconnaissance. J'ai abandonné une carrière très respectable pour venir m'installer ici et m'occuper de nos enfants. A t'entendre, on dirait que, de toute façon, je ne faisais que m'amuser, et qu'arrêter n'était pas bien difficile. C'est faux. Ça a été un véritable sacrifice pour moi.

Elle le regardait intensément, se demandant ce qu'il pensait réellement de sa carrière. Elle n'aimait pas ce qu'elle découvrait, ce profond mépris pour ce qu'elle avait fait et abandonné pour lui.

— Regrettes-tu d'avoir fait ce sacrifice ? demanda-t-il brutalement.

— Non. Mais, je te le répète, j'estime avoir droit à un peu de gratitude. Tu ne peux pas te contenter de faire une croix sur ma carrière comme si cela n'avait jamais eu d'importance.

— Parfait. Alors, tu as toute ma reconnaissance. C'est bon ? On peut se détendre, à présent ? J'ai eu une dure journée, au bureau.

Mais son ton ne fit qu'irriter davantage India. On eût dit qu'il se jugeait plus important qu'elle... Il reprit le rapport posé sur la table de nuit ; pour lui, visiblement, la conversation était close.

India le regarda avec incrédulité, encore sous le choc de ce qu'il lui avait dit. Il avait dénigré non seulement sa carrière, mais aussi celle de son père. Et d'une manière qui l'avait vraiment blessée. Jamais auparavant elle n'avait senti chez lui un tel manque de respect, et cela donnait à tous les argu-

ments que Gail lui avait exposés cet après-midi non seulement du poids, mais aussi une douloureuse réalité.

Avant d'aller se coucher, India passa un très long moment
sous sa douche à réfléchir à tout cela. Doug l'avait vraiment
contrariée. Mais elle ne lui en parla pas en le rejoignant au
lit : elle était sûre qu'il allait aborder lui-même le sujet et
s'excuser. Il savait toujours se rendre compte qu'il lui avait
fait de la peine, et ne manquait jamais de lui demander
pardon.

Cependant, il ne lui dit pas un mot au moment d'éteindre
la lumière ; il lui tourna le dos et s'endormit, comme si rien
ne s'était passé. Elle ne lui souhaita pas une bonne nuit, et
demeura éveillée un long moment, songeant à ce qu'il avait
dit et aux paroles de Gail, tandis que, allongée près de lui,
elle l'écoutait ronfler doucement.

2

L E LENDEMAIN matin fut chaotique, comme d'habitude. Chaque jour, les mères du voisinage se relayaient pour emmener les enfants à l'école ; ce matin-là, India était théoriquement de repos, mais elle dut tout de même conduire Jessica au lycée, l'adolescente s'étant réveillée trop tard pour partir avec ses camarades. Doug ne dit pas un mot à India au sujet de leur conversation de la veille, et il s'en alla avant même qu'elle ait eu le temps de lui dire au revoir.

S'en voulait-il ? se demanda India tout en nettoyant la cuisine, un peu plus tard. Elle était certaine qu'il s'excuserait, la veille... Cela ne lui ressemblait pas de se taire. Peut-être avait-il passé une mauvaise journée au bureau, ou se sentait-il simplement belliqueux et avait-il eu envie de la provoquer un peu. Cependant, il avait paru très calme durant leur conversation. Cela la contrariait vraiment de penser qu'il accordait si peu d'importance à tout ce qu'elle avait fait avant leur mariage. Jamais il ne s'était montré aussi insensible à ce sujet, ou aussi ouvertement critique.

A l'instant où elle mettait les derniers bols dans le lave-vaisselle avant de se diriger vers sa chambre noire pour développer les photos prises la veille sur le terrain de football, et qu'elle avait promis de donner très rapidement au capitaine de l'équipe, le téléphone sonna. Sans doute Doug l'appelait-il pour lui présenter des excuses... Il avait proposé qu'ils aillent dîner ce soir-là dans un charmant petit restaurant français qu'ils aimaient bien, et la soirée serait bien plus agréable s'il acceptait au moins de reconnaître qu'il avait eu tort de traiter la carrière d'India avec une telle condescendance.

— Allô ?

India souriait en décrochant, s'attendant à entendre son mari, mais la voix qui parla à l'autre bout du fil n'était pas celle de Doug ; elle reconnut avec surprise celle de son agent, Raoul Lopez. Très connu dans le domaine du photojournalisme et de la photographie, il était probablement le meilleur dans sa spécialité. L'agence pour laquelle il travaillait était celle qui avait représenté le père d'India pendant toute sa carrière.

— Comment va la maman de l'année ? lança-t-il gaiement. Tu prends toujours des photos d'enfants sur les genoux du Père Noël ?

Elle avait effectivement proposé bénévolement, l'année précédente, ses services à un foyer pour mères sans abri durant la période de Noël, et cela n'avait guère été du goût de Raoul, qui lui répétait depuis des années qu'elle gâchait son talent.

Une fois tous les deux ou trois ans, elle acceptait de travailler pour lui, lui laissant espérer qu'un jour elle déciderait enfin de revenir au « monde réel », comme il l'appelait. Trois ans plus tôt, notamment, elle avait effectué un reportage fabuleux sur les enfants maltraités de Harlem. Elle l'avait fait durant la journée, quand ses propres enfants étaient à l'école, et avait réussi à ne jamais rater une sortie des classes. Doug n'avait pas été ravi, mais il l'avait autorisée à accepter cette enquête, après qu'India eut passé des semaines à en discuter avec lui. Et, comme par le passé, son reportage avait valu une récompense à la jeune femme.

— Ça va, dit-elle à son agent, sans relever l'ironie de sa question. Et toi ?

— Débordé, comme toujours. Et un peu fatigué d'essayer de canaliser les artistes que je représente. Explique-moi pourquoi les gens créatifs ont tant de mal à prendre des décisions intelligentes ?

Il semblait avoir eu un début de matinée difficile, et India, qui le connaissait bien, espérait qu'il n'allait pas lui demander de faire quelque chose de complètement fou. Parfois, en dépit des règles très strictes qu'elle avait édictées des années plus tôt, il arrivait à Raoul de tenter sa chance. Cela se produisait surtout lorsqu'il traversait une période difficile ; or India savait qu'en ce moment il était bouleversé par la perte d'un de ses clients et amis, mort au cours d'un reportage sur une brève guerre sainte en Iran, au début du mois d'avril.

— Alors, quoi de neuf ? demanda Raoul en faisant un effort évident pour se montrer plus cordial.

C'était un homme nerveux, irascible, mais India l'aimait beaucoup. Il savait toujours envoyer le bon photographe sur le bon reportage, quand on lui laissait carte blanche.

— Eh bien, là, tu vois, je remplis le lave-vaisselle, dit la jeune femme avec un sourire espiègle. Cela te surprend ?

Elle rit en l'entendant grogner à l'autre bout du fil.

— Hélas, non. Bon sang, quand est-ce que tes enfants seront assez grands pour se débrouiller tout seuls, India ? Le monde ne va pas t'attendre éternellement !

— Il sera bien obligé.

Même lorsque les enfants seraient grands, elle n'était pas sûre que Doug accepterait qu'elle reprenne son travail. Mais pour l'instant, elle se satisfaisait de sa situation. Et elle l'avait si souvent répété à Raoul qu'il la croyait presque, ce qui ne l'empêchait pas de ne jamais abandonner tout espoir. Il continuait à penser qu'elle finirait un jour par revenir à la raison et fuir Westport à toutes jambes. Du moins le souhaitait-il de tout son cœur.

— Laisse-moi deviner, reprit India. Tu m'appelles pour m'envoyer en mission à dos de mulet en Chine du Nord ?

Régulièrement, il lui proposait des reportages de ce type, bien qu'il lui arrivât aussi d'avoir des idées plus raisonnables, comme celle sur Harlem. India avait adoré ce reportage, et c'était pour cette raison qu'elle ne retirait pas son nom des fichiers de l'agence.

— Pas exactement, mais tu brûles, dit-il d'une voix hésitante, ne sachant trop comment formuler sa proposition.

Il savait à quel point India était dévouée à son mari et à ses enfants. Pour sa part, Raoul n'avait ni compagne, ni famille, et n'avait jamais réussi à comprendre qu'India eût pu sacrifier sa carrière pour devenir femme au foyer. Il connaissait peu de photographes aussi talentueux qu'elle, et trouvait sacrilège de sa part d'avoir abandonné son métier.

Prenant une profonde inspiration, il décida de se jeter à l'eau. A quoi bon tourner autour du pot ? Au pire, elle lui dirait non, bien qu'il espérât de tout cœur qu'elle accepte.

— En fait, c'est en Corée. Il s'agit d'un reportage pour l'édition dominicale du *New York Times Magazine,* mais ils sont prêts à le faire faire par un photographe en free-lance plutôt que par un membre de leur équipe. Il y a une arnaque à l'adoption à Séoul qui est en train de mal tourner. Il semblerait qu'ils tuent les enfants que personne ne veut adopter. C'est une mission à peu près sans danger, pour toi du moins, à condition de ne pas te faire trop d'ennemis sur place... Mais surtout, ça fera un article fantastique, India. Ce qui se passe là-bas est monstrueux, on assassine des bébés. Quelqu'un doit faire ce papier, India, et il faut impérativement des photos pour accompagner l'article. Je sais que tu adores les enfants, et je me suis dit que... que ce serait une mission parfaite, pour toi.

Impossible de nier la décharge d'adrénaline qu'India avait ressentie en entendant Raoul présenter ce sujet. L'histoire qu'il lui racontait, et qu'il lui proposait d'illustrer, la touchait comme aucune autre depuis le reportage à Harlem. Mais la Corée ? Que dirait-elle à Doug et aux enfants ? Qui conduirait ces derniers à l'école, au sport, qui leur ferait à manger ? Ils n'avaient qu'une femme de ménage qui venait deux fois par semaine, et jusqu'à présent, c'était India qui avait tout fait. Comment pourraient-ils se débrouiller sans elle ?

— Combien de temps durerait le reportage ?

Peut-être que, pour une semaine, Gail accepterait de la dépanner...

Raoul ne répondit pas tout de suite ; elle l'entendit tousso-ter avec embarras. Ce qui signifiait qu'elle n'allait pas aimer sa réponse...

— Trois semaines. Peut-être quatre, lâcha-t-il enfin.

India se laissa tomber sur l'un des tabourets de la cuisine et ferma les yeux. Elle ne pouvait pas le faire, c'était totalement impossible. Cela la rendait malade de rater une telle occasion, mais il fallait qu'elle pense à ses enfants.

— Tu sais que je ne peux pas accepter, Raoul. Pourquoi m'as-tu appelée ? Uniquement pour me rendre malade ?

— Peut-être. Peut-être qu'un de ces jours, tu finiras par te mettre dans la tête que le monde a besoin de toi. Il ne s'agit pas juste de prendre de jolies photos, India. Tu es capable de faire la différence. Tu pourrais être la personne qui mettra un terme à ces assassinats de bébés.

— Ce n'est pas juste ! protesta-t-elle avec véhémence. Tu n'as pas le droit de me culpabiliser ainsi. Je n'ai aucun moyen de me libérer pendant un mois, et tu le sais parfaitement. J'ai quatre enfants, un mari, et personne pour m'aider.

— Eh bien, engage une jeune fille au pair, pour l'amour du ciel, ou divorce ! Tu ne peux pas rester éternellement assise sur ton derrière à attendre. Tu as déjà perdu quatorze années. C'est un miracle que quelqu'un accepte encore de te donner du travail ! Tu es folle de gâcher ton talent ainsi.

C'était la première fois qu'il avait l'air à ce point énervé contre elle, et ce qu'il lui disait lui faisait mal.

— Je n'ai pas perdu ces quatorze années, Raoul. J'ai des enfants heureux, en bonne santé, et c'est parce que je suis là pour les emmener à l'école tous les jours, pour venir les chercher, pour aller les voir jouer au base-ball, et pour leur faire à manger le soir. Et si je m'étais fait tuer au cours d'un reportage, ce ne serait pas toi qui serais venu t'occuper d'eux à ma place.

— Non, là, tu as raison, admit-il d'une voix plus calme. Mais à présent, ils sont assez grands. Tu pourrais te remettre à travailler, au moins une fois de temps en temps pour un reportage comme celui-là. Ce ne sont plus des bébés, bon sang ! Je suis sûr que ton mari comprendrait.

Après ce qu'il lui avait dit la veille au soir, India en doutait fort. Elle n'arrivait même pas à s'imaginer lui annonçant qu'elle partait un mois en Corée. Dans le contexte de leur couple, c'était inenvisageable.

— Je ne peux pas le faire, Raoul, et tu le sais. Tu ne fais que me rendre malheureuse en insistant, dit-elle d'une voix triste.

— Tant mieux. Comme ça, peut-être que tu réagiras, un de ces jours. Si mon coup de fil pouvait déboucher sur une prise de conscience, j'aurais le sentiment d'avoir rendu service à l'humanité.

— A l'humanité, peut-être, même si je pense que tu me flattes — je n'ai jamais été si géniale que ça. Mais tu n'aurais pas rendu service à mes enfants.

— Des tas de mères travaillent. Ils survivraient.

— Et si, moi, je ne survivais pas ?

Elle gardait toujours à l'esprit l'exemple de son père, mort quand elle avait quinze ans. Et nul ne pouvait prétendre que cela ne risquait pas de lui arriver, en particulier si elle recommençait à faire des reportages comme ceux qu'elle affectionnait autrefois. Celui qu'on lui proposait en Corée n'était rien, comparé à ceux qu'elle avait effectués avant son mariage.

— Eh bien, ils s'en remettraient quand même, dit Raoul. De toute façon, je ne t'enverrais pas sur des missions trop dangereuses. Certes, cette histoire en Corée est un peu risquée, mais ce n'est pas comme si je te demandais d'aller en Bosnie ou je ne sais où !

— Je ne peux pas le faire, Raoul. Désolée.

— Je sais. C'était de la folie de t'appeler, mais il fallait que j'essaie. Je vais trouver quelqu'un d'autre, ne t'inquiète pas.

Il semblait découragé.

50

— Ne m'oublie pas complètement, dit-elle d'une toute petite voix.

C'était la première fois depuis des années qu'elle se sentait aussi triste de refuser un reportage. Elle aurait vraiment aimé faire ces photos en Corée, et était vraiment frustrée de devoir y renoncer. Elle n'en voulait à personne, mais était amèrement déçue.

C'était typiquement le genre de sacrifices dont elle avait parlé à Doug la veille, et qu'il avait traités avec tant de dédain.

— Si tu ne fais rien d'important bientôt, je finirai bel et bien par t'oublier, la prévint Raoul. Tu ne peux pas photographier éternellement le Père Noël.

— Trouve-moi quelque chose de plus près d'ici, comme ce truc sur Harlem.

— On ne tombe pas souvent sur des histoires comme celle-là, tu le sais. En général, ils confient ces reportages-là aux gens de leur équipe. C'est uniquement parce qu'ils voulaient un papier un peu plus étoffé qu'ils t'avaient embauchée, cette fois-là, mais c'était un coup de bol. (Il poussa un profond soupir.) Bon, je verrai ce que je peux te dénicher. De ton côté, dis à tes enfants de grandir un peu plus vite.

Et Doug ? A quelle vitesse grandirait-il, s'il grandissait jamais ? A en juger par leur conversation de la veille, il n'avait jamais vraiment compris l'importance que sa carrière revêtait pour elle.

— Merci quand même d'avoir pensé à moi. J'espère que tu trouveras quelqu'un de génial pour faire ce reportage.

— Je viens tout juste d'être éconduit par quelqu'un de génial... Bon, je te rappellerai un de ces jours. Et n'oublie pas que tu m'en devras un, la prochaine fois.

51

— Dans ce cas, fais en sorte qu'on ne me demande pas de me percher en haut d'un arbre à Bornéo.

— Je vais voir ce que je peux faire, India. A bientôt.

— A bientôt. (Elle allait raccrocher lorsqu'elle ajouta :) Au fait, je serai à Cape Cod tout l'été, juillet et août. Je pense que tu as mon numéro là-bas, non ?

— Oui. Si tu prends de belles photos de voiliers, n'hésite pas à me les envoyer. Nous les vendrons à une boîte de cartes postales.

De fait, c'était ce qu'elle avait fait, une année, quand les enfants étaient encore petits. Elle avait été contente de son travail, mais Raoul, lui, était entré dans une rage folle. Pour lui, India était une grande photojournaliste, qui n'aurait jamais dû perdre son temps à photographier des bateaux ou des gamins en vacances.

— Tu peux te moquer de moi, mais ces photos m'ont payé mes frais de jardinage pendant deux ans. Ce n'est pas rien, souligna-t-elle.

— Tu es désespérante.

Là-dessus ils raccrochèrent et, toute la journée, India fut contrariée par ce coup de fil. Pour la première fois depuis longtemps, elle avait l'impression de rater quelque chose. Et elle était toujours morose lorsqu'elle tomba sur Gail au supermarché dans l'après-midi.

Gail, pour sa part, semblait plus heureuse qu'à l'accoutumée. Elle portait une jupe et des talons hauts et, en s'approchant d'elle, India remarqua qu'elle s'était parfumée.

— Où es-tu allée ? Faire des courses en ville ?

Gail secoua la tête avec un sourire malicieux, et annonça d'une voix basse de conspiratrice :

— J'ai déjeuné avec Dan Lewison à Greenwich. Il n'est

pas aussi désespéré que je m'y attendais. Nous avons passé un très bon moment, et bu un peu de vin. C'est un type adorable, et quand on passe un moment avec lui, on finit même par le trouver séduisant.

— Tu as dû boire plus d'un ou deux verres, observa India en secouant la tête.

Quel était l'intérêt pour son amie d'aller déjeuner avec cet homme ? Elle ne comprenait pas.

— Pourquoi as-tu l'air si déprimée ? demanda Gail.

D'ordinaire, India avait plutôt une vision optimiste de l'existence. C'était toujours elle qui disait à Gail de sourire, que tout n'allait pas si mal. En cet instant, cependant, elle paraissait au trente-sixième dessous.

— Doug et moi nous sommes disputés, hier soir, et mon agent vient de m'appeler pour me proposer un reportage en Corée. Apparemment, il y aurait une arnaque à l'adoption, et ils exécuteraient les bébés dont personne ne veut.

— Seigneur, quelle horreur ! s'exclama Gail d'un air écœuré. Réjouis-toi de ne pas avoir eu à couvrir ce truc-là. C'est d'un morbide !

— J'aurais adoré pouvoir le faire. Ça fera un article génial... Mais il aurait fallu que je parte trois ou quatre semaines. J'ai dit à Raoul que je ne pouvais pas.

— Ce n'est pas la première fois. A te voir, on dirait que tu as perdu un de tes proches. Qu'est-ce qui t'arrive ?

India poussa un soupir.

— Doug a fait un tas de remarques idiotes hier soir, et j'ai du mal à le digérer. A l'entendre, ma carrière n'était qu'un divertissement, et il n'y a rien d'extraordinaire à ce que je l'aie abandonnée. Les gens s'imaginent toujours, quand on leur dit qu'on gagne sa vie avec un appareil photo, qu'ils pourraient le faire aussi, s'ils en avaient envie.

— Doug a perdu la tête, s'exclama Gail avec étonnement. Elle savait qu'India et son mari se querellaient rarement.

— On dirait, répondit India, sans dissimuler sa contrariété. Il n'est pas aussi insensible, d'habitude. Peut-être qu'il a passé une mauvaise journée au bureau.

— Et peut-être qu'il ne se rend vraiment pas compte de ce que tu as laissé tomber pour les enfants et lui.

C'était ce qu'India craignait, et elle fut elle-même surprise de constater l'importance que cela revêtait à ses yeux.

— Et si tu acceptais ce reportage en Corée ? Cela lui ferait comprendre ton point de vue.

De toute évidence, Gail cherchait à la provoquer afin qu'elle accepte cette mission, mais India connaissait trop les risques pour se laisser tenter. Elle savait que Doug prendrait cela comme une déclaration de guerre.

— Pourquoi les enfants devraient-ils souffrir sous prétexte qu'il m'a fait de la peine ? Et puis, il est impossible que je me libère pendant un mois entier. Nous partons à Cape Cod dans trois semaines... Non, vraiment, c'est impossible.

— Alors, tu devrais accepter le prochain reportage que ton agent te proposera.

— S'il m'en propose un autre ! Je suis sûre que Raoul en a assez de m'appeler et de m'entendre refuser ses offres les unes après les autres.

D'ailleurs, il ne lui téléphonait quasiment plus. Il y avait trop peu de missions qui satisfaisaient aux exigences très précises d'India.

— Doug va certainement rentrer à la maison avec un

énorme bouquet de fleurs, ce soir, et tu oublieras toute cette histoire, affirma Gail en s'efforçant d'avoir l'air rassurante.

Elle avait de la peine pour son amie. India était belle, brillante et bourrée de talent, et comme beaucoup de femmes de leur entourage, elle passait son temps à nettoyer sa cuisine et à conduire ses enfants à l'école. C'était vraiment du gâchis.

— Nous dînons chez Ma Petite Amie, ce soir. Je m'en réjouissais, mais après notre dispute d'hier, je n'ai plus guère envie d'y aller.

— Bois un peu plus de vin que d'habitude, et tout ira bien. Tiens, ça me rappelle que je dois de nouveau déjeuner avec Dan, mardi.

— Je pense que c'est une erreur, déclara India sans ambages. Qu'est-ce que ça va t'apporter ?

— Ça va me divertir. Pourquoi m'en priver ? Nous ne faisons de mal à personne. Rosalie est amoureuse d'Harold, et Jeff ne le saura jamais. De plus, je vais me consacrer entièrement à lui pendant nos six semaines en Europe.

Gail semblait estimer que c'était une justification parfaite, mais India n'était pas de cet avis.

— Je trouve ça totalement inutile. Et que se passera-t-il si tu tombes amoureuse de lui ?

C'était là un problème important. Si Gail souhaitait plus que tout au monde connaître une nouvelle fois une grande passion, cela risquait bien de lui arriver un jour ou l'autre. Et que ferait-elle alors ? Elle quitterait Jeff ? Divorcerait ? Pour India, le risque paraissait trop élevé. Mais sur ce sujet comme sur beaucoup d'autres, l'avis de Gail divergeait du sien.

— Je ne vais pas tomber amoureuse de lui. Nous nous amusons un peu, c'est tout. Ne sois donc pas si rabat-joie !

55

— Et si Jeff faisait pareil ? Cela ne te dérangerait pas ?

— J'en serais sidérée, dit Gail d'un air amusé. La seule chose que fasse Jeff à l'heure du déjeuner, c'est d'aller voir son pédicure, et parfois son coiffeur.

Mais si elle se leurrait ? S'ils avaient tous les deux des liaisons extraconjugales ? Pour India, tout cela paraissait particulièrement désespérant.

— Tu devrais te faire couper les cheveux, ou aller te faire masser, un truc comme ça, lui conseilla Gail. Ça te remonterait le moral. Tu sais, il n'y a rien de vraiment déprimant à avoir dû laisser tomber un reportage sur des bébés assassinés en Corée. Ce n'est pas comme de rater quelque chose de sympa... une liaison, par exemple...

Gail la taquinait, et India secoua la tête en souriant.

— Comment puis-je avoir autant d'affection pour quelqu'un d'aussi immoral ? demanda-t-elle avec une désapprobation amusée. Si je ne te connaissais pas et qu'on me parlait de toi, je te trouverais dégoûtante.

— Bien sûr que non. Je suis honnête, et je parle ouvertement de ce que je fais et de ce que je pense, c'est tout. La plupart des gens sont des hypocrites, et tu le sais.

Elle n'avait pas entièrement tort, ce qui ne l'empêchait pas, aux yeux d'India, d'être un peu trop honnête, et d'aller un peu trop loin dans la franchise...

— Je t'adore, mais ça ne m'empêche pas de penser qu'un de ces jours tu te retrouveras dans une situation inextricable, et que Jeff le découvrira.

— Je ne suis même pas sûre qu'il y attacherait de l'importance. A moins que j'oublie d'aller chercher ses affaires chez le teinturier...

— N'en sois pas si sûre.

— Dan dit que Rosalie couche avec Harold depuis deux ans, et qu'il n'en avait pas la moindre idée avant qu'elle ne le lui avoue. La plupart des hommes sont comme ça.

Tout à coup, India se demanda si Doug aurait des soupçons, si elle avait une aventure. Elle aimait penser que oui.

— Bon, il faut que je file, reprit Gail. Je dois emmener les enfants chez le médecin pour un examen général. Dès que nous rentrerons d'Europe, ils partiront en colonie, et je n'ai pas encore fait remplir leurs fiches de santé.

— Peut-être que tu aurais le temps de t'en occuper à l'heure du déjeuner, si tu étais chez toi, plaisanta India.

Gail lui fit un petit signe de la main et se hâta vers la caisse, tandis qu'India terminait d'acheter ce dont elle avait besoin pour le week-end. Ce n'était pas très excitant, mais, après tout, Gail n'avait certainement pas tort : le reportage en Corée aurait sans doute été plus déprimant qu'autre chose. Elle aurait eu envie d'adopter tous les bébés en danger de mort, et aurait souffert de ne pas pouvoir...

Malgré tout, elle était encore d'humeur assez sombre lorsqu'elle alla chercher les enfants pour les ramener à la maison, plus tard dans l'après-midi. Par chance, Jason et Aimée avaient des amis avec eux, et les quatre enfants faisaient tant de bruit dans la voiture que nul ne se rendit compte qu'elle ne disait rien.

Elle leur prépara à tous un goûter, qu'elle laissa sur la table de la cuisine, pendant qu'elle montait prendre un bain. Elle avait appelé une baby-sitter, qui avait accepté de venir préparer le dîner et passer une vidéo aux enfants, ce soir-là. Pour une fois, India avait un peu de temps libre, et elle paressa dans son bain en pensant à son mari. Elle était toujours contrariée par ce qu'il avait dit la veille au soir, mais demeurait persuadée que c'était à mettre sur le compte d'une dure journée au bureau.

Lorsque Doug rentra du travail, à sept heures, India portait une robe noire très courte, des talons hauts, et elle avait relevé ses longs cheveux blonds en chignon. Il se versa un verre, comme il le faisait parfois le vendredi soir, puis il monta à l'étage. Il parut content de la voir.

— Tu es magnifique ! dit-il en buvant une gorgée de bloody mary. Tu as passé tout l'après-midi à te préparer ?

— Pas vraiment. Juste la dernière heure. Comment s'est passée ta journée ?

— Pas trop mal. La réunion avec le nouveau client s'est plutôt bien passée ; je suis quasiment sûr que nous allons obtenir le marché. Ça va être un été chargé.

C'était le troisième nouveau client qu'on lui confiait, et il avait dit dans la journée à sa secrétaire qu'il aurait de la chance s'il arrivait à aller à Cape Cod en août. Néanmoins, il n'en parla pas à India.

— Je suis contente que nous sortions ce soir, dit-elle.

Elle arborait le même air mélancolique que lorsqu'elle avait croisé Gail au supermarché mais, contrairement à son amie, Doug ne s'en aperçut pas.

— Je crois que nous avons besoin de nous détendre, de nous amuser un peu.

— C'est pour ça que je t'ai proposé de sortir au restaurant.

Il sourit, et passa dans la salle de bains pour se doucher et se changer avant le dîner. Une demi-heure plus tard, il était de retour, vêtu d'un pantalon gris, d'un blazer et d'une cravate bleu marine qu'elle lui avait offerte l'année précédente à Noël. Il était très séduisant, ainsi, et tous deux formaient un couple magnifique lorsqu'ils s'arrêtèrent au salon, avant de partir, pour dire bonsoir aux enfants. Dix minutes plus tard, ils pénétraient dans le restaurant et se dirigeaient vers une table d'angle. C'était un joli petit restaurant, toujours plein le week-end. Les plats étaient bons, l'atmosphère chaleureuse et romantique ; juste ce qu'il leur fallait pour oublier leur querelle de la veille au soir. India sourit à son mari alors que le serveur s'approchait avec une bouteille de vin français. Doug le goûta avec sérieux et hocha la tête d'un air satisfait.

— Alors, qu'as-tu fait aujourd'hui ? demanda-t-il à India en reposant son verre.

Il savait avant même qu'elle ne dise quoi que ce soit que les enfants avaient occupé l'essentiel de son temps.

— J'ai reçu un coup de fil de Raoul Lopez.

Un instant, il parut surpris, mais guère curieux. Les appels de l'agent se faisaient rares, depuis quelque temps, et ne débouchaient jamais sur rien.

— Il m'a proposé un reportage très intéressant en Corée.

— C'est tout Raoul, observa Doug d'un air amusé. (Il ne semblait nullement inquiété par cette nouvelle.) Où a-t-il essayé de t'envoyer, déjà, la dernière fois ? Au Zimbabwe ? C'est à se demander pourquoi il prend encore la peine de t'appeler.

— Il pensait que j'accepterais peut-être. Aujourd'hui, il m'a proposé un reportage pour le *New York Times Magazine* du dimanche, à propos d'une société d'adoption véreuse qui tue des bébés à Séoul. Mais cela demandait trois à quatre semaines, et je lui ai répondu que je ne pouvais pas y aller.

— Evidemment ! Jamais tu ne pourrais aller en Corée, même pour trois ou quatre minutes !

— C'est ce que je lui ai expliqué.

Mais tout en prononçant ces mots, India éprouvait une frustration croissante. Elle avait envie que Doug la remercie de ne pas avoir accepté cette mission. Elle voulait qu'il comprenne combien elle aurait aimé y aller, à quel point le sacrifice avait été dur.

— Il a dit qu'il réessaierait une prochaine fois avec un reportage plus près d'ici, comme celui que j'ai fait à Harlem.

— Pourquoi n'enlèves-tu pas ton nom de leur fichier une bonne fois pour toutes ? Ça ne sert à rien de leur laisser tes coordonnées, puisque de toute façon tu ne peux pas accepter ce qu'ils te proposent. Je suis vraiment surpris qu'ils prennent encore la peine de t'appeler. Pourquoi s'obstinent-ils ?

— Parce que je suis bonne, répondit-elle d'une voix calme, et qu'apparemment les rédacteurs en chef me réclament encore. Au moins, c'est flatteur.

Elle lui tendait une perche, elle attendait quelque chose de lui ; mais il ne comprenait pas le message. Dans ce domaine, il ne semblait jamais sentir ce dont elle avait besoin.

— Tu n'aurais jamais dû faire ce truc sur Harlem. Ça leur a probablement mis dans la tête que tu restais ouverte à leurs propositions.

Il était clair que Doug aurait aimé la voir refermer une bonne fois pour toutes la porte sur sa carrière, la verrouiller plus solidement encore qu'elle ne l'avait déjà fait. Et soudain, elle eut envie au contraire d'entrouvrir le battant, juste un petit peu, si elle arrivait à trouver une mission pas trop loin de Westport.

— Ce reportage sur Harlem était passionnant, et je suis contente de l'avoir fait, dit-elle en acceptant le menu que lui tendait le serveur.

Soudain, elle n'avait plus faim. Elle était de nouveau contrariée. Doug s'obstinait à ne pas comprendre ce qu'elle éprouvait. Peut-être ne pouvait-elle lui en vouloir ? Elle-même avait bien du mal à démêler l'écheveau de ses sentiments. Tout à coup, elle se surprenait à regretter quelque chose qu'elle avait abandonné quatorze ans plus tôt, et elle s'attendait qu'il le devinât sans qu'elle lui eût rien expliqué...

— Ça ne m'ennuierait pas de retravailler un petit peu, si j'arrivais à trouver le temps. Je n'y ai pas vraiment pensé pendant toutes ces années, mais je commence à me rendre compte que mon travail me manque.

— Comment en es-tu arrivée là ?

— Je ne sais pas trop, répondit-elle avec honnêteté. Je parlais avec Gail hier, et elle me tenait son discours habituel sur le talent gâché... et aujourd'hui, Raoul a appelé avec cette proposition qui avait vraiment l'air tentante...

Et puis, leur conversation houleuse de la veille n'avait fait que mettre de l'huile sur le feu. Lorsqu'il avait balayé son travail et celui de son père comme s'il se fût agi d'un simple divertissement, elle avait tout à coup éprouvé le besoin de donner un sens à son existence. Peut-être Gail avait-elle raison : depuis quatorze ans, elle n'était plus qu'une bonne à tout faire doublée d'une cuisinière et d'un chauffeur. Il était temps qu'elle sorte sa carrière des oubliettes et qu'elle l'époussette un petit peu.

— Gail a toujours eu un don pour faire des histoires, pas vrai ? Que dirais-tu des ris de veau ?

Comme la veille, Doug ne semblait attacher aucune importance à ce qu'elle lui disait. Une vague de solitude envahit India, et elle jeta un coup d'œil à son mari par-dessus son menu ouvert.

— Je crois que Gail regrette encore d'avoir renoncé à sa carrière. Elle n'aurait sans doute pas dû, déclara India, sans répondre à sa question.

Elle pensait que Gail ne s'embarrasserait probablement pas de déjeuners avec Dan Lewison si elle avait autre chose à faire, mais elle n'en parla pas à Doug.

— J'ai de la chance. Si je décide un jour de reprendre mon métier, je pourrai toujours choisir les reportages qui m'intéressent ; je n'aurai pas à travailler à plein temps, ou à aller jusqu'en Corée si je ne le souhaite pas.

— Qu'essaies-tu de me dire ?

Doug avait commandé pour eux deux, et la regardait à présent bien en face. Il ne paraissait pas content de ce qu'il entendait.

— Es-tu en train de m'annoncer que tu as envie de retourner travailler, India ? Ce n'est pas possible, et tu le sais.

Il ne lui avait même pas laissé le temps de répondre à sa question.

— Je ne vois pas pourquoi je ne pourrais pas faire un reportage de temps en temps, si c'était dans les environs. Où est le problème ?

— Quel est l'intérêt ? Qu'est-ce qui te pousse à faire ça ? Tu veux exhiber tes photos devant tes copines ?

Dans sa bouche, cela semblait si futile, si prétentieux qu'India eut presque honte. Mais quelque chose dans l'attitude de Doug lui donnait envie de se rebeller.

— Le but n'est pas d'exhiber mes photos, comme tu dis. Je veux simplement mettre à profit le don que je possède.

— Si tu as tellement envie d'utiliser ton don, dit-il d'un ton légèrement méprisant, sers-t'en pour photographier les enfants. Tu as toujours pris de très belles photos d'eux. Pourquoi cela ne te suffit-il pas ? Gail s'est-elle encore embarquée dans une de ses croisades ? Je ne sais pas pourquoi, mais je sens son influence dans cette histoire. A moins que ce ne soit Raoul ? Il ne pense qu'à l'argent, de toute façon. Qu'il trouve quelqu'un d'autre. Il y a des tas de photographes qui seront ravis d'aller faire un tour en Corée.

— Je suis sûre qu'il en trouvera un, répondit India sans s'énerver.

Elle s'interrompit comme on leur apportait le pâté qu'ils avaient commandé en entrée.

— Je ne prétends pas être irremplaçable, reprit India. Je dis juste que les enfants commencent à grandir, et que je pourrais peut-être accepter un reportage de temps en temps.

Elle était déterminée à ne pas céder, à présent.

— Nous n'avons pas besoin d'argent. Et Sam n'a que neuf ans, ne l'oublie pas ! India, les enfants ont besoin de toi.

— Je n'envisageais pas de les abandonner, Doug. J'essayais seulement de t'expliquer que ce pourrait être important pour moi.

Et elle voulait qu'il comprenne cela. La veille encore, elle expliquait à Gail qu'elle ne regrettait pas une seconde d'avoir renoncé à sa carrière. Mais aujourd'hui, après avoir discuté avec son amie et avec Raoul, et après avoir entendu Doug la rabaisser la veille au soir, la décision qu'elle avait prise quatorze ans plus tôt prenait tout à coup une importance colossale. Cependant, son mari refusait de l'admettre.

— Pourquoi y attaches-tu une telle importance ? C'est ce que je ne comprends pas. Qu'y a-t-il de si important à prendre des photos ?

63

La jeune femme avait l'impression de chercher à gravir une montagne de verre ; elle n'avançait pas d'un pouce.

— C'est ma façon à moi de m'exprimer. Je suis douée. J'adore ça, c'est tout.

— Je te l'ai dit, dans ce cas, tu n'as qu'à photographier les enfants. Ou faire des portraits de leurs amis, et les donner aux parents. On peut faire plein de trucs avec un appareil photo sans partir en reportage à l'autre bout du monde.

— Peut-être que j'ai envie de faire quelque chose d'important. Y as-tu jamais pensé ? Peut-être que je veux être sûre que ma vie a un sens...

— Oh, pour l'amour du ciel ! (Doug posa sa fourchette et regarda India d'un air agacé.) Qu'est-ce qui t'arrive, bon sang ? C'est Gail. J'en suis certain.

— Ce n'est pas Gail, se défendit-elle avec un sentiment croissant de désespoir. C'est moi. Je commence à me dire que la vie ne se résume pas à ramasser ce que les enfants font tomber par terre.

— On croirait entendre Gail, souligna-t-il d'un air écœuré.

— Et si elle avait raison ? Elle fait des tas de trucs idiots parce qu'elle se sent inutile, parce que sa vie n'a pas de sens. Peut-être que si elle se consacrait à quelque chose d'intelligent, elle n'aurait rien à se prouver et agirait de façon plus raisonnable.

— Si tu essaies de me faire comprendre qu'elle trompe Jeff, sache que je le sais depuis des années. Et s'il est trop aveugle pour s'en rendre compte, tant pis pour lui. Elle court après tout ce qui porte un pantalon à Westport ! Est-ce de ça que tu me menaces ? C'est ça, le fond du problème ?

Il semblait absolument furieux. India se mordit la lèvre, consciente que leur soirée romantique tournait au vinaigre.

— Bien sûr que non ! Je ne sais pas ce que fait Gail, mentit-elle, cherchant à protéger son amie car après tout les aventures de Gail ne regardaient pas Doug. C'est de moi que je te parle. J'essaie simplement de te faire comprendre que les enfants et toi constituez tout mon univers, pour l'instant, et que j'ai peut-être besoin d'autre chose pour m'épanouir. Quoi que tu sembles en penser, j'avais une très belle carrière, autrefois, et je crois que j'aimerais recommencer à travailler un peu pour élargir mon horizon.

— Tu n'as pas le temps d'élargir ton horizon, décréta-t-il. Tu es trop occupée avec les enfants. A moins que tu ne veuilles les laisser dans des garderies quelconques, ou engager constamment des baby-sitters ? C'est à ça que tu penses, India ? Parce que je préfère te prévenir tout de suite, je ne te laisserai pas faire. Tu es leur mère, et ils ont besoin de toi.

— Je le sais, mais j'ai réussi à faire l'article sur Harlem sans qu'ils en pâtissent. Je pourrais accepter d'autres missions du même genre.

— J'en doute. Et je ne vois pas l'intérêt. Tu as déjà fait tous ces trucs-là, tu t'es bien amusée, mais maintenant, tu as grandi. Tu ne peux pas retourner en arrière. Tu n'es plus une gamine de vingt ans sans responsabilités. Tu es une femme adulte, avec une famille et un mari.

— Je ne vois pas pourquoi l'un exclurait l'autre, si je ne perds pas de vue mes priorités. Les enfants et toi passerez toujours en premier, et le reste devra s'en accommoder.

— Tu vois, plus je t'écoute, et plus je me demande quelles sont précisément tes priorités. Ce que tu dis me semble terriblement égoïste. Tout ce que tu veux faire, c'est t'amuser,

comme ta copine, qui n'arrête pas de tromper son mari parce
que ses enfants l'ennuient. C'est ça, le problème ? Tu t'en-
nuies avec nous ?

Il semblait vexé, très en colère. Elle avait gâché toute sa
soirée. Mais India ne pouvait faire marche arrière, il menaçait
son estime d'elle-même et son avenir. C'était trop important
pour qu'elle se taise.

— Bien sûr que non, je ne m'ennuie pas, et je ne suis pas
Gail.

— Qu'est-ce qu'elle cherche, de toute façon ? demanda-
t-il en attaquant son plat avec rage. Je n'arrive pas à croire
qu'elle ait à ce point besoin de sexe. Que cherche-t-elle à
faire ? A humilier son mari ?

— Je ne pense pas. Je crois qu'elle est seule et insatisfaite,
et j'ai de la peine pour elle. Je ne suis pas en train de te dire
qu'elle a raison d'agir comme elle le fait, Doug. A mon avis,
elle panique. Elle a quarante-huit ans, elle a abandonné une
carrière exceptionnelle pour devenir femme au foyer, et tout
ce que l'avenir lui promet, ce sont des aller-retour à l'école.
Tu ne sais pas ce que c'est. Tu as un métier, toi, tu n'as
jamais eu à renoncer à quoi que ce soit.

— Et tu éprouves la même chose que Gail ? demanda-t-il
avec inquiétude.

— Pas vraiment. Je suis beaucoup plus heureuse qu'elle.
Mais moi aussi, je pense à mon avenir. Que se passera-t-il
quand les enfants seront partis ? Qu'est-ce que je ferai, alors ?
Je ne vais tout de même pas passer mes journées au square à
photographier des enfants inconnus !

— Tu trouveras une réponse à ces questions le moment
venu. Nous avons encore au moins neuf ans devant nous ;
cela te laisse le temps de faire des projets. Peut-être qu'alors

nous retournerons habiter en ville. Nous pourrons aller au musée.

C'était tout ce qu'il lui proposait ? Des musées ? A cette perspective, un frisson la parcourut. Elle attendait bien plus que cela de son avenir ! Dans neuf ans, India ne voulait pas se retrouver obligée de tuer le temps en fréquentant les expositions et les thés dansants... Car, à ce moment-là, elle aurait beaucoup plus de mal à reprendre une carrière, si Doug l'y autorisait, ce qui ne semblait guère probable, à en juger par ce qu'il lui disait ce soir.

— Les enfants sont encore beaucoup trop jeunes pour que tu penses à ça maintenant. Peut-être que, lorsqu'ils seront grands, tu pourras te trouver un job dans une galerie, ou un truc comme ça.

— Et faire quoi ? Regarder les photos des autres, tout en sachant que j'aurais pu faire mieux ? Tu as raison, je suis trop occupée en ce moment. Mais plus tard ?

Depuis vingt-quatre heures, cette question avait pris une importance cruciale pour elle.

— N'emprunte pas les problèmes des autres, India. Et arrête d'écouter cette femme. Je te l'ai déjà dit, Gail est une agitatrice. Elle est malheureuse, elle est en colère, et elle a juste envie de faire des histoires.

— Elle est un peu déboussolée, dit India d'une voix triste. Elle cherche l'amour, parce que Jeff ne l'excite plus...

Elle se rendit compte qu'elle en avait peut-être trop dit à son mari, mais songea que cela ne faisait pas une grande différence, dans la mesure où il semblait déjà être au courant des aventures de Gail.

— C'est ridicule de chercher l'amour à nos âges, décréta Doug avec sévérité.

Il porta son verre de vin à ses lèvres et fixa sur sa femme un regard dur.

— Qu'est-ce qu'elle a dans le crâne, bon sang ?

— Je ne pense pas qu'elle ait fondamentalement tort. C'est juste qu'elle aborde les problèmes d'une mauvaise manière, observa India. Elle dit que la perspective de ne plus jamais être amoureuse la déprime. J'imagine que Jeff et elle ne sont pas fous l'un de l'autre.

— Qui peut l'être, après vingt ans de mariage ? dit-il, l'air agacé de nouveau. (De toute évidence, il trouvait cette idée ridicule.) On ne peut pas espérer éprouver la même chose à quarante-cinq ou cinquante ans qu'à vingt.

— Non, mais on peut ressentir d'autres choses. Parfois même plus fortes encore qu'au début.

— Ça, India, c'est du roman-photo, et tu le sais, déclarat-il, tandis qu'elle l'observait avec un sentiment croissant de panique.

— Tu penses que c'est absurde d'être encore amoureux de son mari ou de sa femme après quinze ou vingt ans de vie commune ? demanda-t-elle, incrédule.

— Je ne pense pas que quiconque soit encore amoureux à ce stade. Et il faut avoir perdu la tête pour espérer que ça arrive.

— Que faut-il espérer, alors ? s'enquit India d'une voix étranglée, en posant son verre sur la table.

— Une certaine camaraderie, du respect, de l'honnêteté, un partage des responsabilités. Une femme ou un mari doit être quelqu'un sur qui l'on peut s'appuyer.

— Une bonne à tout faire ou un chien feraient aussi bien l'affaire, dans ce cas.

— Qu'est-ce que tu crois ? Que ce sont les fleurs, les chocolats et les cartes de vœux en forme de cœur qui cimentent un couple ? Allons, tu es plus sensée que ça, India. Ne me dis pas que tu crois à toutes ces fadaises. Sinon, je saurai que tu as passé beaucoup plus de temps à parler avec Gail que tu ne veux bien l'avouer.

— Je ne crois pas aux miracles, Doug, mais j'estime qu'un époux doit être davantage qu'une espèce de partenaire sur qui s'appuyer ou avec qui partager les responsabilités. C'est donc tout ce que notre mariage signifie pour toi ?

— Ecoute, notre couple fonctionne parfaitement depuis dix-sept ans, et il n'y a aucune raison que cela change, si tu ne pousses pas les choses trop loin avec tes histoires de carrière, de reportages, de voyages en Corée, et tes stupidités romantiques sur l'amour éternel. Je ne pense pas que qui que ce soit puisse être encore amoureux au bout de vingt ans, et nul n'est en droit d'attendre cela de son mari ou de sa femme.

Horrifiée, India le regarda comme s'il l'avait giflée.

— Eh bien, figure-toi que c'est ce que j'attends de toi, moi, Doug. Ça a toujours été évident pour moi, et jamais je n'aurais pensé que ça ne l'était pas pour toi. J'attends de toi que tu sois amoureux de moi jusqu'à ta mort, sans quoi notre mariage ne signifie rien. De même que je suis amoureuse de toi, et l'ai toujours été. Pourquoi crois-tu que je n'ai jamais songé à m'en aller ? Parce que nous menons une vie palpitante ? Non. Nous menons une existence extrêmement banale, et même ennuyeuse, parfois. Mais je reste, parce que je t'aime.

— Eh bien, ça fait plaisir à entendre. Je commençais à me poser des questions. Mais je ne pense tout de même pas qu'il faille nourrir des illusions romantiques à nos âges. D'ailleurs, être marié n'est pas romantique en soi.

— Pourquoi ?

India avait décidé de pousser la conversation jusqu'au bout. Il avait déjà détruit un à un tous ses rêves, ce soir, alors pourquoi ne pas boire la coupe jusqu'à la lie ? Quelle différence cela faisait-il, à présent ?

— Ça pourrait être romantique, non ? insista-t-elle. Peut-être que les gens ne font pas assez d'efforts, ou ne se rendent pas assez compte de la chance qu'ils ont d'être ensemble. Peut-être que si Jeff passait plus de temps à réfléchir à ça, Gail ne courrait pas partout pour déjeuner et faire je ne sais quoi avec les maris d'autres femmes.

— Je suis persuadé que ce sont son intégrité et sa moralité qui sont en cause, et que ça n'a rien à voir avec son mari.

— N'en sois pas si sûr. Peut-être qu'il est tout simplement stupide.

— Non, c'est elle qui l'est, de nourrir à son âge toutes ces illusions d'adolescente sur l'amour. India, tout ça, ce sont des bêtises, et tu le sais parfaitement.

India demeura un long moment silencieuse avant de hocher la tête. Elle avait peur, si elle ouvrait la bouche pour parler, d'éclater en sanglots, ou de ne pouvoir résister à la tentation de se lever et de partir. Alors, elle prit sur elle, et resta jusqu'à ce qu'ils eussent terminé de dîner, parlant de tout et de rien. Ce qu'elle avait entendu ce soir, jamais elle ne pourrait l'oublier. En une seule soirée, Doug avait brisé tout ce en quoi elle croyait, il avait détruit tous les rêves qu'elle entretenait sur leur mariage, et sur ce qu'elle représentait pour lui. Visiblement, il ne la considérait que comme une partenaire, une sorte de baby-sitter améliorée.

70

Durant tout le chemin du retour, elle songea qu'elle devrait peut-être rappeler Raoul pour accepter le reportage en Corée. Mais en dépit de sa colère contre Doug, de sa déception, elle ne pouvait se résoudre à faire cela à ses enfants.

— J'ai passé une bonne soirée, déclara Doug en engageant la voiture dans l'allée de la maison. Je suis content que nous ayons réussi à tirer un trait sur cette histoire de carrière. Je crois qu'à présent tu sais ce que j'en pense. A mon avis, tu devrais appeler Raoul la semaine prochaine et lui demander d'enlever ton nom de leur fichier.

L'oracle avait parlé. Et maintenant qu'il avait exprimé son opinion, Doug s'attendait de toute évidence qu'India s'empressât d'obéir à ses ordres.

Jamais auparavant il n'avait réagi de cette manière, mais elle réalisait qu'en quatorze ans elle ne l'avait jamais défié non plus...

— Surtout, ne sois pas assez bête pour écouter toutes ces stupidités que Gail essaie de te mettre dans la tête, reprit Doug comme ils restaient un moment assis dans la voiture après qu'il eut coupé le moteur. Elle cherche seulement à excuser son attitude. D'ailleurs, je te conseille d'éviter de passer trop de temps avec cette femme ; tu es toujours perturbée, après.

Mais ce n'était pas vrai, India le savait. C'était lui, et non pas Gail, qui l'avait perturbée ; pire, bouleversée. Il n'était plus amoureux d'elle, s'il l'avait jamais été ; à l'en croire, l'amour était pour les idiots et les gamins.

— Nous devons tous devenir adultes à un moment ou à un autre, lança-t-il par-dessus son épaule en ouvrant sa portière. Le problème, c'est que Gail n'a jamais grandi.

— Non, mais toi si, murmura India d'une toute petite voix.

Cependant, comme la veille au soir, ou plus tôt au restaurant, il ne comprit pas. En moins de vingt-quatre heures, il avait mis leur couple en péril, en cherchant à minimiser l'importance de la carrière d'India et en faisant comprendre à sa femme qu'il ne l'aimait plus ou du moins qu'il n'était plus amoureux d'elle. A présent, elle ne savait que penser ou ressentir, et elle se demandait avec angoisse si elle serait capable de continuer comme si de rien n'était.

— J'aime bien ce restaurant, pas toi ? demanda-t-il lorsqu'ils entrèrent dans la maison silencieuse.

Les enfants étaient couchés. India et Doug étaient restés dehors plusieurs heures, le temps pour Doug de détruire la dernière illusion d'India, celle qu'elle chérissait plus que toutes les autres.

— J'ai trouvé la cuisine meilleure que d'habitude, continua-t-il, visiblement inconscient du chagrin qu'il avait fait à son épouse.

Il était aussi froid et indifférent que l'iceberg qui avait causé le naufrage du *Titanic*. Et India ne pouvait s'empêcher de se demander si le bateau allait couler, à présent... Elle avait du mal à croire qu'il pût continuer sa route comme si de rien n'était. Pouvait-elle se contenter d'être une compagne fidèle et fiable ? C'était ce que Doug souhaitait, ce qu'il attendait d'elle. Quel espace cela laissait-il à ses sentiments, à ses besoins profonds ? Où puiserait-elle désormais le courage d'affronter chaque nouvelle journée ?

— C'était très bien. Merci, Doug, dit-elle d'une voix lasse avant de monter à l'étage voir les enfants.

Elle passa quelques minutes avec Jessica, qui regardait la

télé dans sa chambre. Les trois autres dormaient déjà, et après avoir jeté un coup d'œil dans leurs chambres, elle se dirigea en silence vers la sienne. Doug était en train de se déshabiller. Quand il la vit entrer et demeurer immobile sur le seuil de la pièce, il la regarda d'un air étonné.

— Ne me dis pas que tu es encore contrariée à propos de ce que Gail t'a mis dans la tête ?

India hésita un moment, et finit par répondre que non. Il était si sourd, si aveugle, si borné qu'il ne se rendait pas compte de ce qu'il lui avait fait, de ce qu'il avait fait à leur couple. Elle savait qu'à ce stade il ne servait à rien d'ajouter quelque chose ou d'essayer de s'expliquer. Et elle savait avec tout autant de certitude, alors qu'elle le regardait en silence, qu'elle n'oublierait jamais cet instant.

3

DURANT les trois semaines qui suivirent, India accomplit ses tâches quotidiennes comme une automate. Elle préparait le petit déjeuner, emmenait les enfants à l'école, allait les chercher, et les accompagnait à toutes leurs activités, du tennis au base-ball, mais sans énergie ni enthousiasme. Pour la première fois depuis des années, elle oublia un jour d'emporter son appareil photo avec elle. A présent, même cela lui paraissait inutile. Elle avait l'impression d'être mortellement blessée, que son esprit était mort et que son corps n'allait pas tarder à suivre. D'une certaine manière, en tuant ses illusions, Doug l'avait privée de toute énergie. Et maintenant, la moindre activité lui demandait un effort surhumain.

Comme toujours, elle n'arrêtait pas de croiser Gail. Son amie continuait à fréquenter Dan Lewison. Ils avaient déjeuné ensemble plusieurs fois, et Gail l'avait retrouvé à une ou deux reprises dans un hôtel. India n'avait aucun mal à deviner le reste, mais elle ne voulait pas vraiment savoir, et ne posait pas de questions à Gail.

Elle ne lui parla pas non plus de ce qu'avait dit Doug, et si son amie remarqua qu'elle semblait déprimée, elle mit cela sur le compte du reportage en Corée qu'India avait dû refuser.

India n'appela jamais Raoul Lopez pour lui demander d'ôter son nom du fichier de l'agence. Elle n'en avait pas la moindre envie. Tout ce qu'elle voulait, c'était partir à Cape Cod, et essayer d'oublier ce qui s'était passé. Elle se disait qu'en mettant un peu de distance entre Doug et elle, elle parviendrait peut-être à relativiser ce qui les séparait. Elle avait besoin de faire le point, de repenser à ce qu'il lui avait dit, et d'essayer de retrouver au moins en partie ses sentiments pour lui, si elle devait passer le restant de ses jours à son côté. Mais comment éprouver quelque chose pour un homme qui ne l'aimait pas et la considérait simplement comme une compagne commode ? Un homme qui dénigrait la carrière qu'elle avait laissé tomber pour lui ? Chaque fois qu'elle posait les yeux sur Doug, désormais, elle avait l'impression de voir un étranger. Lui, de son côté, ne semblait absolument pas se douter des dégâts profonds que ses paroles avaient causés en elle. Pour lui, rien n'avait changé. Il continuait à prendre chaque jour le train de 7 h 05 pour New York, et à rentrer chaque soir pour le dîner. Il lui racontait comment s'était passée sa journée, après quoi il se plongeait dans ses dossiers. Quand il s'apercevait qu'elle avait moins envie qu'à l'habitude de faire l'amour avec lui, il mettait cela sur le compte de la fatigue. Jamais il ne lui vint à l'idée qu'elle pouvait avoir perdu tout désir pour lui.

En définitive, c'est avec un énorme soulagement que la jeune femme quitta Westport avec les enfants pour les vacances. Elle avait passé trois jours à préparer les bagages ; en effet, même si les enfants ne portaient jamais de tenues sophistiquées durant l'été – seulement des shorts, des jeans,

75

des T-shirts et des maillots de bain – et s'ils laissaient la majorité de leurs affaires sur place en partant, il y avait toujours un tas de choses qu'ils souhaitaient emporter. Durant la dernière semaine, India réussit à éviter Doug presque totalement : il avait des réunions avec de nouveaux clients qui devaient se terminer tard, et décida deux soirs de suite de rester coucher en ville.

Le matin de leur départ, il sortit dans le jardin pour leur dire au revoir, et il faillit oublier d'embrasser India. Lorsqu'il le fit, ce fut à la hâte et sans grande émotion ; mais pour une fois elle s'en moquait. Les enfants et le chien montèrent dans le monospace avec elle. Leurs bagages étaient entassés dans le coffre, si serrés qu'ils avaient dû se mettre à trois pour fermer la portière.

— N'oubliez pas de m'appeler ! cria Doug alors qu'ils s'éloignaient.

India hocha la tête et sourit ; elle avait l'impression de laisser un étranger derrière elle. Il l'avait déjà prévenue qu'il ne pourrait pas les rejoindre le premier week-end, et la veille il avait ajouté qu'il risquait de ne pas pouvoir venir non plus pour le week-end du 4 juillet. Il avait trop de travail, à cause de ses nouveaux clients. Comme elle ne protesta pas, il estima qu'elle était extraordinairement compréhensive, et la remercia. A aucun moment, il ne remarqua qu'elle avait été particulièrement calme durant les dernières semaines, depuis leur dîner chez Ma Petite Amie.

Il fallut à India et aux enfants six heures et demie pour aller de Westport à Harwich ; ils s'arrêtèrent plusieurs fois en route, notamment au McDo. Les enfants étaient tous d'excellente humeur, et brûlaient d'arriver à la plage, où ils savaient qu'ils retrouveraient tous leurs amis, comme chaque été. Tandis qu'ils en parlaient avec animation, seule Jessica remarqua que sa mère était distraite. Elle était assise à l'avant, à côté d'elle.

— Quelque chose ne va pas, m'man ?

India fut touchée que la jeune fille se fût aperçue de son silence. Son mari, lui, n'avait rien remarqué ; il était resté égal à lui-même jusqu'à la dernière minute. Elle avait même eu l'impression qu'il était soulagé de les voir partir, tant il avait hâte de se consacrer entièrement à ses clients.

— Non, non, ça va. Je suis fatiguée, c'est tout. Les préparatifs ont été éreintants, comme tu peux t'en douter.

C'était une explication plausible à sa distraction. Elle ne voulait pas dire à Jessica qu'elle était contrariée à cause de son père. Jamais encore elle n'avait eu l'impression que Doug et elle avaient un grave problème de couple.

— Comment ça se fait que papa ne vienne pas nous rejoindre les deux premières semaines ?

Jessica avait remarqué que sa mère était plus silencieuse qu'à l'ordinaire depuis un bon moment, et elle se demandait si ses parents ne s'étaient pas disputés.

— Il est très occupé avec de nouveaux clients. Il viendra passer le week-end avec nous dans deux ou trois semaines, et en août, il aura trois semaines de vacances.

Jessica hocha la tête et plaça les écouteurs de son baladeur sur ses oreilles. Pendant tout le reste du trajet, India demeura perdue dans ses pensées, tandis que défilait la route familière du Massachusetts, celle qu'elle parcourait chaque année.

Elle avait parlé à Gail la veille. Celle-ci partait ce week-end pour Paris, mais elle était moins enthousiaste que jamais. Elle passait de bons moments avec Dan Lewison, et cela la rendait malade de le quitter maintenant, d'autant qu'elle

77

savait qu'une relation de ce type ne survivrait ni au temps ni à la distance. Lorsqu'elle reviendrait, il aurait continué à vivre sa vie de son côté, et se serait installé dans sa nouvelle routine ; nul doute qu'il aurait par ailleurs fait la connaissance d'une foule de femmes divorcées ne demandant qu'à mettre le grappin sur lui. Gail, elle, ne pouvait lui offrir qu'un après-midi d'amour occasionnel dans un motel et, même pour cela, elle était loin d'être la seule en lice. Elle ne se faisait aucune illusion sur leur attachement l'un à l'autre.

Rien qu'à l'écouter en parler, India s'était sentie plus déprimée encore. Elle avait souhaité un bon voyage à son amie, et lui avait demandé de l'appeler à son retour. Peut-être les enfants et elle pourraient-ils venir les voir quelques jours à Cape Cod à la fin des vacances, lorsque Jeff aurait repris le travail ? Gail avait affirmé que cela lui ferait très plaisir.

L'après-midi touchait à sa fin lorsque India et les enfants arrivèrent à Harwich, dans leur maison. La jeune femme sortit de voiture et s'étira longuement ; puis elle regarda l'océan, qui s'étendait à perte de vue devant eux, et éprouva un sentiment de soulagement. C'était exactement ce dont elle avait besoin. La vieille maison victorienne était confortable et très agréable, et India la trouvait toujours merveilleusement calme. Depuis le temps que Doug et elle venaient là chaque été, ils s'étaient liés d'amitié avec les propriétaires de plusieurs maisons de vacances des alentours, certains originaires de Boston, d'autres de New York, et India se réjouissait toujours de les voir, même si cette année elle avait également envie de rester seule avec les enfants quelques jours. Elle avait besoin d'un peu de temps pour réfléchir, pour faire le point et se remettre du choc qu'elle avait reçu lors de son funeste dîner au restaurant avec Doug. Pour la première fois en quatorze ans, lorsque les enfants et elle eurent sorti leurs affaires de la voiture et se furent installés dans la maison, elle n'eut même pas envie d'appeler Doug. Elle ne pouvait pas. Ce fut lui qui téléphona ce soir-là pour s'assurer qu'ils étaient bien arrivés. Il parla aux enfants, puis à India.

— Tout va bien ? demanda-t-il.

India lui assura que oui.

Ils avaient fait appel à une entreprise pour que la maison soit nettoyée la semaine précédant leur arrivée, et tout était en ordre. Pas de fuites, de moustiquaires déchirées ou de problèmes de toiture : la maison avait bien résisté à l'hiver. India fit à Doug un rapport circonstancié, et il parut satisfait. Cependant, elle fut surprise de l'entendre demander :

— Pourquoi ne m'as-tu pas appelé en arrivant ? J'avais peur qu'il ne vous soit arrivé quelque chose.

Pourquoi ? Puisqu'il n'attachait aucune valeur aux fleurs, aux chocolats et aux grandes déclarations, en quoi le fait qu'elle ne l'eût pas appelé lui importait-il ? Que cela aurait-il signifié pour lui ? Avait-il eu peur de perdre une partenaire fiable, capable de bien s'occuper de ses enfants ? Bah, s'il arrivait quelque chose à India, il pourrait toujours engager une gouvernante...

— Je suis désolée, Doug. Nous étions simplement très occupés à ouvrir la maison et à ranger nos affaires.

— Tu as l'air fatiguée, observa-t-il d'une voix compatissante.

Elle était ainsi depuis plusieurs semaines, mais jusqu'alors il n'avait remarqué ni sa fatigue ni sa tristesse.

— La route a été longue, mais nous allons tous bien, éluda-t-elle.

Les enfants, leur nounou et le labrador étaient vivants et en bonne santé...

— J'aimerais être là-bas avec vous tous, au lieu d'être coincé ici avec mes clients, dit-il.

Il semblait sincère.

— Tu nous rejoindras bientôt, répondit-elle en s'efforçant de paraître réconfortante, bien qu'elle eût hâte de mettre un terme à cette conversation.

Elle n'avait rien à lui dire, pour le moment ; elle était privée de toute énergie. Après ce qu'il lui avait expliqué, elle n'avait plus rien à lui offrir, mais il ne semblait pas le comprendre.

— Nous te rappellerons, dit-elle.

Ils raccrochèrent peu après... Comme toujours, il ne lui avait pas dit qu'il l'aimait. Cela n'avait plus d'importance, de toute façon. Il était clair qu'à ce stade de leur existence ces mots n'avaient pas de sens pour lui.

Elle retourna auprès des enfants et les aida à préparer leurs lits. Une fois qu'ils furent tous couchés, elle se glissa silencieusement dans sa chambre noire. Cela faisait près d'un an qu'elle n'y était pas entrée, mais elle trouva tout exactement dans l'ordre méticuleux où elle l'avait laissée. Et quand elle alluma la lumière, elle vit au mur certaines des photographies préférées de son père. Il y avait également une photo de Doug qu'elle avait prise deux étés plus tôt, et elle contempla pendant un long moment son beau visage familier. Soudain, elle découvrait pour la première fois dans ses yeux cette froideur qui l'avait tant bouleversée ces dernières semaines. Elle se demanda pourquoi elle ne s'en était pas aperçue plus tôt. S'était-elle efforcée de lire autre chose dans son regard ? D'y voir de l'amour, de la tendresse, une trace de la passion qu'ils avaient éprouvée l'un pour l'autre autrefois, et qu'elle avait crue toujours présente, jusqu'au moment où il lui avait révélé le peu d'importance que, pour lui, revêtait l'amour dans un couple ? Elle entendait encore ses mots comme s'il venait tout juste de les prononcer. « Ce qu'il faut, c'est une certaine camaraderie, du respect, de l'honnêteté, un partage des responsabilités. Quelqu'un sur qui s'appuyer. » Elle se demanda si c'était vraiment tout ce qu'il attendait d'elle. Elle, en tout cas, avait besoin de bien davantage.

Elle se détourna pour regarder une photographie de son père. Il était grand et mince, et sa silhouette rappelait un peu celle de Doug. Mais la ressemblance s'arrêtait là. Il y avait une étincelle d'humour dans ses yeux lorsqu'il vous regardait, et tout en lui respirait la vie et la passion. Quand il vous parlait, il penchait la tête sur le côté d'une drôle de manière, et l'on n'avait aucun mal à l'imaginer amoureux à n'importe quel âge. Il était mort jeune, et pourtant, sur la photographie, il semblait bien plus vivant que Doug. Il y avait en lui quelque chose de vibrant. India savait que sa mère avait souffert de ses absences répétées, et que la vie qu'ils avaient menée avait été difficile pour elle, mais elle savait aussi combien elle l'avait aimé, et combien lui-même avait été amoureux d'elle. Comme sa mère lui en avait voulu, à sa mort ! India se souvenait du désespoir qui l'avait elle-même envahie à l'annonce de la nouvelle. Elle n'arrivait pas à concevoir un monde privé de son père.

Cela faisait vingt-huit ans maintenant qu'il était mort. Toute une vie.

Parmi les cadres exposés dans la chambre noire se trouvaient aussi certaines des photos qu'elle avait prises durant ses reportages, et elle les examina avec attention. C'étaient de bonnes, de très bonnes photos, qui avaient la particularité de capter l'émotion, le sentiment d'une scène presque comme un tableau. Elle regarda les visages ravagés de douleur d'enfants affamés, et la photographie poignante d'une petite fille kenyane en larmes, assise seule sur un rocher, sa poupée serrée contre elle, tandis que dans le fond on voyait brûler son village. Il y avait aussi des hommes âgés, et des soldats blessés, et une femme qui riait de bonheur en soulevant dans ses bras son bébé nouveau-né. India l'avait assistée durant l'accouchement, et elle se souvenait encore de ce moment, dans une hutte minuscule à l'extérieur de Quito, quand elle était dans le Peace Corps. C'étaient des fragments de sa vie, volés au temps, et encadrés pour qu'elle puisse les revivre à jamais. Elle avait encore du mal à croire que tout cela était désormais derrière elle. Elle avait fait un échange, un troc qui jusqu'alors lui avait toujours paru honnête. Mais soudain, elle se posait des questions. Avait-elle reçu assez en échange de ce qu'elle avait sacrifié ? Elle savait que oui lorsqu'elle pensait à ses enfants. Mais, à part eux, qu'avait-elle, désormais ? Et lorsqu'ils auraient grandi, que lui resterait-il ? Elle n'arrivait plus à répondre à ces questions.

Elle vérifia son équipement et son stock de produits chimiques, prit quelques notes, puis éteignit la lumière et retourna lentement dans sa chambre. Elle ôta ses vêtements et passa sa chemise de nuit, entra dans le lit et éteignit la lampe de chevet. Longtemps, elle demeura immobile, à écouter le murmure de l'océan. C'était un bruit apaisant, qu'elle oubliait d'une année sur l'autre et redécouvrait toujours avec bonheur à son retour. Il la berçait le soir, et elle aimait l'écouter le matin, à son réveil. Elle aimait sa solennité, le réconfort qu'il lui offrait. Et comme elle fermait les yeux et glissait dans le sommeil, elle savoura le fait d'être seule, cette fois, avec ses enfants, ses souvenirs, et l'océan. Pour l'instant du moins, c'était tout ce qu'elle souhaitait.

4

LE SOLEIL brillait sur Harwich lorsqu'elle s'éveilla le lendemain matin, et l'océan étincelait comme s'il avait été brodé d'argent. Les enfants étaient déjà levés, et quand elle entra dans la cuisine, ils se servaient des céréales. Elle portait un T-shirt, un short et des sandales ; elle avait remonté ses cheveux en les maintenant avec deux vieux peignes en écaille. Sans le savoir, elle était très jolie, ce matin-là.

— Alors, qu'est-ce que vous allez faire, aujourd'hui ? demanda-t-elle en mettant la cafetière en marche.

Cela semblait un peu idiot de prendre cette peine pour elle toute seule, mais elle adorait s'installer sur la terrasse, face à la mer, avec une tasse de café et un livre. C'était une de ses occupations préférées, à Cape Cod.

— Je vais aller voir les Boardman, s'empressa d'annoncer Jessica.

Ils avaient trois garçons adolescents, et une fille de son âge. Jessica avait grandi avec eux et les adorait, et à présent que deux des garçons étaient au lycée et le troisième en première année d'université, ils lui paraissaient plus intéressants encore.

Jason avait lui aussi un ami à quelques maisons de là ; il l'avait appelé la veille au soir, et ils avaient prévu de passer la journée ensemble. Aimée voulait aller nager chez une copine, et India lui promit d'appeler les parents de celle-ci pour régler les détails dès qu'elle aurait fini son café. Quant à Sam, il avait envie de faire une promenade sur la plage avec sa maman et Crockett, le labrador. India trouva que c'était une bonne idée, et elle promit de l'accompagner un peu plus tard. Dans l'intervalle, le garçonnet avait de quoi s'occuper : il était ravi de retrouver les jouets qu'il avait laissés l'année précédente, et avait hâte de ressortir son vélo.

A dix heures, ils étaient tous partis. Sam et India descendirent les quelques marches conduisant à la plage, le chien sur leurs talons. Sam avait apporté une balle, qu'il n'arrêtait pas de lancer à Crockett et que ce dernier lui rapportait fidèlement, même lorsque le petit garçon l'envoyait dans l'eau. India les observait avec plaisir, son appareil photo à l'épaule. Depuis trente ans qu'elle l'emportait partout, il faisait quasiment partie d'elle ; ses enfants n'auraient pu l'imaginer sans lui.

Ils marchèrent plus d'un kilomètre sur la plage avant de croiser une connaissance. La saison commençait tout juste, et les gens arrivaient encore au compte-gouttes. Les premiers amis qu'ils rencontrèrent furent Jenny et Dick Parker, un couple que Doug et India connaissaient depuis des années. Tous deux étaient chirurgiens, et venaient de Boston. Le mari était un peu plus âgé que Doug, et son épouse avait un an ou deux de plus que lui, environ cinquante ans. Leur fils unique étudiait la médecine à Harvard. Depuis deux ans, il n'avait plus le temps de venir à Cape Cod, et les Parker déploraient son absence, mais ils se réjouissaient tout de même qu'il eût choisi de suivre leurs traces. Dès qu'ils virent India et Sam approcher, ils firent un large sourire.

— Je me demandais quand vous arriveriez, dit Jenny d'un air ravi.

India avait reçu une carte de vœux des Parker à Noël, comme chaque année, mais ils ne se voyaient quasiment jamais durant l'hiver ; ils ne se fréquentaient qu'à Cape Cod, l'été.

— Les enfants et moi avons fait la route hier, expliqua India. Doug ne pourra pas venir avant une ou deux semaines, il a trop de nouveaux clients.

— Quel dommage ! s'exclama Dick, qui chahutait avec Sam pour le plus grand plaisir du chien, qui courait autour d'eux en aboyant comme un fou. Nous organisons une fête pour le 4 Juillet, comme chaque année, et j'espérais que vous pourriez vous joindre à nous, tous les deux. Tu vas devoir venir sans lui... Et amène les enfants. Cette année, Jenny m'a obligé à engager un cuisinier, tu te rappelles peut-être que j'avais fait brûler toutes les côtelettes et les hamburgers, l'année dernière.

— Mais les steaks étaient parfaits, affirma India en souriant.

Elle se souvenait très bien de la fête : les côtelettes avaient pris feu, et les hamburgers avaient été réduits en cendres. Dick lui rendit son sourire. Il avait toujours beaucoup aimé India, et adorait ses enfants.

— Merci, répondit-il. J'espère que vous viendrez.

— Avec grand plaisir. Qui d'autre avez-vous vu, depuis que vous êtes là ? demanda India.

Jenny se lança dans la liste des derniers arrivés. Un bon

nombre d'habitués avaient déjà pris leurs quartiers d'été, et India s'en réjouit ; ce serait parfait pour les enfants.

— Et des amis à nous doivent venir également pour le 4, expliqua Jenny.

Ils recevaient toujours beaucoup de monde ; cela n'avait donc rien d'inhabituel, mais cette fois, Jenny semblait particulièrement contente.

— Serena Smith et son mari seront là.

— Serena Smith... L'écrivain ? demanda India avec étonnement.

Les romans torrides de Serena Smith étaient constamment en tête des listes de best-sellers, et India avait toujours pensé que ce devait être une femme très intéressante.

— J'étais à l'université avec elle, expliqua Jenny, et nous nous entendions très bien. Nous nous sommes un peu perdues de vue au fil des ans, mais je suis tombée sur elle par hasard à New York cette année. Elle est très amusante, et j'aime beaucoup son mari.

— Et attends de voir son voilier ! intervint Dick d'un ton admiratif. Ils ont fait le tour du monde avec, et il est vraiment très impressionnant. Ils ont l'intention de partir de New York et de naviguer jusqu'ici avec une demi-douzaine d'amis. Ils passeront une semaine avec nous. Tu dois absolument montrer le bateau aux enfants.

— Prévenez-nous quand il sera arrivé.

Dick éclata de rire.

— Je ne crois pas que ce sera nécessaire. Impossible de le rater : il fait cinquante-deux mètres de long, et il y a neuf membres d'équipage à bord. Serena et son mari sont terriblement riches, mais ce sont des gens charmants. Je pense qu'ils vont te plaire. C'est vraiment dommage que Doug ne puisse pas être là.

— Il sera désolé d'avoir raté ça, affirma poliment India.

A quoi bon leur expliquer que le seul fait de regarder un bateau donnait le mal de mer à son mari ? Elle, en tout cas, adorait les voiliers, et elle savait que les enfants, Sam en particulier, seraient ravis eux aussi.

— Je suis sûr que Doug a entendu parler de Paul. C'est un banquier international. Paul Ward. Son nom te dit peut-être quelque chose ?

Il était apparu en couverture de *Time* à deux reprises au cours des dernières années, et India se souvenait d'avoir lu un article à son sujet dans le *Wall Street Journal*. Pourtant, elle n'avait jamais fait le rapprochement entre Serena Smith et lui. A en juger par les photos qu'elle avait vues, il devait avoir environ cinquante-cinq ans.

— Ce sera amusant de les rencontrer. Dites-moi, ça devient carrément chic, par ici, cette année ! Auteurs célèbres, yachts, grands financiers internationaux... Nous avons l'air un peu fades en comparaison, non ? s'exclama-t-elle.

Les Parker étaient toujours entourés de gens intéressants.

— Jamais je ne te qualifierai de fade, ma chère, affirma Dick en passant un bras autour de ses épaules, un sourire aux lèvres.

Il était content de la voir. Il partageait sa passion pour la photo, bien qu'il ne fût qu'amateur ; il avait d'ailleurs pris quelques clichés magnifiques des enfants d'India.

— As-tu fait des reportages, cet hiver ?

— Rien depuis Harlem, dit-elle tristement, avant de leur parler de la mission qu'elle avait refusée en Corée.

— Ç'aurait été dur, observa Dick lorsqu'elle leur eut expliqué de quoi il s'agissait.

— Je ne pouvais pas laisser les enfants pendant un mois. Doug était fou rien qu'à l'idée qu'on ait pu me proposer un truc pareil. Il n'a pas vraiment envie que je travaille.

— Ce serait pourtant un crime de renoncer complètement à la photo, avec un talent comme le tien, souligna Dick d'un air pensif, tandis que Jenny bavardait avec Sam et lui demandait quels sports il avait pratiqués durant l'hiver. Tu devrais convaincre Doug de te laisser travailler davantage, au contraire, déclara-t-il avec sérieux, et India ne put s'empêcher de repenser au fameux dîner chez Ma Petite Amie.

— Doug ne partage pas du tout ce point de vue, dit-elle avec un sourire amer. Selon lui, on ne peut à la fois travailler et être mère.

Quelque chose dans son regard alerta Dick ; il comprit que c'était là un sujet douloureux pour elle.

— Laisse Jenny en discuter avec lui. Une fois, il y a cinq ans environ, je lui ai suggéré d'arrêter de travailler, et j'ai cru qu'elle allait me tuer. Je trouvais simplement qu'elle se surmenait, entre ses opérations et les cours qu'elle donne à la fac ; quand je le lui ai dit, ça a failli nous conduire au divorce. Crois-moi, je n'ai pas l'intention de lui en reparler avant ses quatre-vingts ans.

Il décocha un clin d'œil plein de tendresse et de malice à sa femme.

— N'y pense même pas, le prévint Jenny en souriant. J'ai l'intention de continuer à enseigner jusqu'à au moins cent un ans !

— Et le pire, c'est que c'est vrai ! dit Dick à India.

Il était toujours estomaqué par la beauté et le naturel d'India. Pourtant, elle paraissait ne pas se rendre compte de l'effet qu'elle produisait sur les gens. Elle avait tellement l'habitude de les observer à travers son objectif qu'il ne lui venait même pas à l'idée qu'on pût la regarder, elle.

Elle lui parla d'un nouvel appareil qu'elle avait acheté, lui expliqua en détail son fonctionnement, et lui promit de le lui faire essayer. Elle l'avait apporté avec elle à Cape Cod exprès.

Dick adorait lui rendre visite dans sa chambre noire. Elle lui avait même appris à s'en servir. Il avait toujours été profondément impressionné par son talent, bien plus que Doug, qui considérait cela comme normal depuis bien longtemps.

Les Parker prirent congé d'India. Ils devaient retourner chez eux, où ils avaient rendez-vous avec des amis. Elle promit de venir avec Sam leur rendre visite dans un jour ou deux, et les encouragea à passer la voir dès qu'ils auraient une minute.

— N'oublie pas, pour le 4 ! lui rappelèrent-ils comme Sam et elle reprenaient leur marche, Crockett entre eux.

— Nous y serons, assura-t-elle avec un petit signe de la main.

Son fils et elle s'éloignèrent main dans la main, et Dick, qui les regardait, dit à sa femme combien il était heureux de les revoir.

— C'est ridicule que Doug ne veuille pas qu'elle travaille, observa Jenny. Ce n'est pas une simple petite photographe du dimanche. Elle a vraiment fait des choses fantastiques, avant leur mariage.

— Cela dit, ils ont beaucoup d'enfants, remarqua Dick, qui s'efforçait toujours de considérer les deux points de vue dans un débat.

Il n'était guère surpris par la position de Doug ; ce dernier ne parlait que rarement des photos d'India, et sans grand enthousiasme.

— Qu'est-ce que leurs enfants ont à voir là-dedans ?

Cette excuse agaçait Jenny. Pour elle, le fait qu'India eût quatre enfants ne justifiait absolument pas qu'elle dût refuser de partir en reportage où bon lui semblait.

— Ils pourraient embaucher quelqu'un pour l'aider à s'occuper des enfants. Elle ne peut tout de même pas faire la nourrice et la gouvernante *ad vitam aeternam* uniquement pour satisfaire l'ego de son mari.

— OK, OK, Attila, j'ai compris, la taquina Dick. Dis-le à Doug, mais ne t'en prends pas à moi !

— Je suis désolée.

Jenny sourit à son mari, et celui-ci passa un bras autour de ses épaules. Ils s'étaient mariés durant leurs études de médecine à Harvard, et étaient toujours follement amoureux l'un de l'autre.

— Tu sais combien je déteste les hommes qui soutiennent ce genre d'idées, continua Jenny. C'est tellement injuste ! Et si elle lui disait de démissionner de son travail pour s'occuper des enfants, hein ? Il trouverait ça ridicule.

— Non, vraiment ? Expliquez-moi tout ça, docteur Parker..., la taquina Dick.

— Bon, d'accord, Simone de Beauvoir a toujours été un exemple pour moi. Mais ce n'est pas un crime !

— Pas de problème. Tu sais que je t'adore, même si tu as des opinions très arrêtées sur un bon nombre de sujets.

— M'aimerais-tu sinon ?

— Probablement pas autant, et il est probable que je m'ennuierais à mourir.

De fait, on ne pouvait s'ennuyer en compagnie de Jenny. Dick regrettait seulement de ne pas avoir eu d'autres enfants. Mais son épouse avait toujours été trop impliquée dans son travail pour l'envisager. Philip était un garçon charmant, qui ressemblait beaucoup à sa mère, et Dick et Jenny pensaient tous deux qu'il ferait un excellent médecin. Pour le moment, il semblait déterminé à se spécialiser en pédiatrie, et les enfants l'adoraient. Ils estimaient que c'était un bon choix.

India et Sam continuaient à marcher le long de la plage en bavardant. Le petit garçon s'entendait à merveille avec les Parker, et les commentaires de Dick à propos du voilier de Paul Ward n'étaient pas tombés dans l'oreille d'un sourd.

— Ça a vraiment l'air d'un très grand voilier, souligna India.

Sam hocha la tête.

— Tu crois qu'on pourra monter dessus ? demanda-t-il avec intérêt.

Il était passionné par les bateaux, et avait décidé cette année de prendre des cours au club de voile.

— On dirait bien. Dick a dit qu'il nous emmènerait à bord.

A cette perspective, les yeux de Sam brillèrent d'excitation. India, pour sa part, avait hâte de rencontrer Serena Smith. Elle avait lu deux ou trois de ses romans et les avait beaucoup aimés, bien qu'elle n'ait pas eu le temps de lire les derniers sortis.

Lorsqu'ils arrivèrent au bout de la plage, ils revinrent sur leurs pas, et retournèrent à la maison en marchant dans l'eau. Sam continuait à lancer la balle au chien, qui la lui rapportait inlassablement.

Personne n'était encore rentré lorsqu'ils atteignirent la

maison. India leur prépara à déjeuner, après quoi ils sortirent leurs vélos. Ils passèrent l'après-midi à pédaler dans les environs, s'arrêtant pour dire bonjour à ceux de leurs amis qui étaient chez eux. C'était merveilleux d'être là, dans cet endroit qu'ils adoraient, entourés de visages familiers. De surcroît, arrivé devant la dernière maison, Sam tomba sur tout un groupe d'amis à lui, qui insistèrent pour qu'il reste dîner avec eux. India accepta, et rentra seule à la maison.

Quand elle y parvint, le téléphone sonnait. Songeant qu'il s'agissait probablement de Doug, elle faillit ne pas décrocher ; elle n'avait toujours pas très envie de lui parler. Néanmoins, elle se résolut à répondre, et eut la surprise de reconnaître la voix de Dick.

— Les Ward viennent d'appeler, annonça-t-il d'un air ravi. Ils arrivent demain. Ou du moins lui, avec des tas de gens. Elle le rejoindra en avion pour le week-end. Je voulais que tu le saches, afin que tu puisses emmener Sam sur le bateau. Paul a dit qu'ils arriveraient dans la matinée. Nous t'appellerons pour te tenir au courant.

— Je le dirai à Sam, promit India. Merci !

Après avoir raccroché, elle alla se préparer une soupe dans la cuisine. En fin de compte, aucun des enfants ne rentra dîner, mais au moins tous appelèrent pour la prévenir. Elle se sentait parfaitement à l'aise de les savoir indépendants. C'était là l'un des gros avantages de Cape Cod : elle connaissait tout le monde, et savait que les enfants étaient parfaitement en sécurité où qu'ils aillent. Les locataires occasionnels étaient rares : les gens qui possédaient une maison préféraient en général en profiter plutôt que de la laisser à des inconnus. Tout le monde se sentait bien, ici, et cela expliquait d'ailleurs que Doug ne veuille jamais aller en Europe. D'une certaine manière, India le comprenait, bien qu'elle mourût d'envie de voyager avec les enfants et lui.

Lorsque Sam rentra à la maison ce soir-là, elle lui annonça que le voilier arriverait le lendemain matin.

— Les Parker ont promis de nous appeler dès qu'il serait là.

— J'espère qu'ils n'oublieront pas, dit Sam d'un air inquiet alors qu'elle montait le border et lui souhaiter une bonne nuit.

Elle lui assura que non, et redescendit au rez-de-chaussée. Les autres enfants rentrèrent peu après ; elle leur prépara de la citronnade et du pop-corn et ils restèrent un long moment sur la terrasse à rire et bavarder, avant de monter un à un se coucher. Doug n'appela pas ce soir-là, et elle ne lui téléphona pas non plus. Elle se réjouissait d'avoir un peu de temps rien que pour elle, et après que les enfants se furent tous endormis, elle s'enferma dans sa chambre noire. Il était très tard lorsqu'elle alla se coucher, et tourna la tête vers la fenêtre pour regarder un moment la pleine lune dans le ciel. Des millions d'étoiles brillaient au firmament. C'était une nuit parfaite, dans un endroit dont India raffolait, et l'espace d'un instant elle regretta que Doug ne fût pas là pour partager ce moment avec elle. En dépit de leurs récentes disputes et de son opinion déprimante sur le mariage, il lui manquait...

Cependant, elle n'avait pas envie de n'être pour lui qu'une compagne fidèle et fiable. Cette idée la rendait malade. Elle voulait être la femme de sa vie, la femme de ses rêves. Se pouvait-il qu'il trouvât réellement ses aspirations ridicules ? Peut-être ne pensait-il pas vraiment ce qu'il lui avait dit ce soir-là, songea-t-elle, pleine d'espoir, tandis que, le regard toujours perdu dans les étoiles, elle sentait le sommeil l'envahir. Non, il ne pouvait pas être sérieux... Elle n'arrivait pas à croire qu'il la considérait sincèrement comme une sorte de gouvernante à demeure pour ses enfants.

Jamais elle ne se contenterait de ce rôle étriqué. Elle voulait courir avec lui dans les vagues, rouler sur le sable et l'embrasser à perdre haleine, comme du temps de leur jeunesse, au Costa Rica. Il ne pouvait pas avoir oublié tout cela, il ne pouvait pas avoir tiré un trait sur leurs rêves d'autrefois. Qu'était-il advenu du jeune homme qu'il avait été, vingt ans plus tôt, lorsqu'ils s'étaient rencontrés ?

Leur séjour dans le Peace Corps avait été une parenthèse pour lui et ces vingt années en avaient fait quelqu'un de bien différent. Il avait grandi, disait-il. Mais, ce faisant, il avait cessé d'être l'homme qu'elle avait aimé au point de lui sacrifier sa vie. C'était vraiment dommage, pour tous les deux...

Elle se faisait cette réflexion lorsqu'elle sombra dans un sommeil profond, sans rêves.

5

Il FAISAIT toujours un temps radieux lorsque India se réveilla. Une légère brise soulevait les rideaux de sa fenêtre, qu'elle avait laissée ouverte. Elle s'étira, se leva et regarda vers l'océan ; aussitôt, toute son attention fut attirée par l'immense navire qui traversait la baie. C'était le plus grand voilier qu'elle eût jamais vu. Elle apercevait des matelots qui couraient sur le pont, et remarqua que toute une série de drapeaux flottait au mât. La coque était bleu foncé, et toute la structure argentée. C'était une vision extraordinaire.

India n'eut aucun mal à deviner à qui appartenait ce navire. Les Parker n'avaient pas besoin de l'appeler pour la prévenir de son arrivée : on voyait le bateau à des kilomètres à la ronde. Il passa lentement devant la maison, son mât principal pointant vers le ciel, et la jeune femme courut chercher Sam pour le lui montrer.

— Viens vite... lève-toi... J'ai une surprise pour toi ! s'exclama-t-elle en entrant dans la chambre de l'enfant.

Elle s'approcha du lit de Sam et repoussa doucement les couvertures.

— Il est là !

— Qui est là ? demanda l'enfant, encore à moitié endormi, en se levant pour la suivre jusqu'à la fenêtre.

Elle désigna le bateau du doigt. Cela acheva d'éveiller Sam.

— Ouah, maman ! T'as vu ça ? Ce doit être le plus grand voilier du monde ! Est-ce qu'il s'en va déjà ?

Il était fou d'inquiétude à l'idée de l'avoir raté.

— Non, ils vont sûrement au yacht-club.

Le bateau avait un spinnaker aux couleurs éclatantes, et offrait vraiment un spectacle incroyable. Les yeux écarquillés, Sam le regarda passer devant eux à vive allure. Le vent s'était levé juste ce qu'il fallait, et le voilier fendait les flots avec une grâce extraordinaire. India s'empressa de courir chercher son appareil photo dans sa chambre, après quoi Sam et elle descendirent à la hâte sur la terrasse, d'où elle put prendre quelques très beaux clichés du navire. Elle se dit qu'elle en donnerait un tirage à Dick quand elle aurait développé la pellicule. Le bateau était vraiment magnifique.

— Est-ce qu'on peut appeler Dick, maintenant ? demanda Sam, qui avait du mal à contenir son excitation.

— Nous devrions peut-être attendre un peu, Sam. Il n'est que huit heures du matin.

— Mais ils risquent de repartir à New York sans que nous ayons pu monter à bord !

— Ils viennent juste d'arriver, mon poussin, et Dick a dit qu'ils passeraient toute la semaine ici. Je ne pense pas que nous risquions de rater la visite, je te le promets. Que dirais-tu de quelques pancakes, en attendant ?

C'était la seule chose susceptible de détourner momentanément l'attention de son fils et, effectivement, il accepta à contrecœur de prendre un petit déjeuner. Mais à huit heures trente, n'y tenant plus, il recommença à la supplier, tant et si bien qu'elle ne put repousser le coup de téléphone plus longtemps.

Ce fut Jenny qui répondit, et India lui présenta ses excuses pour cet appel si matinal. Elle lui expliqua la situation, et son amie rit avec attendrissement de l'impatience de Sam.

— En fait, ils viennent juste de nous appeler du bateau. Ils nous ont invités pour le déjeuner. Ils vont l'amarrer au yacht-club.

— C'est ce que j'ai dit à Sam. Ils avaient l'air d'aller dans cette direction.

Sam était retourné sur la véranda avec des jumelles, mais le bateau avait disparu de l'autre côté de la pointe, et n'était plus visible à présent.

— Pourquoi ne venez-vous pas déjeuner avec nous ? suggéra Jenny. Je suis sûre que deux personnes de plus ne feront pas de différence, pour eux. Penses-tu que tes autres enfants aimeraient se joindre à nous aussi ? Je peux toujours appeler Paul. Le connaissant, cela ne lui posera pas de problème.

— Je vais le leur proposer et je te rappelle. Merci mille fois, Jenny... Je ne suis pas sûre que Sam tienne en place jusqu'à l'heure du déjeuner. Je vais peut-être te demander de lui prescrire un sédatif !

— Attends qu'il l'ait vu de près ! s'exclama Jenny en riant.

Lorsque les aînés furent levés, India leur parla du bateau et leur demanda s'ils voulaient venir le voir de plus près, mais ils avaient tous déjà fait des projets pour la journée, et semblaient préférer leurs amis au voilier.

— Bon sang, ce que vous pouvez être bêtes ! leur dit Sam d'un air écœuré pendant qu'ils prenaient leur petit déjeuner.

India avait refait des pancakes pour tout le monde, et Sam

dévorait les siens avec appétit, bien qu'il en eût déjà eu avant les autres.

— C'est le plus grand voilier du monde ! Vous devriez le voir !

— Qu'est-ce que t'en sais ? demanda Jason d'un air blasé.

Les enfants des Tilton avaient invité une cousine habitant à New York à passer les vacances avec eux, et c'était la fille la plus mignonne qu'il eût jamais vue. Aucun voilier au monde ne pouvait rivaliser avec elle, il en était certain, et il n'avait nullement l'intention de rater l'occasion de passer une journée en sa compagnie.

— Maman et moi, nous l'avons vu, ce matin, lui dit Sam. Il est aussi grand que... aussi grand que...

Les mots lui manquaient, et India sourit, attendrie.

Aimée était la seule, parmi les enfants, à souffrir comme son père du mal de mer et elle ne voulait pas monter sur le voilier, même à quai. Quant à Jessica, elle avait déjà fait des projets bien plus excitants avec les Boardman. Trois jeunes gens, dont un en première année à Duke, cela valait tous les voiliers du monde.

— Eh bien, Sam et moi irons déjeuner là-bas, déclara India en haussant les épaules, puisque nous avons été invités. Nous visiterons le bateau, et je prendrai des tas de photos. Un voilier de cinquante mètres, ça ne se rate pas ! Peut-être qu'ils nous proposeront de revenir et que cette fois vous pourrez nous accompagner.

A midi, lorsque Sam et elle montèrent sur leurs vélos pour se rendre au yacht-club, l'enfant était si excité qu'il avait du mal à rouler droit. Il faillit tomber deux fois, et India dut lui dire de se calmer. Le voilier n'irait nulle part sans eux, assura-t-elle.

98

— Tu penses qu'ils vont naviguer avec, aujourd'hui, m'man ?

— Je ne sais pas. C'est possible. Il ne doit pas être très facile d'entrer et de sortir de la rade avec un bateau pareil. Ils ne voudront peut-être pas prendre cette peine. Mais, au moins, nous le verrons.

— N'oublie pas de prendre plein de photos, lui rappela-t-il.

Elle éclata de rire. C'était amusant de le voir aussi heureux et agité. Partager ce moment avec lui lui faisait voir les choses avec des yeux d'enfant, et elle était presque aussi ravie que lui.

Ils atteignirent bientôt le yacht-club, et longèrent le quai sans quitter le voilier des yeux. On ne pouvait pas le manquer : son mât s'élevait dans les airs à une hauteur vertigineuse. A première vue, le bateau semblait même plus grand que le yacht-club. Il y avait quelques beaux voiliers amarrés là, mais aucun de comparable.

Au grand soulagement d'India, les Parker étaient déjà là lorsqu'ils arrivèrent. Il eût été embarrassant de monter à bord sans connaître personne. Cela, bien sûr, n'aurait pas dérangé Sam outre mesure : il aurait été prêt à ramper entre les jambes d'une horde de pirates pour monter sur le voilier. Rien n'aurait pu l'arrêter, et dès qu'il vit Dick il courut à toute vitesse sur la passerelle pour aller se jeter dans ses bras, India sur ses talons. Ils avaient laissé leurs bicyclettes sur le quai. La jeune femme portait un short et un T-shirt blancs, et ses cheveux étaient lâchés dans son dos, simplement retenus par un ruban blanc. On aurait pu la prendre pour la grande sœur de Sam, alors qu'elle se dirigeait en souriant vers les Parker.

Il y avait un certain nombre de personnes sur le pont. Des transats et deux vastes canapés recouverts de toile bleue leur permettaient de se reposer ou de se faire bronzer tout en bavardant, et partout on voyait des matelots et des membres d'équipage en tenue bleu marine s'affairer. India compta au moins une demi-douzaine d'invités, parmi lesquels se distinguait un homme de haute taille, aux cheveux déjà gris mais au sourire juvénile. Comme il approchait, India remarqua que ses cheveux avaient dû être de la même couleur que les siens autrefois ; à présent, striés de mèches blanches, ils évoquaient la couleur du sable. Ses yeux étaient bleus, et il portait un short blanc et un T-shirt d'un rouge éclatant sur des épaules larges et un corps mince, athlétique. L'instant d'après, il se tenait au côté de Dick. Son regard croisa celui d'India, puis il baissa rapidement les yeux vers Sam, lui décocha un large sourire et lui tendit la main.

— Tu dois être Sam, l'ami de Dick. Pourquoi avez-vous mis tant de temps ? Nous vous attendions.

— Maman est terriblement lente à vélo, expliqua Sam en soupirant. Elle tombe si on roule trop vite.

— Je suis très heureux que vous ayez pu venir, tous les deux, affirma leur hôte d'un ton amical tout en jetant un coup d'œil complice à India.

Instantanément, il s'était senti proche de l'enfant. Quant à sa mère, elle l'intriguait. C'était une jolie femme qui semblait intelligente, et son visage exprimait un amusement plein d'humour. Il était clair qu'elle était fière de son fils, et en bavardant avec le petit garçon, il comprit pourquoi : Sam était brillant, ouvert et bien élevé, et les nombreuses questions qu'il posait témoignaient d'une connaissance surprenante de la voile. Il savait que le yacht était un ketch, n'eut aucun mal, connaissant la longueur du bateau, à deviner la hauteur du mât principal, et put réciter sans erreur les noms de toutes les voiles. Les voiliers, de toute évidence, étaient sa passion, ce qui séduisit aussitôt son hôte. Il fallut bien cinq minutes à Paul Ward pour pouvoir tendre la main à India et se présenter ; dans l'intervalle, Sam avait fait sa conquête. Ils étaient immédiatement devenus amis, et ils ne tardèrent pas à s'excuser pour aller visiter la timonerie.

Dick profita de l'occasion pour présenter India aux autres invités. Jenny et lui les connaissaient tous, et India s'assit et bavarda agréablement avec eux. Une hôtesse s'approcha pour lui proposer du champagne ou un bloody mary, mais elle opta pour un simple jus de tomate, qui se matérialisa aussitôt devant elle quelques secondes plus tard, dans un lourd verre en cristal gravé au nom du bateau, l'*Etoile-des-Mers*. Le voilier avait été construit spécialement pour Paul en Italie, à en croire l'un des invités, et c'était le deuxième de ce type qu'il possédait. Il avait voyagé partout dans le monde, et tous s'accordèrent pour reconnaître que c'était un marin extraordinaire.

— Votre fils apprendra mille choses avec lui, affirma l'un d'eux. Quand il était jeune, Paul a participé à l'America's Cup, et il n'a jamais arrêté de naviguer depuis. Il ne cesse de répéter qu'il va laisser tomber Wall Street et naviguer à plein temps, mais je ne pense pas que Serena le laisse faire.

Tout le monde éclata de rire.

— Est-ce qu'elle l'accompagne partout ? s'enquit India avec intérêt.

Elle mourait d'envie de commencer à prendre des photos du bateau, mais elle voulait le faire discrètement, et espérait en avoir l'occasion plus tard.

En entendant sa question, tous les invités éclatèrent de rire, comme s'il se fût agi d'une excellente plaisanterie ; lorsque leur hilarité se fut un peu calmée, une femme assise en face d'India expliqua :

— Serena estime qu'aller de Cannes à Saint-Tropez en bateau c'est déjà passer trop de temps en mer. Paul, lui, se sent frustré s'il ne traverse pas un typhon en plein océan Indien. Elle se débrouille pour le rejoindre dans divers ports en avion, mais aussi rarement que possible. Elle cherche à le convaincre de s'acheter un avion et de laisser tomber la voile, mais je ne pense pas qu'elle y parvienne de sitôt.

L'homme assis à côté d'India arqua un sourcil dubitatif.

— Moi, je parie sur Serena. Elle déteste qu'il s'éloigne pour de longs voyages en bateau ; elle est bien plus heureuse lorsqu'ils sont amarrés au cap d'Antibes ou à Saint-Tropez. Elle n'a pas le pied marin, c'est le moins qu'on puisse dire !

India avait du mal à concevoir qu'on pût refuser un voyage à bord de l'*Etoile-des-Mers*, mais peut-être Serena Smith souffrait-elle du mal de mer ? En tout cas, son aversion pour les longs voyages en bateau était célèbre, et on lui raconta une bonne demi-douzaine d'anecdotes à ce sujet. L'écrivain semblait être quelqu'un d'intéressant mais guère facile, estima India en les écoutant.

Pendant que ses compagnons parlaient, elle sortit discrètement son appareil et commença à les photographier. Ils étaient si occupés à raconter leurs histoires qu'ils s'en rendirent à peine compte. Au bout de quelques minutes, cependant, quelqu'un admira son appareil. C'était sa dernière acquisition, celui qu'elle souhaitait montrer à Dick ; lorsqu'elle le lui tendit, il le trouva superbe. Il en profita tout naturellement pour expliquer au petit groupe qui était India.

— Son père a obtenu le prix Pulitzer, dit-il, et un de ces jours, India suivra sa trace, si elle recommence à travailler. Elle a autant voyagé que Paul, mais là où elle allait, elle se retrouvait bien souvent avec des fusils pointés sur elle ou entourée de rebelles en pleine insurrection... Vous devriez voir certaines de ses photos, conclut-il fièrement.

— Cela fait bien longtemps que je n'ai rien fait de tel, protesta modestement l'intéressée. J'ai tout laissé tomber lorsque je me suis mariée.

— Cela peut encore changer, affirma Jenny avec fermeté.

La conversation reprit ; ils durent encore attendre une demi-heure avant que Sam et Paul ne reparaissent. L'enfant était radieux.

Paul lui avait tout montré ; il lui avait même expliqué le fonctionnement des voiles. Tout, sur le bateau, était géré par ordinateur, et il pouvait très bien naviguer seul s'il le souhaitait – il l'avait d'ailleurs fait à maintes reprises, en demandant à l'équipage de n'intervenir qu'en cas de besoin. Mais il est vrai que c'était un marin vraiment extraordinaire, et Sam l'avait compris. Paul, impressionné par la pertinence des questions de son jeune invité, s'était efforcé de s'exprimer avec des mots très simples, il avait même dessiné des diagrammes pour lui représenter les choses plus clairement.

— J'ai bien peur que vous n'ayez là un sérieux marin, annonça-t-il avec admiration à India lorsqu'ils la rejoignirent sur le pont.

Sam s'était assis pour boire le soda qu'une hôtesse lui avait apporté sur un plateau.

— Attention, cela crée une grave dépendance. A votre place, je m'inquiéterais. J'ai acheté mon premier voilier à vingt ans, alors que je n'avais pas un sou vaillant ; il m'a quasiment fallu vendre mon âme pour l'obtenir.

— Est-ce que je pourrai vous aider à naviguer, Paul ? demanda Sam, l'air plein d'adoration.

Paul sourit, et lui ébouriffa les cheveux amicalement. Il savait s'y prendre avec les enfants, et semblait particulièrement proche de Sam.

— Je ne suis pas sûr que nous ressortions aujourd'hui, mon garçon. Mais que dirais-tu de demain ? Nous avons l'intention de rejoindre quelques îles au large. Voudrais-tu venir avec nous ?

Ivre de joie, Sam hocha frénétiquement la tête. Paul se tourna vers India pour demander :

— Aimeriez-vous nous accompagner demain ? Je crois que cela ferait vraiment très plaisir à Sam.

— J'en suis persuadée, acquiesça India en lui rendant son sourire, mais êtes-vous certain que nous ne nous imposons pas ?

Elle ne voulait pas qu'il les jugeât pénibles ou sans-gêne ; elle craignait qu'à la longue l'enthousiasme de Sam ne fût un peu pesant pour leur hôte.

— Sam en sait davantage sur les voiliers que certains de mes amis. Je serai ravi de lui montrer comment celui-ci fonctionne, si vous n'y voyez pas d'objection. Ce n'est pas souvent que j'ai l'occasion d'éduquer un jeune marin. La plupart des gens que j'ai d'ordinaire à bord sont davantage intéressés par le contenu du bar et la taille de leur cabine. Je pense qu'il tirerait vraiment quelque chose de cette sortie.

— C'est vraiment très gentil.

India se sentait étrangement gênée, avec Paul. C'était un homme important, et il dégageait une impression de puissance qu'elle trouvait un peu intimidante. Mais Sam, lui, semblait parfaitement à l'aise avec son nouvel ami, comme avec les invités et les membres d'équipage. Paul avait su le conquérir, et India était touchée par sa sollicitude. Quelques minutes plus tard, alors qu'ils bavardaient de tout et de rien, elle lui demanda s'il avait des enfants. Elle était persuadée que oui, à le voir agir ainsi avec un garçon de l'âge de Sam ; aussi ne fut-elle pas surprise lorsqu'il hocha la tête, un sourire aux lèvres.

— J'ai un fils, qui a toujours détesté les bateaux ! répondit-il en riant. Il préférerait périr sur le bûcher que de passer dix minutes sur un voilier. C'est un homme à présent, et il a deux enfants qui semblent haïr les bateaux tout autant que lui. Quant à ma femme, ce n'est guère mieux. Elle tolère la vie à bord de l'*Étoile-des-Mers*, mais ça ne va pas plus loin. Serena et moi n'avons pas eu d'enfants ensemble. C'est pourquoi je suis si heureux de pouvoir parler de voile avec Sam.

Il prit une coupe de champagne sur un plateau en argent que l'hôtesse lui présentait et sourit à India. Au même instant, il remarqua son appareil photo.

— Dick m'a dit que vous aviez un talent extraordinaire.

— J'ai bien peur qu'il n'exagère. Ce n'est plus d'actualité, de toute façon. Je prends juste de bonnes photos de mes enfants.

— Je suis persuadé que vous êtes trop modeste. A en croire Dick, vous êtes spécialisée dans les zones en guerre, c'est bien ça ?

India rit de cette description. Cependant, il n'avait pas complètement tort. Elle avait fait beaucoup de reportages dangereux dans des endroits très inhabituels, durant sa courte carrière.

— J'ai moi-même un peu connu cela, poursuivit Paul, mais pas en tant que journaliste. J'étais pilote pour la marine, dans ma jeunesse, et ensuite, avant de me remarier, j'ai passé quelque temps dans le transport aérien vers des destinations particulièrement reculées. J'ai formé un groupe de pilotes volontaires spécialisé dans les missions de sauvetage et les parachutages de ravitaillement. Nous nous sommes probablement retrouvés aux mêmes endroits, certaines fois, vous et moi.

Rien qu'à l'entendre en parler, elle savait qu'elle aurait aimé photographier ses missions.

— Le faites-vous encore ? lui demanda-t-elle, intriguée.

C'était décidément un homme aux diverses facettes, plein de contrastes. Il vivait entouré d'un luxe insolent, mais arrivait à combiner cela avec une existence passionnante, pleine de dangers et d'aventure. India savait par ailleurs que c'était un brillant homme d'affaires, à la fois intègre et incroyablement doué, une véritable légende vivante à Wall Street.

— J'ai laissé tomber le transport aérien il y a quelques années. Ma femme trouvait ça trop dangereux, et disait qu'elle n'était pas pressée d'être veuve.

— Ce qui était probablement très sensé de sa part.

— Nous n'avons jamais perdu un pilote ou un appareil, déclara-t-il avec confiance. Cela dit, je ne voulais pas la contrarier. Je continue à m'occuper du financement du projet, mais je ne pars plus en mission moi-même. Quand les choses allaient mal en Bosnie, nous avons envoyé pas mal de nos pilotes là-bas pour apporter des vivres aux enfants. Et, bien sûr, nous sommes intervenus au Rwanda.

Tout en lui semblait à la fois admirable et impressionnant, et India était littéralement fascinée. Elle avait envie de prendre son appareil et de le photographier, mais elle savait qu'elle ne pouvait pas. Il s'était déjà montré très gentil avec Sam, et elle ne voulait pas abuser de sa patience.

Il bavarda ensuite avec d'autres invités, et une demi-heure plus tard il les conduisit dans la salle à manger, où la table était impeccablement dressée. Des assiettes en fine porcelaine de Chine côtoyaient l'argenterie et les verres en cristal sur la nappe immaculée en lin brodé ; on se serait cru dans un grand hôtel, ou dans la demeure d'un homme au goût exquis. Chaque détail était réglé à la perfection. De toute évidence, les talents d'hôte de Paul Ward étaient à la hauteur de ses dons de marin.

India fut surprise de découvrir qu'il l'avait placée à sa droite pour le déjeuner. C'était un honneur qu'elle apprécia à sa juste valeur, et qui leur permit d'entretenir une conversation soutenue. Parler avec Paul était fascinant. Il connaissait en profondeur le monde des arts, avouait une passion pour la politique, et avait sur nombre de sujets des opinions aussi arrêtées qu'intéressantes. En même temps, il y avait en lui une gentillesse, une douceur et une sagesse qui le lui rendaient très sympathique. Et plus d'une fois, il la fit rire en racontant des anecdotes à ses propres dépens. Son sens de l'humour n'avait d'égal que sa malice.

Cependant, quels que fussent les thèmes qu'ils abordaient, il finissait tôt ou tard par revenir à la voile. C'était sa passion, sa raison de vivre. Et, à sa droite, India entendait son fils discuter avec Dick Parker du même sujet. De temps en temps, le petit garçon se tournait pour adresser un large sourire à Paul ; en l'espace d'un après-midi, ce dernier était devenu pour lui une sorte de héros.

— Je crois que je suis en train de tomber fou amoureux

de votre fils, confia Paul à India au moment où les hôtesses leur servaient le café dans des tasses en porcelaine de Limoges. Il y a quelque chose de magique en lui, et il sait vraiment des tas de choses sur la voile. En le voyant, je regrette de ne pas avoir eu davantage d'enfants.

Il n'était pas trop tard pour lui, songea India. Elle se souvenait d'avoir lu dans le magazine *Fortune* qu'il était âgé de cinquante-sept ans. Serena, elle, devait avoir une cinquantaine d'années. India était surprise que Paul n'ait pas eu d'enfants avec elle ; elle avait entendu quelqu'un dire durant l'apéritif qu'ils étaient mariés depuis onze ans. Cependant, Paul avait à plusieurs reprises mentionné l'emploi du temps extrêmement chargé de sa femme, qui, non contente d'écrire des romans, supervisait également dans le plus grand détail la production des films qui en étaient tirés. En fait, elle se trouvait en ce moment même à Los Angeles pour cette raison. Il la décrivait comme une perfectionniste, se consacrant entièrement à son métier. A l'en croire, elle était à la fois pleine de talent et obsédée par son travail.

Durant le déjeuner, Paul avait confié à India qu'il s'était marié pour la première fois quand il était encore à l'université. Il avait eu son fils, était resté avec sa première femme durant quinze ans, puis avait attendu encore dix ans avant d'épouser Serena. Celle-ci avait trente-neuf ans à l'époque, et c'était son premier mariage.

— En fait, Serena n'a jamais voulu d'enfants. Sa carrière la passionne, et elle a toujours eu peur que des enfants ne la compromettent.

Il avait dit cela sans faire de commentaire sur cette décision. Sans doute, songea India, avait-il accepté cela plus facilement parce qu'il avait déjà un fils lorsqu'il l'avait épousée.

Pour elle, en tout cas, qui n'avait pas hésité à abandonner sa carrière pour avoir une famille nombreuse, c'était une histoire intéressante.

— Je ne pense pas que Serena ait jamais regretté sa décision, continua Paul. Et en toute sincérité, je ne suis pas certain qu'elle aurait très bien su se débrouiller avec des enfants. C'est une femme très complexe.

India mourait d'envie de lui demander ce qu'il entendait par là, mais n'osa pas. Une chose était certaine : en dépit de l'ambiguïté qu'il y avait dans ses paroles, elle sentait que Paul Ward était très heureux avec son épouse.

Ce fut un long repas, durant lequel Paul et India abordèrent une grande variété de sujets, avant de revenir à leurs nombreux voyages respectifs. Paul adorait découvrir les endroits les plus reculés du globe à bord de son bateau.

— Je n'ai pas l'occasion de le faire aussi souvent que je le voudrais, admit-il, mais un de ces jours je me lancerai. Je n'arrête pas de me répéter que je vais prendre ma retraite très tôt mais, pour l'instant, Serena est tellement prise par son travail que ce n'est pas la peine ; je préfère attendre qu'elle ait un peu plus de temps à me consacrer, pour que nous soyons davantage ensemble. Malheureusement, vu son tempérament, quand elle baissera le rythme, moi, je serai dans une chaise roulante ! ajouta-t-il avec un sourire mélancolique.

— J'espère que non.

— Moi aussi, répondit-il. Et vous ? Allez-vous reprendre votre travail un de ces jours, ou êtes-vous encore trop occupée par vos enfants ?

Il ne devait pas être facile de faire face aux exigences de quatre enfants. Lui-même aurait trouvé cela accablant, mais la jeune femme avait l'air d'apprécier la vie qu'elle menait.

La seule personne dont elle n'avait pas beaucoup parlé était son mari. Paul, qui n'avait pas manqué de s'en apercevoir, se demandait ce que signifiait ce silence.

— Je ne pense pas que je recommencerai jamais à travailler, dit India d'un ton pensif. Mon mari s'y oppose violemment. Il n'arrive même pas à comprendre que je puisse l'envisager.

Et sans même savoir pourquoi, elle lui parla du reportage en Corée, et de la réaction de Doug quand elle en avait discuté avec lui.

— On dirait qu'il a bien besoin d'entrer dans le vingt et unième siècle, souligna Paul. Comment peut-on encore, de nos jours, attendre d'une femme qu'elle abandonne sans rien dire sa carrière, ainsi que l'identité et l'estime de soi qui vont avec ? Personnellement, je ne prendrais pas un tel risque.

Ni un risque aussi idiot, songea-t-il, mais il ne formula pas sa pensée à haute voix. Tôt ou tard, il le savait, le mari d'India paierait son intransigeance au prix fort. C'était inévitable. Il l'avait appris avec Serena : cette dernière montait sur ses grands chevaux dès qu'il lui suggérait de prendre deux ou trois jours de repos pour partir quelque part avec lui. Mais Serena était particulièrement obsédée par son travail.

— On dirait que votre métier vous manque, India. Je me trompe ?

Il avait envie d'apprendre à mieux la connaître. Il y avait en elle quelque chose de calme, de magnétique, qui l'attirait, et chaque fois qu'il la regardait s'adresser à Sam, il était profondément touché par la chaleur de leur échange, par la gentillesse de la jeune femme envers l'enfant. Il aurait pu dire beaucoup de choses positives à propos de son épouse, mais celle-ci n'avait jamais été maternelle, et jamais non plus il n'aurait songé à la qualifier de « douce ». Elle était excitante, passionnée, forte, puissante, brillante. Mais India et elle semblaient venir de deux planètes différentes, vivre dans deux mondes parallèles. Il y avait une douceur particulière chez India, une sensualité subtile qui, combinées avec un esprit vif et un humour décapant, paraissaient à Paul extrêmement séduisantes. Et il trouvait sa sincérité, son honnêteté rafraîchissantes. Ses rapports avec Serena étaient toujours d'une complexité fascinante. Mais c'était Serena ; elle aimait pardessus tout le provoquer. India paraissait bien plus paisible, sans être faible pour autant.

Elle demeura pensive un moment avant de répondre à sa question au sujet de son travail.

— Oui, il me manque, c'est vrai, dit-elle enfin. Ce qui est amusant, c'est que ça n'a pas été le cas pendant très longtemps. J'étais bien trop occupée pour y penser. Mais dernièrement, comme les enfants commencent à grandir, je ressens un véritable vide dans ma vie, un vide que mon métier comblait autrefois.

C'était ce que Doug avait refusé de comprendre lorsqu'elle avait essayé de lui en parler. Il s'était contenté de la repousser, d'ignorer ses sentiments. C'était la première fois, depuis ce triste épisode, qu'elle traduisait ses pensées en paroles et expliquait à quelqu'un ce qu'elle éprouvait.

— Je ne vois pas pourquoi vous ne pourriez pas reprendre votre travail à présent, si ce n'est peut-être en choisissant des reportages un peu moins dangereux, suggéra Paul.

C'était plus ou moins ce que lui-même avait dit à sa femme. Serena pouvait faire un film par an et écrire un livre tous les deux ou trois ans, plutôt que de superviser deux films et quatre émissions télévisées chaque année, et signer des contrats promettant à ses éditeurs six livres tous les trois ans. Mais Serena n'avait rien voulu entendre et, lorsqu'il lui avait fait cette proposition, elle s'était sentie menacée et ils s'étaient violemment querellés.

— J'ai fait un reportage à Harlem il y a quelque temps sur les enfants maltraités, expliqua India. C'était parfait pour moi : pas trop loin de la maison, et pas vraiment risqué. Ça s'est très bien passé. Mais on ne me propose pas beaucoup de sujets de ce genre. Quand ils m'appellent, c'est presque toujours pour me demander de partir dans des endroits où il y a des émeutes ou des révolutions, comme autrefois. Je suppose qu'ils estiment que c'est pour ce genre de choses que je suis bonne. Mais je ne peux pas accepter des reportages pareils, ce serait trop dur pour Doug et les enfants.

— Et très dangereux pour vous, souligna-t-il en fronçant les sourcils.

Lui non plus n'aurait guère aimé voir sa femme risquer sa vie pour un scoop. Au pire, le travail de Serena la conduisait au restaurant du Beverly Hills Hotel, ou dans les bureaux de son éditeur à New York. A aucun moment, elle n'était en danger.

— Vous devriez trouver une sorte de compromis. Vous ne pouvez pas vous priver éternellement de ce type de nourriture intellectuelle. Vous en avez besoin, nous en avons tous besoin. C'est pour cette raison que je ne prends pas ma retraite. J'ai honte de l'admettre, mais d'une certaine manière le fait d'exercer une influence sur des gens flatte mon ego.

Elle appréciait qu'il l'admît avec tant de naturel. Curieusement, cela le faisait paraître vulnérable. C'était là un mot que peu de gens auraient associé à Paul Ward ; pourtant, India sentait que cette vulnérabilité faisait partie intégrante de sa

112

personnalité. Cela se voyait à la manière qu'il avait de s'adresser à elle, d'exprimer ses sentiments pour sa femme, ou même de plaisanter avec Sam. Il y avait un grand courage moral en lui, une profonde sincérité, ainsi qu'une tendresse cachée. Oui, India aimait beaucoup de choses en lui. C'était un homme très impressionnant.

Il était plus de quinze heures trente lorsqu'ils se levèrent de table, et Paul proposa d'emmener Sam faire un tour dans le petit dériveur qu'ils avaient à bord, afin de lui apprendre à naviguer. Sam accueillit cette proposition avec extase ; Paul lui donna un gilet de sauvetage et demanda aux membres de l'équipage de mettre le dériveur à l'eau. Ils descendirent l'échelle, et, un moment plus tard, India les regardait s'éloigner vers l'océan. Elle était un peu inquiète à l'idée que la frêle embarcation puisse chavirer, mais les matelots la rassurèrent : Paul était un homme responsable, et un excellent nageur. Et il suffisait à la jeune femme de voir l'expression de Sam pour comprendre combien l'enfant était heureux.

De là où elle était, elle le voyait rire et regarder Paul avec passion. Tirant son téléobjectif de son sac, elle prit quelques photos d'eux ; elle distinguait très clairement leurs visages, et jamais elle n'avait photographié deux personnes aussi visiblement enchantées. Il était cinq heures passées lorsqu'ils revinrent à contrecœur vers l'*Etoile-des-Mers*.

— Ouah, m'man ! C'était fantastique. Et Paul m'a montré comment faire !

Sam était radieux, et Paul semblait satisfait, lui aussi. Il était évident que, sur le petit voilier, ils avaient noué des liens plus étroits encore.

— Je sais, je t'ai vu, mon chéri. J'ai pris plusieurs photos de vous deux, déclara India.

Paul lui décocha un large sourire, tandis que Sam partait en courant chercher des sodas pour son nouvel ami et lui. Grâce au sens aigu de l'hospitalité de Paul, il se sentait parfaitement à l'aise sur le bateau ; Paul était son ami pour la vie, désormais. India savait que jamais il n'oublierait cette journée.

— C'est vraiment un garçon formidable, India. Vous devez être très fière de lui. Il est intelligent et gentil, intègre, et doté d'un vrai sens de l'humour. Comme sa mère, ajouta-t-il.

A présent qu'il avait passé un peu de temps avec Sam, il avait l'impression de mieux la connaître, elle aussi, et il appréciait ce lien qui s'était formé entre eux.

— Vous avez découvert tout ça en passant une heure avec lui dans un bateau de la taille d'une baignoire ? s'étonna-t-elle.

Elle le taquinait, mais en vérité elle était très touchée de ses compliments à propos de son fils.

— Il n'y a pas de meilleur endroit pour apprendre à se connaître. Naviguer avec quelqu'un vous révèle énormément de choses sur lui, en particulier dans un bateau de cette taille. Il s'est montré très perspicace, très sensible et très attentif. Vous n'avez pas à vous inquiéter pour lui.

— Ça ne m'empêche pas de me faire du souci, répondit-elle en souriant à Paul. Ça fait partie de mon boulot. Je ne remplirais pas mon rôle si je ne m'inquiétais pas un minimum.

— C'est un excellent marin, annonça Paul avec une certaine fierté.

— Et vous aussi, répondit-elle simplement. Je vous ai regardés tout le temps, tous les deux.

— J'aimerais beaucoup voir les photos.

— Je vais les développer et je vous les apporterai demain.

— Merci, dit-il.

Sam revenait vers eux en courant, deux Coca à la main. Il en tendit un à Paul en souriant à sa mère. C'était le plus beau jour de sa jeune vie.

Ils demeurèrent là un moment, debout, à boire leurs Coca, fatigués, assoiffés, mais ravis. Une légère brise s'était levée, et ramener le dériveur avait été physiquement éprouvant pour Paul. Mais il était difficile de dire lequel des deux s'était le plus amusé.

Ils jetèrent un coup d'œil au bar, où quelques invités jouaient aux dés. D'autres prenaient un bain de soleil, deux lisaient, et un autre encore dormait. Ç'avait été un après-midi paisible, calme, et India l'avait beaucoup apprécié. Il était dix-sept heures trente lorsqu'elle annonça à Sam qu'ils devaient prendre congé de leur hôte et rentrer à la maison. Cette nouvelle parut l'abattre au plus haut point.

— Tu reviendras demain, Sam, lui rappela Paul. Tu n'as qu'à passer tôt, si tu veux. Nous ferons quelques trucs tous les deux avant de larguer les amarres.

— Tôt ? Tôt combien ? demanda le petit garçon, l'air plein d'espoir, et Paul et India éclatèrent de rire.

— Si je te dis neuf heures, est-ce que ça te paraît très tard ?

Paul sentait que Sam débarquerait à cinq heures du matin s'il le laissait faire.

— Bon, disons huit heures et demie.

Puis il regarda India d'un air interrogateur :

— C'est d'accord pour vous ?

— Parfait. Comme ça, je pourrai m'occuper un peu des

autres avant de partir. Ils se débrouillent plutôt bien tout seuls : de toute façon, ils sont avec leurs amis toute la journée. Nous ne leur manquerons pas.

— Vous pouvez les amener aussi, si vous voulez. Tous mes invités descendront à terre pour la journée, il n'y aura que Sam, vous et moi. Il y aura beaucoup de place pour eux, si cela leur fait plaisir.

— Je le leur proposerai.

Il semblait vraiment dommage de rater une occasion pareille, mais elle sentait qu'ils ne seraient pas tentés : ils ne voulaient pas quitter une seule minute leurs amis. Sam était le seul qui fût passionné de voile.

— En tout cas, merci pour votre invitation, et pour votre gentillesse.

Elle serra la main de Paul avant de partir, et leurs regards se croisèrent un moment. Elle lut quelque chose dans celui de son compagnon, mais elle n'aurait su définir quoi — de l'admiration... de la curiosité... de l'amitié... Quoi que ce fût, elle eut l'impression d'être traversée d'un sentiment confus et électrique, pendant une longue seconde. Puis elle tourna les talons, et, l'instant d'après, Sam et elle étaient sur leurs vélos, et tous les invités et les membres d'équipage leur faisaient au revoir de la main. Soudain, elle eut l'impression de quitter un lieu magique, envoûtant. A l'instar de Sam, elle mourait d'envie de faire demi-tour et de retourner le plus vite possible à bord de l'*Etoile-des-Mers*.

L'après-midi avait été en tous points parfait, et elle ne pouvait s'empêcher de penser à Paul tandis qu'elle pédalait derrière son fils, en s'efforçant de ne pas se laisser distancer. Il y avait quelque chose de très profond, de très rare chez cet homme dont elle venait tout juste de faire la connaissance.

Et elle était certaine qu'elle était encore loin de tout savoir de lui. On ne l'appelait pas le Lion de Wall Street pour rien ; il devait y avoir un aspect de lui qu'elle n'avait pas vu, dur, impitoyable même. Pourtant, l'homme qu'elle avait découvert était très doux, très attentionné. Et elle savait que ni Sam ni elle n'oublieraient jamais la journée qu'ils venaient de passer avec lui.

6

LES ENFANTS étaient tous à la maison lorsque Sam et India rentrèrent, et ils parurent contents de les voir. Sam leur raconta tout – Paul, le bateau, ses aventures sur le dériveur –, et ils l'écoutèrent gentiment, mais sans grand intérêt. Sam éprouvait pour les bateaux la même passion que certains petits garçons pour les tanks ou les avions. Les autres ne comprenaient pas bien cet engouement. Pendant qu'ils bavardaient, India alla préparer le dîner dans la cuisine.

Elle fit des pâtes, accompagnées d'une salade et de pain à l'ail, et mit quelques pizzas surgelées au four, se doutant que d'autres bouches à nourrir allaient apparaître d'ici peu, et elle ne se trompait pas. A sept heures, lorsqu'ils passèrent à table, quatre autres enfants s'étaient joints à eux, deux amis de Jason et deux d'Aimée. C'était ainsi qu'ils vivaient l'été, d'une manière décontractée, et India ne se préoccupait jamais du nombre d'enfants qui venaient chez elle.

Après le dîner, Jessica l'aida à ranger et nettoyer la cuisine pendant que les autres allaient jouer. Elles finissaient de remplir le lave-vaisselle lorsque Doug appela. Ce fut Sam qui atteignit le téléphone le premier, et il s'empressa de raconter à son père sa journée sur l'*Etoile-des-Mers*. A l'entendre décrire le voilier, on eût cru qu'il s'agissait du plus grand paquebot du monde, mais il passa également un long moment à expliquer à Doug la complexité des voiles et du système informatique qui gouvernait le bateau. Il était évident que Sam avait réellement beaucoup appris sur la navigation au contact de Paul, et qu'il l'avait bien écouté.

Lorsque ce fut enfin au tour d'India de parler à Doug, celui-ci lui demanda :

— Pourquoi Sam est-il dans un état pareil ? Ce bateau est-il aussi grand qu'il le dit, ou s'agit-il d'une vieille baignoire quelconque du yacht-club ?

— C'est une très belle baignoire, répondit India, un sourire aux lèvres, en repensant aux merveilleux moments qu'ils avaient passés à bord. Le propriétaire est un ami de Dick et de Jenny. J'ai lu des articles sur lui, et je suis sûre que toi aussi : il s'appelle Paul Ward, et c'est le mari de Serena Smith, tu sais, l'écrivain ? Elle se trouve à Los Angeles où elle travaille sur un film, et pendant ce temps Paul et quelques amis sont venus passer une semaine ici avec le voilier. Peut-être sera-t-il encore là quand tu viendras nous voir.

— Epargne-moi ça, répondit Doug, qui avait le mal de mer rien que d'y penser. Tu connais mon opinion sur les bateaux. Cela dit, ça m'intéresserait de rencontrer Paul Ward. Comment est-il ? Arrogant et cynique sous un vernis de respectabilité, non ?

Pour Doug, qui avait entendu parler de son pouvoir et de ses succès en Bourse, Paul Ward était nécessairement un homme cruel et impitoyable.

— Non, en fait il semble très humain. Il a été adorable

avec Sam, et lui a même fait faire un tour en dériveur, répondit India, contrariée que son mari réagît ainsi.

— J'ai entendu dire que c'était une ordure en affaires. Peut-être se donne-t-il juste un genre devant ses amis. Si tu veux mon avis, ce type est capable de tuer ses petits, et ceux des autres dans la foulée, s'il estime que ça peut lui rapporter quelque chose.

Doug avait visiblement une idée bien arrêtée sur la question, et India n'eut pas la force de se quereller avec lui.

— En tout cas, Sam est ravi, objecta-t-elle simplement.

Elle s'apprêtait à lui dire qu'ils retournaient en mer avec lui le lendemain mais, sans raison particulière, elle se ravisa et ne mentionna pas cette sortie.

— Comment vas-tu ? s'enquit Doug, changeant de sujet et lui évitant ainsi d'en dire davantage sur Paul.

Il n'y avait pas grand-chose à ajouter, de toute façon, sinon qu'elle le trouvait extraordinaire et qu'il pensait qu'elle devrait se remettre à travailler le plus vite possible. Nul doute que Doug aurait aimé entendre ça...

— Ça va bien. C'est vraiment agréable, ici. Tous nos vieux amis sont là, et ça fait plaisir de retrouver des visages familiers... Jenny et Dick ont été charmants, comme d'habitude. Les enfants ont retrouvé leurs copains. Rien de neuf, quoi.

C'était ce qu'elle aimait à Cape Cod : ce sentiment de familiarité, d'immuabilité. C'était réconfortant, comme de se blottir contre un vieil oreiller moelleux dans sa robe de chambre préférée.

— Et toi, ça va ?

— Je suis crevé. Je travaille. Je n'ai pas pris une minute

de repos depuis votre départ ! Malgré tout, je ne pourrai pas venir pour le 4 Juillet.

— Je sais, tu me l'as déjà dit, lui rappela India d'un ton neutre.

Elle lui en voulait toujours de leur conversation de ce fameux soir.

— Je ne voudrais pas que les enfants et toi soyez déçus, dit Doug sur un ton d'excuse.

— Ne t'inquiète pas pour nous. Les Parker nous ont invités à leur barbecue, comme chaque année.

— Je vous conseille les steaks. C'est le seul truc que Dick sache faire cuire sans y mettre le feu.

India sourit à ce souvenir, et lui annonça que cette année leurs amis avaient engagé un cuisinier.

— Vous me manquez, dit-il, très à l'aise.

« Vous me manquez » – un vous collectif, sûr, facile. Elle aurait aimé l'entendre dire « Tu me manques », mais quelle importance ? Elle ne lui répondit pas qu'il lui manquait aussi. Ç'eût été un mensonge. Elle nourrissait toujours des sentiments mitigés à son égard, depuis les discussions qui avaient précédé son départ de Westport, même si elle avait l'impression que lui avait tout oublié. A aucun moment, il n'avait réalisé que ses paroles à propos de leur mariage et de ce qu'il en attendait l'avaient profondément blessée. Parfois, elle avait l'impression de ne plus savoir qui elle était pour lui, maintenant. Son amie, sa gouvernante, sa fidèle compagne ? Tout cela lui faisait horreur. Elle voulait être son amante, la femme de sa vie. Et lui la considérait comme une employée, une esclave, un objet. Une espèce de véhicule dont il se serait servi pour transporter ses enfants. A cette pensée, elle éprouvait un sentiment de vide douloureux.

121

— Je vous appellerai demain, annonça-t-il d'une voix impersonnelle. Bonne nuit, India.

Elle attendit de voir s'il lui dirait qu'il l'aimait, ou qu'elle lui manquait, mais il n'en fit rien. Et elle se demanda, en raccrochant, si c'était ainsi que Gail en était arrivée à cet état d'insatisfaction permanente, de lassitude et de ressentiment. Son amie était si douloureusement consciente du manque d'amour dans sa vie qu'elle avait besoin de retrouver des hommes mariés dans des hôtels pour se sentir moins seule... India voulait ne jamais en arriver là. Elle n'avait pas fait tout ce chemin pour ça. Mais pour quoi, alors ? s'interrogeait-elle en se dirigeant vers la chambre noire, perdue dans ses pensées.

Elle sortit ses produits chimiques et se mit à développer ses pellicules, tout en songeant une nouvelle fois à ses conversations avec son mari, puis elle regarda les photos qui apparaissaient dans le bain, et elle le vit. Paul. Paul qui lui souriait, qui riait aux éclats avec Sam. Baissant la tête sur le dériveur, tandis que son profil incroyablement séduisant se détachait sur l'horizon. C'était une suite de merveilleux portraits qui racontaient l'histoire d'un après-midi de rêve entre un homme et un petit garçon. Elle passa un long moment immobile à regarder les photos en songeant à lui, et à Serena. Il avait utilisé des associations d'adjectifs vraiment étranges pour la décrire... Elle semblait tout à la fois terrifiante et fatalement séduisante. India sentait que Paul Ward était amoureux de sa femme et qu'elle l'intriguait ; de plus, il affirmait être heureux avec elle. Pourtant, tout ce qu'il disait de Serena laissait deviner qu'elle était d'un caractère difficile. Ce qu'ils partageaient suggérait davantage l'excitation et la passion qu'un bonheur serein, paisible. Cela poussa India à se demander une nouvelle fois ce qu'il y avait entre Doug et elle. Quelle était la signification de leur couple ? Et, plus important, quels étaient les ingrédients essentiels d'un bon mariage ? Elle ne savait plus répondre à cette question. Tout ce qu'elle avait estimé nécessaire jusque-là, son mari lui avait dit qu'il ne fallait pas y attacher d'importance ; quant à Paul, il semblait fou amoureux de sa femme, bien qu'elle fût, selon sa description, obstinée, intransigeante et parfois même agressive. Décidément, il était bien difficile de comprendre les relations humaines et ce qui leur permettait de fonctionner...

India suspendit les photos pour les faire sécher et quitta la chambre noire. Elle alla ensuite jeter un coup d'œil aux enfants : Sam s'était endormi sur le canapé en regardant une cassette vidéo, les autres jouaient à chat perché à l'extérieur de la maison, à la lumière de leurs lampes de poche, et Jessica et un ami – l'un des fils Boardman – mangeaient de la pizza froide dans la cuisine. Tout semblait en ordre, en sécurité dans son petit monde.

Elle porta Sam dans son lit et parvint à le déshabiller sans le réveiller, épuisé qu'il était par toutes ses aventures à bord de l'*Etoile-des-Mers*. Tout en le regardant, elle songea à Paul et aux photos qu'elle avait prises de lui.

Mais soudain, elle eut une pensée plus étrange encore, au moment où elle éteignait la lumière et retournait lentement dans sa chambre. Tout à coup, elle se demanda à quoi cela ressemblerait d'accomplir tous ces gestes quotidiens seule, si Doug et elle n'étaient plus mariés. Serait-ce très différent ? Elle faisait déjà tout elle-même. Elle s'occupait des enfants, les emmenait même en vacances toute seule, cette année. C'était elle qui assumait toutes les responsabilités, s'acquittait des tâches ménagères, préparait à manger. Elle encore qui s'inquiétait et faisait aux enfants leurs câlins du soir... Doug, lui, se contentait de rapporter à la maison de quoi subvenir à leurs besoins matériels.

Cela lui faisait peur d'y penser, mais que se passerait-il si Doug la quittait ? S'il mourait ? Sa vie serait-elle si différente ? Se sentirait-elle plus seule que maintenant, alors qu'elle savait qu'elle n'était pour son mari qu'un outil – bien pratique, certes, mais un outil quand même ? Que deviendrait-elle si elle perdait Doug ?

Elle s'était déjà posé la question des années plus tôt, quand les enfants étaient encore petits. A l'époque, elle avait eu l'impression qu'elle ne pourrait survivre une heure sans lui... Mais ça, c'était quand elle le croyait amoureux d'elle. A présent qu'elle se rendait compte qu'il ne l'était pas, et n'éprouvait nullement le besoin de l'être, qu'est-ce que cela signifierait vraiment de se passer de lui ?

Elle se sentait coupable de ces pensées. Rien que d'imaginer la vie sans Doug lui paraissait une sorte de trahison. Jamais elle n'aurait osé formuler cela devant quiconque, pas même Gail. Et certainement pas devant Doug.

Elle resta un long moment allongée sur son lit, puis finit par prendre un livre, mais elle ne parvint pas à se concentrer sur sa lecture. Ses yeux parcouraient les lignes, mais, dans sa tête, elle ne cessait de se poser des milliers de questions. L'une d'elles en particulier, celle qu'elle craignait le plus, ne cessait de revenir la hanter. Quelle était pour elle la signification de son couple, désormais ? Maintenant qu'elle savait ce que pensait Doug... Cela changeait tout, comme lorsqu'on touche à peine au bouton de réglage d'une radio et que la musique douce est soudain troublée par des grésillements insupportables. A présent, elle ne pouvait plus se forcer à croire que c'était de la musique qu'elle entendait. Non, ce n'en était pas, ce n'en était plus, depuis des semaines, peut-être plus. Peut-être même s'était-elle leurrée depuis le début. A moins qu'il n'y ait eu quelque chose, et qu'ils l'aient perdu ? C'était la réponse la plus plausible. Peut-être que cela finissait par arriver à tout le monde. Un jour ou l'autre, la magie disparaissait... et l'on devenait amer et hargneux, ou bien, comme Gail, on cherchait à vider un océan de solitude à la petite cuillère. Cela semblait sans espoir, pour India.

Elle finit par abandonner son livre et sortit sur la véranda pour voir où en étaient les enfants. Ils avaient cessé de jouer à chat perché pour s'installer dans le salon, où ils bavardaient en regardant la télévision d'un œil distrait. India resta un moment là, les yeux levés vers les étoiles, à se demander ce qu'il allait advenir de sa vie à présent. Probablement rien. Elle ferait le chauffeur pour les enfants durant les neuf années à venir, jusqu'à ce que Sam ait son permis, ou peut-être un peu moins longtemps, si Jason ou Aimée acceptait de se charger de lui. Puis elle serait libre. Et alors ? Elle continuerait à faire leurs lessives et à leur préparer à manger jusqu'à ce qu'ils soient tous partis à l'université, après quoi elle attendrait leur retour pour les vacances en ressassant des souvenirs. Qu'adviendrait-il de Doug et elle ? Que se diraient-ils ? Soudain, tout cela semblait terriblement triste, solitaire. Jamais elle ne s'était sentie aussi vide, aussi brisée, aussi... flouée. Et pourtant, il fallait qu'elle continue, comme une machine, qu'elle produise ce que l'on attendait d'elle, jusqu'au moment où elle serait définitivement cassée, irréparable. Ce n'était guère porteur d'espoir, ni très attirant.

Comme elle songeait à cela, son regard se posa sur l'océan,

et elle vit l'*Etoile-des-Mers*, dans toute sa gloire. Mille lumières étaient allumées dans le grand salon et dans les cabines, de petites ampoules rouges signalaient la hauteur du mât, et il s'éloignait pour une sortie nocturne. C'était une vision idyllique, magique. Un voilier, le parfait moyen de s'évader. Comme un tapis volant, prêt à vous emmener n'importe où. Elle comprenait que Paul eût envie de naviguer de par le monde. Quel meilleur moyen existait-il de découvrir de nouveaux endroits ? C'était comme d'emmener partout sa maison avec soi, son petit monde sûr et familier. En cet instant, India ne pouvait imaginer quoi que ce fût de plus merveilleux, et l'espace d'une seconde elle se dit qu'elle aurait aimé se réfugier là-bas, sur le bateau. Paul Ward avait bien de la chance... Elle était désolée que Sam fût couché et ne pût pas voir passer le voilier, mais au moins il remonterait à bord le lendemain matin, et elle savait combien il se réjouissait de cette perspective.

Elle envoya tous les enfants au lit à onze heures, et éteignit sa propre lampe de chevet peu après. Et le lendemain, elle réveilla Sam à sept heures trente. Lui qui, d'ordinaire, avait le sommeil très lourd, ouvrit les yeux dès qu'elle entra dans sa chambre, et l'instant d'après il était debout, prêt à se mettre en route. India s'était déjà lavée et habillée : elle portait un T-shirt bleu ciel sur un jean blanc, et des espadrilles, bleues elles aussi, que Gail lui avait rapportées de France l'année précédente. Ses cheveux étaient sagement tressés.

Elle se dirigea vers la cuisine. La veille, elle avait promis aux aînés de leur laisser des muffins aux myrtilles et de la salade de fruits. Ils l'avaient tous mise au courant de leurs projets pour la journée durant le dîner, et elle savait qu'ils se débrouilleraient parfaitement sans elle. Et puis, s'il se passait quoi que ce fût, ils pouvaient toujours s'adresser à l'un des voisins : elle les connaissait tous très bien. Elle leur laissa quand même le numéro de téléphone du bateau, que Paul lui avait donné en cas d'urgence. Tout était réglé ; à huit heures vingt, Sam et elle étaient sur leurs vélos, en route pour le yacht-club.

Paul les attendait sur le pont lorsqu'ils arrivèrent, et ses invités s'apprêtaient à partir. Ils avaient loué un minibus et avaient l'intention d'aller rendre visite à des amis à Gloucester. Ils passeraient la nuit là-bas. En s'éloignant, ils firent des signes amicaux à India et Sam ; déjà, ce dernier s'élançait sur la passerelle. Paul lui ouvrit grands les bras et il se jeta à son cou.

— Je parie que tu as dormi comme une souche, hier soir, après avoir navigué sur ce dériveur.

Sam hocha vigoureusement la tête, et Paul éclata de rire.

— Moi aussi, avoua-t-il. C'est fatigant mais très amusant, n'est-ce pas ? Aujourd'hui, ce sera bien plus facile. Je pensais que nous pourrions aller jusqu'à New Seabury, nous y arrêter pour déjeuner et revenir ici après le dîner. Ça vous dit ? demanda-t-il à India.

— Bien sûr ! acquiesça-t-elle joyeusement.

— Vous avez déjà pris votre petit déjeuner ?

— Seulement des céréales, soupira Sam d'un ton qui suggérait que sa mère le laissait mourir de faim.

India sourit, amusée.

— Ce n'est pas un petit déjeuner suffisant pour un marin, décréta Paul, compatissant. Que dirais-tu de quelques gaufres ? Ils viennent juste d'en préparer dans la cambuse. Alors ?

— Ouais ! C'est beaucoup mieux ! approuva Sam.

Paul proposa à India de déposer leurs affaires dans l'une

des cabines. Elle descendit un escalier, trouva aisément la pièce en question, et y pénétra. A l'intérieur, elle fut saisie par la beauté du décor. Jamais, même dans les plus beaux hôtels, elle n'avait vu de chambre aussi luxueuse. Les murs étaient lambrissés d'acajou ; tous les tiroirs et les placards étaient ornés de poignées en laiton étincelant. La pièce, grande et aérée, disposait de plusieurs hublots, d'un immense dressing et d'une fabuleuse salle de bains en marbre blanc, avec baignoire et douche. C'était plus magnifique encore qu'elle ne s'y était attendue, et bien plus beau que sa propre maison de Westport, pourtant très confortable et agréablement décorée. Tous les tableaux qui ornaient les parois étaient signés par des artistes célèbres.

Elle posa son sac sur le lit, et remarqua au passage que celui-ci était recouvert d'une couverture en cachemire brodée de l'emblème du navire. De son sac, elle tira l'enveloppe de photos qu'elle avait apportée.

Lorsqu'elle rejoignit Paul et Sam dans la salle à manger, le petit garçon était attablé devant une montagne de gaufres, et son menton était maculé de sirop d'érable. Paul et lui semblaient engagés dans une conversation très sérieuse à propos de voile.

— Et vous, India ? Quelques gaufres ?

— Non, merci, répondit-elle en souriant, un peu embarrassée. Je suis désolée, on dirait que je ne le nourris pas...

Paul lui rendit son sourire.

— Les marins ont besoin d'un solide petit déjeuner, répondit-il. Que diriez-vous d'un café, India ?

Il aimait beaucoup son prénom, et ne se lassait pas de le prononcer. La veille, il lui avait demandé pourquoi elle s'appelait ainsi, et elle lui avait expliqué que son père se trouvait en mission en Inde lorsqu'elle était née. Paul lui avait dit combien il trouvait ce nom joli et exotique.

L'une des deux hôtesses debout près de la table servit à India une tasse de café fumant, dans une tasse en porcelaine de Limoges ornée de petites étoiles bleues. Tous les verres et toute la vaisselle étaient décorés soit de l'emblème du bateau, soit d'étoiles.

Il était plus de neuf heures lorsque Sam termina son petit déjeuner. Paul les invita alors à monter avec lui sur le pont. La journée s'annonçait sublime et idéale pour la navigation : le soleil brillait dans un ciel sans nuages, et une bonne brise s'était levée. Paul hocha la tête d'un air satisfait et s'adressa au capitaine. Ils allaient s'éloigner du yacht-club au moteur, puis mettre les voiles quand ils seraient à distance raisonnable. Paul expliqua à Sam chacune des manœuvres, et lui montra comment les matelots tiraient les défenses et détachaient les amarres. Ils s'interpellaient en riant et lançaient les cordes sur le pont, pendant que les hôtesses redescendaient tout ce qui risquait d'être déséquilibré par le mouvement du bateau. India s'était placée un peu en retrait et observait tout ce déploiement d'activité avec intérêt ; Sam, lui, était debout tout à côté de Paul, et lui posait mille questions. Quelques minutes plus tard, ils s'éloignaient du quai en direction de la sortie du port.

— Prêt ? demanda Paul à Sam en éteignant le moteur.

Ils avaient déjà abaissé la quille hydrauliquement au moment de quitter le yacht-club.

— Prêt, répondit Sam, les yeux brillants.

Il avait hâte de naviguer. Paul lui montra sur quels boutons appuyer, et les immenses voiles commencèrent à se déplier. Il installa le génois, puis la voile d'étai, suivie par l'immense grand-voile et finalement l'artimon, exactement selon le bon angle. Il fallut moins d'une minute aux voiles pour se gonfler, et, tout à coup, le gigantesque voilier commença à avancer. Il donna gracieusement de la bande, et prit aussitôt de la vitesse. C'était excitant, extraordinaire, et un large sourire éclairait le visage de Sam lorsqu'il leva les yeux vers Paul. Jamais India n'avait vu quelque chose d'aussi beau. Déjà, l'*Etoile-des-Mers* s'éloignait de la rive à vive allure et se dirigeait toutes voiles dehors vers New Seabury.

Paul et Sam ajustaient régulièrement les voiles, levant la tête vers les mâts démesurés, et Paul ne se lassait pas d'expliquer à Sam le rôle de chaque cadran, de chaque bouton, sous le regard attendri d'India. L'homme et l'enfant étaient côte à côte devant le gouvernail, et Paul laissa Sam tenir la barre pendant un moment, sans jamais cependant le quitter des yeux. Enfin, ils remirent les commandes au capitaine. Sam demanda à rester avec ce dernier, tandis que Paul et India montaient s'asseoir dans le cockpit.

— Vous le gâtez trop. Après ça, plus aucun voilier ne sera assez bien pour lui ! C'est vraiment un bateau fantastique.

La jeune femme lui souriait, radieuse. Naviguer ainsi avec lui était une expérience inoubliable.

— Je suis content que ça vous plaise.

Il semblait satisfait. Il était clair que la voile était le grand amour de sa vie, et qu'il ne se sentait nulle part aussi heureux qu'en mer. D'ailleurs, il le lui dit :

— J'adore ce bateau. J'ai passé de très bons moments sur l'*Etoile-des-Mers*.

— Tous ceux qui sont montés à bord doivent pouvoir dire la même chose, j'imagine. J'ai pris plaisir à écouter les histoires que racontaient vos amis, hier.

— Je parie que la moitié concernaient les tentatives de fuite de Serena, et ses menaces de partir à la nage chaque fois que le bateau tangue un peu. On ne peut pas dire qu'elle soit passionnée de voile.

— Souffre-t-elle du mal de mer ? demanda India, curieuse d'en savoir davantage sur ce personnage haut en couleur.

— Pas vraiment. Elle n'a été malade qu'une fois. Elle déteste les bateaux, c'est tout.

— Ce doit être une sorte de défi, pour vous qui aimez autant naviguer.

— Disons qu'à cause de ça nous ne passons pas autant de temps ensemble que nous le devrions. Elle trouve tout un tas d'excuses pour ne pas venir à bord, et, occupée comme elle l'est, je ne peux guère discuter avec elle. Je n'ai aucun moyen de savoir si elle a vraiment besoin d'aller à Los Angeles ou de voir son éditeur, ou si ce sont juste des prétextes pour ne pas me rejoindre sur l'*Etoile-des-Mers*. Autrefois, je m'efforçais de la convaincre ; maintenant, je la laisse venir quand elle en a envie.

— Cela vous contrarie-t-il lorsqu'elle reste à terre ?

India savait qu'elle se montrait un peu indiscrète en posant cette question, mais son hôte la mettait tellement à l'aise qu'elle se sentait autorisée à le lui demander franchement. Et elle était curieuse, ces temps-ci, de découvrir comment fonctionnaient les autres couples, quel était le secret de leur succès conjugal. Tout à coup, cela lui paraissait particulièrement important. Peut-être découvrirait-elle ainsi des « recettes » qui pourraient lui être utiles...

— De temps en temps, cela m'ennuie vraiment, oui, admit-il.

Une des hôtesses s'approcha pour leur proposer des bloody mary. Il était près de onze heures.

— Je me sens seul, sans elle, mais j'ai l'habitude. On ne peut pas forcer les gens à faire les choses contre leur gré. Sinon, on finit toujours par payer le prix de son entêtement, un prix parfois élevé. J'ai appris cela avec ma première femme. A l'époque, j'avais tout faux, et après notre divorce je me suis juré que, si je me remariais, ça se passerait différemment. Et c'est ce qui s'est produit. Mon mariage avec Serena m'apporte tout ce dont le premier me privait. J'ai attendu très longtemps avant de me remarier ; je voulais être sûr de prendre la bonne décision, de m'engager avec la bonne personne.

— Et Serena est cette personne ?

India avait posé la question avec tant de douceur qu'il ne se sentit pas agressé par sa curiosité. D'une manière inattendue, étrange, il sentait qu'ils devenaient amis.

— Je crois. Nous sommes très différents, elle et moi. Nous n'attendons pas forcément les mêmes choses de la vie, mais nous passons toujours de bons moments l'un avec l'autre. Je la respecte, et je suis presque certain que c'est réciproque. J'admire son succès, sa ténacité, sa force. Elle est très courageuse. Et parfois, elle me rend complètement fou.

Il sourit avec tendresse en prononçant ces derniers mots.

— Pardonnez-moi de vous poser autant de questions. Je me suis moi-même beaucoup interrogée ces derniers jours, sans vraiment trouver les réponses que je cherchais. J'ai perdu un certain nombre de mes repères, dernièrement.

— Cela n'a pas l'air très positif, observa-t-il avec prudence.

Sans savoir pourquoi, là, au milieu de l'océan, sous les

voiles claquant au vent, ils avaient l'impression de pouvoir tout se dire.

— Ça ne l'est pas, reconnut-elle.

Elle avait conscience de connaître à peine Paul ; pourtant, elle se sentait totalement en sécurité avec lui, et trouvait tout naturel de s'ouvrir à lui.

— Je ne sais plus où j'en suis, ni où je vais, ni ce que j'ai fait pendant les quatorze dernières années. Ça fait dix-sept ans que je suis mariée, et tout à coup, je me demande si ce que j'ai fait de ma vie a un sens, si ça en a jamais eu. Je le croyais, mais je n'en suis plus aussi sûre.

— Comme quoi, par exemple ?

Il voulait entendre ce qu'elle avait à dire, peut-être même l'aider. Quelque chose chez cette femme lui donnait envie de tendre la main vers elle. Ce faisant, il n'avait pas l'impression de trahir la confiance de Serena ; il avait l'impression qu'India et lui pouvaient être amis, et s'ouvrir franchement l'un à l'autre.

— J'ai abandonné mon métier il y a quatorze ans. A l'époque, je travaillais pour le *New York Times* depuis deux ans, depuis que j'étais rentrée d'Asie. Avant, j'avais fait des reportages en Afrique, au Nicaragua, au Costa Rica... au Pérou... partout.

Mais tout cela, il le savait déjà.

— J'étais revenue aux Etats-Unis parce que Doug m'avait dit que, sinon, tout serait fini entre nous, poursuivit-elle. Cela faisait plus d'un an qu'il m'attendait à New York, et je comprenais sa position. Nous nous sommes mariés quelques mois plus tard, et j'ai travaillé au journal pendant un peu plus de deux ans, jusqu'au moment où je suis tombée enceinte de notre fille aînée. C'est à ce moment-là que Doug m'a dit que je devais démissionner. Il ne voulait pas que je passe mes journées à prendre des photos dans des ghettos et des endroits louches une fois que nous aurions des enfants. C'était une sorte de marché que nous avions conclu avant de nous marier : dès que nous serions parents, je laisserais tomber mon métier et, ce serait terminé. Et c'est ce que j'ai fait. Nous avons déménagé dans le Connecticut. J'ai eu quatre enfants en cinq ans et, depuis, je n'ai plus rien fait d'autre que changer des couches et conduire les petits à l'école ou au sport.

— Et vous détestez ça, je suppose ?

Pour Paul, c'était une évidence. Il ne pouvait imaginer qu'elle ait pu se contenter de cela pendant quatorze ans, elle avait une personnalité trop riche, trop profonde. Comment son mari avait-il pu être assez aveugle pour lui imposer une vie pareille ? Il fallait que ce Doug soit complètement idiot !

— Parfois, oui, je déteste ça, reconnut-elle avec honnêteté. Pourquoi le nier ? Ce n'est pas exactement l'existence dont je rêvais quand j'étais au lycée ! Et le fait d'avoir connu une vie très différente, à l'époque où je voyageais, ne facilite pas les choses. Mais parfois, cela me plaît vraiment, plus que je n'aurais pu le croire. J'adore mes enfants, j'aime être avec eux, et je sais que ma présence à leur côté est importante pour eux.

— Et vous, dans tout ça ? Qu'est-ce que vous en retirez ?

Il la regardait, les yeux légèrement plissés, concentré sur ce qu'elle lui disait.

— Une certaine satisfaction, je crois. Un sentiment de bonheur quand je suis avec mes enfants. Je les aime. Ils sont sympas.

— Et vous aussi, dit-il en souriant. Alors, qu'allez-vous

faire ? Les emmener à droite et à gauche jusqu'à ce que vous soyez trop vieille pour conduire, ou retourner travailler avant qu'il ne soit trop tard ?

— C'est la question. J'ai commencé à me la poser récemment, en fait. Mon mari est intraitable : il ne veut pas que je reprenne mon métier. Cela crée beaucoup de tension entre nous. Nous avons eu une conversation sérieuse à ce propos il n'y a pas très longtemps, et il m'a expliqué ce qu'il attendait de notre mariage.

Elle semblait déprimée en disant ces mots.

— Et qu'en attend-il ?

— Pas grand-chose. C'est bien le problème. A l'entendre, j'ai l'impression qu'il veut une bonne à tout faire, une sorte de chauffeur capable de cuisiner et de faire le ménage. Une « compagne », a-t-il dit. Quelqu'un de responsable, qui sache s'occuper des enfants. C'est tout ce qui l'intéresse, semble-t-il.

— Votre mari n'est pas un grand romantique, dirait-on, observa Paul, lui arrachant un sourire.

Elle aimait discuter avec lui, elle se sentait bien en sa compagnie. Depuis un mois, elle n'avait cessé de réfléchir à ce que Doug lui avait dit et, pire encore, à ce qu'il ne lui avait pas dit, et cela lui faisait du bien d'en parler avec quelqu'un d'aussi ouvert et amical.

— Cela ne me laisse aucune illusion sur la façon dont il me voit, reprit-elle dans un soupir. Soudain, je regarde en arrière, et je me rends compte qu'en réalité il en est ainsi depuis bien longtemps. Peut-être même depuis toujours. Et moi, pendant tout ce temps, j'étais tellement surchargée de travail que je ne m'en suis même pas rendu compte ! Peut-être que je pourrais supporter l'indifférence de Doug si je retournais travailler. Mais il s'y oppose. En fait, avoua-t-elle en plongeant son regard dans celui de Paul, il me l'a carrément interdit.

— Il est complètement idiot. J'ai joué à ce petit jeu, une fois. Et j'ai perdu. Ma première femme était rédactrice en chef d'un magazine, et moi j'étais encore à l'université. Elle avait un métier passionnant, et je me demande si je n'étais pas un peu jaloux d'elle. Elle est tombée enceinte de notre fils au moment où moi j'ai obtenu mon diplôme et commencé à travailler, et je l'ai contrainte à démissionner. A l'époque, beaucoup d'hommes agissaient ainsi... Elle m'a détesté à cause de ça et ne me l'a jamais pardonné. Elle avait le sentiment que j'avais gâché sa vie en la condamnant à passer ses journées à s'occuper de notre fils. D'autant qu'elle n'avait guère la fibre maternelle. Par la suite, elle n'a jamais voulu avoir d'autres enfants, et en fin de compte elle n'a plus voulu de moi non plus. Notre mariage s'est terminé dans les larmes, et dès que le divorce a été prononcé elle est retournée travailler. Aujourd'hui, elle occupe un poste très important à la direction éditoriale de *Vogue* ; mais elle me déteste toujours. Il est très dangereux de couper les ailes à une femme. Elle s'en remet rarement. C'est pourquoi je ne me mêle pas de la carrière de Serena. Au moins, j'ai appris ça. Et je ne l'ai pas forcée à avoir d'enfants. Mary Anne, ma première femme, n'aurait jamais dû en avoir non plus. Dès qu'elle est retournée travailler, elle a confié notre fils, Sean, à des nourrices ; à dix ans, elle l'a mis en pension, et j'ai fini par le récupérer quand il en avait treize. Maintenant encore, il a du mal à se sentir proche de sa mère. Au moins, vous, vous avez réussi sur ce plan-là.

Il lui suffisait de regarder Sam pour deviner tout l'amour

dont elle l'avait entouré, et il était certain qu'il en avait été de même avec ses trois autres enfants.

— On ne peut pas forcer les gens à faire ce qu'ils n'ont pas envie de faire, ce qui n'est pas naturel pour eux, conclut-il. Ça ne marche jamais. Je crois que nous le savons tous, et je suis surpris que votre mari ne s'en rende pas compte.

— Mais j'en ai réellement eu envie pendant longtemps, fit valoir India. J'aime ma famille. J'aime avoir mes enfants près de moi. Et je ne voudrais pas leur nuire maintenant en retournant travailler à plein temps. Je ne peux plus voyager de par le monde comme autrefois. Cependant, je pense qu'ils survivraient parfaitement si je partais de temps en temps, une ou deux fois par an, pendant une semaine ou deux, ou si je faisais des reportages près de la maison. Brusquement, j'ai l'impression que j'ai renoncé à mon moi profond, et que tout le monde s'en moque, à commencer par mon mari. Il ne se rend pas compte du sacrifice que j'ai fait ; il se contente de hausser les épaules et de sous-entendre que je ne faisais que m'amuser avant notre mariage.

— Ce n'est pourtant pas l'impression que j'ai. A en croire Dick Parker, vous avez reçu de nombreux prix ?

— Quatre ou cinq seulement, mais, pour moi, ça a été très important. Je n'arrive pas à me résigner à renoncer définitivement à tout ça. Et lui, il ne veut pas en entendre parler.

— Alors ? Qu'avez-vous l'intention de faire ? Lui obéir sans rien dire, ou taper du poing sur la table, pour une fois ?

C'était naturellement la seconde solution que choisirait Serena, dans de telles circonstances, sans la moindre hésitation. Mais Paul avait conscience qu'India était très différente de sa femme.

— Je ne connais pas la réponse à cette question, répondit-elle.

Elle jeta un coup d'œil à Sam, qu'elle apercevait dans la timonerie, à l'étage inférieur. Il était toujours sérieux comme un pape, debout à côté du capitaine. Il n'avait pas bougé d'un pouce depuis qu'ils l'avaient laissé.

— J'en étais là quand je suis arrivée ici, expliqua-t-elle. Doug m'a dit de faire ôter mon nom du fichier de mon agent.

— Ne faites pas ça, déclara Paul avec fermeté.

Il ne la connaissait pas très bien, mais il sentait sans difficulté que si elle renonçait à cette part d'elle-même cela détruirait quelque chose d'important. La photographie était un moyen d'expression pour elle, une forme de communication, aussi nécessaire à son être profond que l'air qu'elle respirait.

— Au fait, où est votre mari, en ce moment ?

— A la maison. A Westport.

— Se rend-il compte de l'état dans lequel il vous a mise ?

— Je ne pense pas. Je crois qu'il n'y attache aucune importance.

— Comme je l'ai déjà dit, il commet une grave erreur. Un jour, mon ex-femme m'est tombée dessus comme un ouragan, après avoir passé trois ans à m'asticoter de mille manières plus ou moins subtiles. Si j'avais réagi plus tôt, j'aurais peut-être pu sauver notre couple, mais une fois qu'elle m'a eu déballé toute sa rancœur, ça a été terminé : elle est directement allée trouver son avocat. Je n'ai rien vu venir.

— Je ne pense pas que je serais capable de faire ça ; cela dit, je ne vois plus les choses comme avant non plus. J'ai l'impression qu'en un mois ma vie s'est écroulée, et je ne sais pas quoi faire, ni que dire, penser ou croire. Je ne suis même plus sûre de savoir qui il est, à présent... ou pire, qui je suis, moi. Il y a deux mois, j'étais parfaitement heureuse d'être une femme au foyer ; et maintenant, je passe des heures entières à sangloter dans ma chambre noire. Au fait, ça me fait penser..., ajouta-t-elle soudain. Je vous ai apporté quelque chose.

Elle prit l'enveloppe qu'elle avait posée près d'elle sur le canapé et la lui tendit avec un sourire timide.

— Certaines sont vraiment très réussies.

Il sortit les photos de l'enveloppe, et les examina avec soin. Il se sentit flatté par celles qu'elle avait prises de lui, et sourit avec attendrissement devant celles de Sam ; mais ce qui le frappait par-dessus tout, c'était le talent de la jeune femme, et les clichés extraordinaires qu'elle était parvenue à faire d'aussi loin, sans préparation. Il était clair qu'elle n'avait pas perdu la main, au cours de ses quatorze années d'exil à Westport.

— Vous êtes très douée, India, dit-il calmement. Ces photos sont magnifiques.

Il s'apprêtait à les lui rendre, mais elle lui dit qu'il pouvait les garder. Elle n'avait conservé qu'une photo de Sam et lui, et une autre de lui tout seul, prise selon un angle intéressant, qu'elle avait laissées dans sa chambre noire.

— Vous ne pouvez pas continuer à gâcher votre talent.

— Vous devez penser que je suis folle de vous parler de toutes ces bêtises.

— Non. Je pense que vous me faites confiance, et vous avez raison. Je ne dirai jamais rien qui puisse vous nuire, India, j'espère que vous le savez.

— Je me sens un peu idiote de vous raconter tout ça,

mais j'ai eu le sentiment de pouvoir m'ouvrir à vous... Je respecte votre jugement.

— J'ai fait des tas d'erreurs, croyez-moi.

Mais au moins, cette fois, il savait qu'il ne s'était pas trompé, et que le couple qu'il formait avec Serena était solide.

— Maintenant, je suis heureux, dit-il à India. Serena est une femme extraordinaire. Elle ne m'autorise pas beaucoup d'écarts, mais je la respecte pour ça. Peut-être que vous devriez suivre son exemple, et taper du poing sur la table. Retournez parler à votre mari et dites-lui ce que vous voulez. Cela pourrait lui être utile de l'entendre.

— Je ne suis pas sûre qu'il m'écouterait. J'ai essayé avant de venir ici, et cela n'a rien donné. Il agit comme si, en l'épousant il y a dix-sept ans, j'avais choisi un métier. Il ne cesse de me répéter que nous avons passé un contrat, et que maintenant je dois remplir ma part. Le vrai problème, ajouta-t-elle en le regardant, les larmes aux yeux, c'est que je ne suis même pas sûre qu'il m'aime.

— Probablement que oui, mais il est trop bête pour s'en rendre compte. Mais s'il ne vous aime pas, aussi douloureux que cela puisse être, vous devez en avoir le cœur net. Vous êtes trop jeune et trop belle pour gâcher votre vie et votre carrière pour un homme qui ne vous aime pas. Je pense que vous le savez, et que c'est pour cela que vous êtes si malheureuse.

Elle hocha la tête. Il lui prit la main, et la tint un long moment entre les siennes.

— C'est un beau gâchis, India. Je vous connais à peine, mais je peux vous dire que vous ne méritez pas ça.

— Mais alors, que faire ? Le quitter ? C'est la question

140

que je ne cesse de me poser. Hier soir, j'ai essayé de m'imaginer ce que je ferais si Doug me laissait et que je restais seule avec les enfants. Ça me paraît impossible... Je ne peux pas travailler à plein temps et m'occuper de mes enfants.

— Normalement, vous n'auriez pas besoin de travailler à plein temps, mais seulement quand vous le souhaiteriez, sur les reportages qui vous plairaient. Enfin, il vous doit quelque chose, après toutes ces années ! s'exclama-t-il d'un air outragé. Il serait obligé de subvenir à vos besoins.

— Je n'ai pas encore réfléchi à tout cela. Je crois qu'en réalité il faut simplement que je me remette sur les rails et que je continue comme avant.

— Pourquoi ? demanda-t-il.

L'espace d'un instant, elle eut l'impression que tout s'immobilisait en elle.

— Pourquoi pas ?

— Parce qu'en abandonnant ce que vous êtes, ce que vous faites, et ce dont vous avez besoin, vous abandonnez vos rêves. Et ça, tôt ou tard, ça vous tuera. Je vous le garantis. Vous vous ratatinerez comme un vieux pruneau, vous deviendrez amère et méchante, et vous serez laide de l'intérieur. Regardez les gens autour de vous. Nous en connaissons tous qui sont devenus ainsi. Amers, hargneux, malheureux, des gens floués par la vie et qui en veulent à la terre entière à cause de ça.

Elle se demanda, avec un sentiment de panique, s'il décelait déjà en elle les germes d'une telle attitude. Il le vit dans son regard et lui adressa un sourire rassurant.

— Je ne parle pas de vous. Mais ça pourrait vous arriver, si vous n'y prenez pas garde. Ça a commencé à m'arriver, durant mon premier mariage. J'étais odieux avec tout le monde, parce que je me sentais nul et que je savais que ma femme me détestait. En fin de compte, je la détestais aussi, mais j'étais trop lâche pour le lui dire, ou pour m'en aller. Grâce à Dieu, elle a mis un terme à ce désastre, sans quoi nous nous serions détruits l'un l'autre. Au moins, Serena et moi, nous nous apprécions. Je ne suis pas content quand elle refuse de venir sur le voilier, mais je sais que c'est le bateau qu'elle déteste, pas moi. Ça fait une grosse différence.

Il n'était pas seulement intelligent et sensible ; il avait aussi une connaissance et une compréhension peu communes de la nature humaine.

— Faites quelque chose, India, je vous en supplie, continua-t-il. Réfléchissez à ce que vous désirez vraiment, et n'ayez pas peur de tout faire pour l'obtenir. Le monde est plein de gens malheureux et frileux, n'allez pas grossir leurs rangs. Vous êtes bien trop belle, bien trop douée pour devenir quelqu'un d'amer et d'aigre. Je ne vous laisserai pas tout gâcher.

Pendant un instant, India se demanda comment il s'y prendrait pour l'en empêcher. Que pouvait-il faire ? Elle ne l'avait rencontré que la veille et pourtant elle lui avait déjà raconté toute son histoire, et révélé tous les problèmes qu'elle venait de découvrir dans son couple. C'était l'expérience la plus étrange qu'elle eût jamais vécue ; elle lui faisait entièrement confiance, et elle aimait discuter avec lui. Elle avait la certitude, jusqu'au plus profond de son être, de ne pas commettre d'erreur en s'ouvrant à lui.

— Je ne sais même pas comment on fait pour revenir sur le marché, après tant d'années passées à vivre en recluse. Comment s'y prend-on ?

— Pour commencer, vous devez appeler votre agent et lui dire que vous avez vraiment envie de vous remettre au travail.

Le reste se fera tout seul, au bon moment. Ce n'est pas la peine de forcer les choses.

Le seul fait de l'écouter donnait à India un sentiment de liberté enivrant, et, sans réfléchir, elle se pencha et l'embrassa sur la joue, comme elle l'eût fait avec un vieil ami ou un frère.

— Merci. Je crois que vous êtes la réponse à mes prières. Ça fait un mois que je suis totalement perdue, et que je me demande quoi faire.

— Vous n'êtes pas perdue, India. Vous commencez seulement à vous retrouver, au contraire. Soyez patiente. Ce n'est pas facile de retourner à la vie active après tout ce temps. Vous avez beaucoup de chance d'avoir conservé votre talent intact.

Oui, son talent était toujours là. Mais avait-elle toujours un mari ? C'était là la question principale, celle qui commençait à l'inquiéter sérieusement.

A cet instant, Sam s'approcha d'eux en courant. Le bateau gîtait considérablement, mais le petit garçon n'en avait cure. Ils étaient presque arrivés à New Seabury, et il voulait savoir s'ils devaient aller s'amarrer au yacht-club.

— Nous jetterons l'ancre un peu plus au large et irons à terre à bord de la navette, décida Paul, à la grande joie de l'enfant.

— Et après le déjeuner, est-ce que nous pourrons revenir au bateau et nager autour ? demanda-t-il, les yeux brillants.

— Bien sûr. Nous pourrons aussi refaire une sortie en dériveur, si tu veux.

Sam hocha vivement la tête, un large sourire aux lèvres. India, qui les regardait, ressentit un grand élan de gratitude vis-à-vis de Paul, et songea que Serena avait de la chance.

143

Paul Ward était vraiment quelqu'un de merveilleux, et elle avait d'ores et déjà l'impression qu'il était devenu un véritable ami pour elle. C'était comme s'ils se connaissaient depuis toujours.

Deux des matelots mirent le canot à l'eau, et l'un d'eux monta à bord pour les conduire au yacht-club. Paul descendit le premier dans le petit bateau, suivi d'India et de Sam, très à l'aise.

Le repas fut joyeux et décontracté ; la conversation roula sur un grand nombre de sujets. Bien sûr, ils parlèrent beaucoup de navigation, et Sam ouvrit de grands yeux admiratifs lorsque Paul leur raconta certaines de ses aventures maritimes autour du globe, en particulier un ouragan dans les Caraïbes et un cyclone au milieu de l'océan Indien.

Après le déjeuner, ils retournèrent au bateau. D'abord, Sam nagea autour de la coque, puis Paul et lui montèrent dans le dériveur, pendant qu'India les photographiait et prenait également des photos du voilier. Elle passait un merveilleux moment. De temps en temps, Paul et Sam lui faisaient des signes de la main ; finalement, ils remontèrent à bord. Paul sortit alors une planche à voile, ce qui permit à India de prendre de nouvelles photos de lui. Ce n'était pas un sport facile, et elle fut impressionnée par sa maîtrise et sa force.

Enfin, le moment de retourner à Harwich arriva. Le vent était tombé, et ils décidèrent de mettre les moteurs en marche. Sam était un peu déçu, mais, de toute façon, sa journée l'avait épuisé, et il ne tarda pas à s'assoupir dans l'habitacle. Paul et India le regardèrent en souriant.

— Vous avez de la chance de l'avoir, dit Paul. J'aimerais beaucoup rencontrer vos autres enfants.

— J'espère que vous aurez l'occasion de faire leur connaissance un de ces jours, répondit-elle.

Au même instant, le steward s'approcha avec un plateau sur lequel étaient posés deux verres de vin. Paul avait convié la jeune femme à rester dîner à bord, et elle avait accepté.

— Peut-être que nous arriverons à faire des marins de tous les quatre.

— Peut-être. Pour l'instant, cependant, les trois aînés semblent préférer leurs amis aux sports nautiques.

— Je me souviens de l'époque où Sean avait leur âge. Il me rendait fou.

Ils échangèrent un sourire. Sam, allongé à côté de sa mère, se retourna dans son sommeil mais ne s'éveilla pas ; elle lui caressa doucement les cheveux d'une main, son verre de vin dans l'autre.

Paul aimait la regarder avec son fils. Cela faisait longtemps qu'il n'avait pas vu quelqu'un d'aussi tendre ; il n'y avait plus d'enfants dans sa vie depuis des années. Il aurait rêvé de partager avec Sean des moments comme ceux qu'il avait passés avec Sam aujourd'hui et la veille, mais Sean ne s'était jamais intéressé aux voiliers de son père.

— Allez-vous passer tout l'été ici ? demanda Paul.

India hocha la tête.

— Doug va venir nous rejoindre trois semaines au mois d'août. Et ensuite, nous rentrerons tous à Westport. J'imagine que nous aurons à discuter de beaucoup de choses.

Paul acquiesça d'un air pensif. Il espérait qu'India prendrait les bonnes décisions ; elle le méritait.

— Et vous, où serez-vous ? s'enquit-elle.

— Probablement en Europe. Nous passons généralement le mois d'août dans le sud de la France. Ensuite, j'ai l'intention d'aller participer à quelques régates en Italie en septembre.

— Serena vous accompagnera-t-elle ?

— Pas si elle trouve une meilleure idée, répondit-il en riant.

L'heure du dîner approchait, et India réveilla Sam. Il parut un instant ensommeillé et confus, puis il lui sourit d'un air joyeux. Il venait de rêver qu'il pilotait l'*Etoile-des-Mers*, et il se tourna vers Paul pour le lui dire.

— C'est un joli rêve, dit celui-ci d'un air appréciateur. Moi aussi, je rêve souvent de l'*Etoile-des-Mers*, surtout quand je reste longtemps sans naviguer, mais ça ne m'arrive pas très souvent.

Il passait beaucoup de temps sur son bateau, avait-il confié à India, et suivait ses affaires par téléphone, ordinateur et fax interposés.

Le cuisinier leur avait préparé une macédoine, des pâtes aux légumes sautés et une salade, ainsi qu'un cheeseburger pour Sam, exactement comme India avait dit qu'il l'aimait : à point, avec des frites. Au dessert, on leur servit un délicieux sorbet à la pêche, et des biscuits au beurre qui fondaient dans la bouche. Ils bavardèrent gaiement tout en dégustant ces plats succulents ; puis, une fois le dîner terminé, le capitaine dirigea lentement l'*Etoile-des-Mers* vers le yacht-club. India et Sam avaient du mal à croire que la journée était terminée ; cela faisait déjà plus de treize heures qu'ils étaient à bord du bateau, mais le temps avait passé à une vitesse incroyable. Ils auraient aimé rester plus longtemps encore avec Paul.

— Voulez-vous venir prendre un verre à la maison ? proposa India, debout sur le pont.

Tous trois semblaient aussi tristes les uns que les autres à l'idée de se séparer.

— Il est préférable que je reste ici. J'ai pas mal de travail, et vos enfants seront heureux de vous avoir toute à eux après cette longue journée sans vous. Ils s'imaginent sans doute que vous vous êtes enfuie sur l'océan et ne reviendrez jamais.

Il regarda sa montre ; il était près de dix heures.

— Reviens me voir bientôt, Sam, ajouta-t-il en se tournant vers le petit garçon. Tu vas me manquer.

— Vous aussi, Paul !

La mère et le fils avaient l'impression de revenir de longues vacances, et non d'une simple journée en mer, tant ces moments passés à bord avec lui avaient été précieux. Ç'avait été une merveilleuse journée, et India était reconnaissante à Paul de tout ce qu'il lui avait dit. Il l'avait aidée, et elle se sentait plus calme qu'elle ne l'avait été depuis des semaines. Avant de partir, elle le remercia chaleureusement de son aide.

— N'ayez pas peur de faire ce que vous devez faire, India, lui dit-il avec douceur. Vous pouvez y arriver.

— Je l'espère, répondit-elle d'une voix presque inaudible. Je vous enverrai des photos, ajouta-t-elle plus gaiement.

Il l'embrassa sur la joue, et serra la main de Sam, puis ils quittèrent le bateau, épuisés mais heureux, conscients de s'être fait un ami. India ne savait pas si elle reverrait Paul avant son départ pour l'Europe, mais elle savait que, dans tous les cas, elle ne l'oublierait jamais. Elle avait le sentiment que, d'une certaine manière, il avait changé sa vie à jamais. Il lui avait fait un cadeau sans prix : le courage. Et avec le courage venait la liberté.

7

DURANT les deux jours qui suivirent, les enfants occupèrent entièrement India. Elle développa les photos qu'elle avait prises sur le bateau avec Sam et passa les déposer sur l'*Etoile-des-Mers* ; Paul était à terre avec ses amis, et elle ne le vit pas.

Cependant, à sa grande surprise, elle reçut un coup de fil de lui peu après. Dick Parker lui avait donné son numéro, expliqua-t-il.

— Quoi de neuf ?

Il avait une voix profonde, sonore, qui parut merveilleusement familière à India. Ils avaient parlé si longuement ensemble qu'elle se sentait à l'aise avec lui à présent, comme avec un vieil ami, et c'était bon de l'entendre.

— Pas grand-chose. Je suis assez occupée, entre les aller-retour au tennis avec les enfants et les après-midi sur la plage... La routine, quoi, rien de très excitant.

— J'ai beaucoup apprécié les photos, je vous en remercie.

Parmi elles, il y en avait une de Sam particulièrement réussie, et il était resté un long moment à la regarder avec attendrissement, en se souvenant de la journée qu'ils avaient passée tous les trois. Le lendemain, le petit garçon lui avait vraiment manqué.

— Comment va mon copain Sam ?

Tous deux sourirent à cette question.

— Il parle de vous à longueur de temps. Il est incapable de penser à autre chose qu'à l'*Etoile-des-Mers*.

— Ses frère et sœurs doivent avoir envie de l'étrangler.

— Non, ils s'imaginent qu'il a tout inventé. Je ne pense pas qu'ils le croient vraiment.

— Peut-être devriez-vous les amener à bord pour leur montrer que Sam dit la vérité.

Mais lorsqu'ils essayèrent de trouver un moment, ils se rendirent compte qu'ils n'auraient pas le temps de mettre ce projet à exécution. Le lendemain, il devait aller chercher Serena à Boston ; ensuite, le 4 juillet, sa femme et lui avaient des projets, et après cela ils retourneraient à New York. Sans raison, India se sentit triste à la perspective de ne pas le revoir. Elle savait que c'était idiot ; Paul avait une vie à lui, il était à la tête d'un empire et était marié avec un auteur de best-sellers mondiaux. Il n'y avait pas de place dans l'existence d'un tel homme pour une femme au foyer de Westport.

— Quand partez-vous pour la France ? demanda-t-elle d'un ton mélancolique.

— Dans quelques semaines. Le bateau me précédera. Il lui faut à peu près dix-huit jours pour faire la traversée. Généralement, Serena et moi nous installons à l'hôtel du Cap aux environs du 1er août. C'est l'idée que se fait ma femme d'un voyage de routard dans un pays du tiers-monde...

Il avait dit cela sans malice aucune, et tous deux éclatèrent de rire.

En effet, aussi bien India que Paul étaient allés par le passé dans des endroits véritablement reculés, et savaient ce que c'était que de voyager dans des conditions précaires. Cela dit, India ne trouvait rien à redire au cap d'Antibes. Elle était sûre que c'était un endroit très agréable pour passer ses vacances.

— Je vous appellerai avant de partir. Ce serait bien que vous puissiez faire la connaissance de Serena. Peut-être pourriez-vous venir sur l'*Etoile-des-Mers* prendre un petit déjeuner avec nous.

Il ne précisa pas que Serena se levait généralement vers midi, et restait debout jusqu'à trois ou quatre heures du matin, le plus souvent pour travailler. Elle affirmait qu'elle écrivait mieux après minuit.

— Avec plaisir, répondit India.

Elle avait très envie de le revoir, et de rencontrer sa femme. En fait, elle avait très envie d'un tas de choses, pour la plupart aussi impossibles qu'absurdes. C'était la première fois qu'elle éprouvait autant d'intérêt pour un homme depuis sa rencontre avec Doug vingt ans plus tôt. Mais, cette fois, ses sentiments se présentaient sous la forme d'une profonde amitié.

— Vous et Sam, ne faites pas de bêtises, lui dit Paul d'une voix soudain un peu rauque.

Il se sentait étrangement protecteur vis-à-vis d'elle, sans savoir pourquoi. Peut-être n'était-ce pas plus mal que Serena vînt le rejoindre, songea-t-il ; elle lui avait téléphoné le matin même de Los Angeles pour le prévenir qu'elle arrivait.

— Je vous appellerai.

Elle le remercia de son coup de fil, et ils raccrochèrent. Cependant, India demeura un long moment immobile, le regard perdu dans le vague. C'était bizarre d'imaginer Paul si près d'elle, dans son propre monde, confortablement installé à bord de l'*Etoile-des-Mers*. Son existence était à mille lieues de la sienne ; en vérité, bien qu'ils se fussent découvert de nombreuses affinités, ils vivaient dans deux mondes totalement distincts. Le fait même qu'ils se fussent rencontrés était un accident, un hasard du destin qui aurait aussi bien pu ne pas se produire. Mais, pour elle comme pour Sam, India était heureuse que ce soit arrivé.

Cette nuit-là, elle resta longtemps allongée dans son lit sans bouger, à penser à Paul et à se remémorer la journée qu'ils avaient passée ensemble. Leurs conversations à propos de sa vie et de ce qu'elle devait en faire lui revenaient inlassablement à l'esprit. Trouverait-elle le courage de suivre ses conseils ? Si elle annonçait à Doug qu'elle avait l'intention de retravailler, cela provoquerait un vrai cyclone dans leur existence, elle le savait...

Le lendemain, elle fit une longue promenade sur la plage en repensant une nouvelle fois à tout cela, le chien sur ses talons. Que faire, à présent ? Le plus simple, a priori, serait de renoncer et de retourner à la vie qu'elle avait menée durant les quatorze dernières années. Mais elle n'était plus tout à fait certaine d'en être capable. De surcroît, maintenant qu'elle savait que Doug n'attachait pas de valeur aux sacrifices qu'elle avait faits, elle ne savait même plus si elle en avait envie. S'il n'appréciait pas ce qu'elle faisait pour lui, à quoi bon ?

Le lendemain était le 4 juillet. Les enfants firent la grasse matinée, et l'après-midi ils se rendirent tous, comme chaque année, chez les Parker. La fête battait déjà son plein lorsqu'ils arrivèrent. Il y avait d'énormes tonneaux de bière, et un long buffet couvert de nourriture installé par le traiteur. Rien n'était brûlé, et tout semblait délicieux.

Les enfants d'India avaient tous répondu à l'appel, et elle-même bavardait avec une vieille amie lorsqu'elle vit Paul arriver. Il portait un jean blanc et une chemise bleue, et était accompagné d'une femme très grande et très belle, aux longs cheveux noirs et à la silhouette longiligne. Elle portait de grandes créoles en or aux oreilles et riait à gorge déployée ; India songea qu'elle n'avait jamais vu de femme aussi belle. C'était Serena Smith, bien sûr. Aussi élégante, séduisante, mystérieuse et charismatique qu'India l'avait imaginée. Elle portait une longue jupe blanche, un bustier blanc également, un collier en or, et des sandales blanches à hauts talons ; elle paraissait tout droit sortie d'un magazine parisien. Elle était d'une élégance infiniment séduisante, et India ne pouvait détacher son regard d'elle tandis qu'elle se frayait un chemin dans la foule. Elle remarqua que l'écrivain avait à l'annulaire gauche un diamant énorme, gros comme un glaçon.

Serena s'immobilisa et dit quelque chose à Paul, qui éclata de rire. Il semblait heureux d'être avec elle. C'était une femme que l'on ne pouvait ignorer ni oublier, une femme qui ne passait pas inaperçue, même au milieu de dizaines d'autres ; tout le monde se tournait pour la regarder, et certains la reconnaissaient. India la vit embrasser Jenny et Dick, et prendre un verre de vin blanc sur un plateau sans même adresser un regard au serveur. Il était évident qu'elle était habituée à être servie, et à vivre dans le luxe.

Comme si elle avait eu conscience du regard d'India posé sur elle, Serena se tourna tout à coup et la fixa à travers la foule. Paul se pencha alors pour lui murmurer quelques mots à l'oreille et elle hocha la tête avant de se diriger vers India.

La jeune femme ne put s'empêcher de se demander ce que Paul lui avait révélé à son sujet. « J'ai rencontré cette pauvre femme qui m'a fait pitié, une mère au foyer de Westport... Elle a arrêté de travailler il y a quatorze ans, et passe son temps depuis à changer des couches... Sois gentille avec elle... » Dès que l'on voyait Serena Smith, on devinait que jamais elle n'aurait été assez sotte pour renoncer à sa carrière et à son identité, ou pour accepter d'être traitée par son mari de « compagne fidèle capable de bien s'occuper des enfants ». Elle était sexy, belle et sophistiquée, elle avait des jambes sublimes, et une silhouette de rêve. Tandis qu'elle s'approchait d'elle, India eut l'impression d'être horriblement mal fagotée, et elle avait du mal à respirer lorsque Paul s'immobilisa près d'elle, sourit, et posa une main légère sur son épaule. A ce contact, India eut l'impression d'être parcourue par un courant électrique.

— India, je voudrais vous présenter ma femme, Serena Smith. Chérie, voici la merveilleuse photographe dont je t'ai parlé, celle qui a pris toutes les photos que je t'ai montrées. La maman du jeune marin.

Au moins, il avait parlé d'elle à son épouse. Mais à présent qu'elle voyait Serena de près, India se sentait plus gauche encore. L'écrivain avait le sourire le plus parfait, le plus éclatant qu'on pût imaginer, et elle avait l'air d'avoir quinze ans de moins que Jenny, qui pourtant était à l'université en même temps qu'elle. Il était vrai que Jenny avait cessé de se maquiller à l'âge de dix-huit ans, et que Serena, elle, savait parfaitement se mettre en valeur.

— J'espérais avoir le plaisir de vous rencontrer, déclara India avec discrétion car elle ne voulait pas avoir l'air d'en faire trop, mais craignait également de passer pour indifférente. Pendant longtemps, j'ai lu tout ce que vous publiiez, mais maintenant, mes enfants me prennent trop de temps, et je n'arrive plus à lire autant que je le voudrais.

— Je comprends. Paul m'a dit que vous aviez plein d'enfants... Et ce n'est guère étonnant, s'ils sont tous aussi adorables que le petit garçon des photos. Il paraît que c'est déjà un fameux marin... (Serena leva les yeux au ciel en prononçant ces mots.) Un conseil : ne laissez pas la passion s'installer. Empêchez-le de remonter sur un bateau. C'est une maladie insidieuse qui ronge le cerveau. Et une fois qu'elle est déclarée, impossible d'y faire quoi que ce soit.

Elle avait dit cela avec un sourire plein d'humour, et India rit malgré elle, tout en se sentant un peu déloyale vis-à-vis de Paul : Sam et elle avaient passé de si délicieux moments avec lui à bord de l'*Etoile-des-Mers* !

— La voile n'est pas ma tasse de thé, avoua Serena. Paul vous l'a peut-être dit ?

India ne savait si elle devait admettre que oui ; elle chercha Paul du regard, mais il s'était éclipsé pour aller demander une bière à Dick, qui officiait derrière l'un des gigantesques tonneaux.

— Je dois reconnaître que le voilier de Paul est magnifique, biaisa India en souriant. Mon fils Sam en est tombé amoureux.

— C'est amusant, reconnut Serena en haussant les épaules. Les dix premières minutes.

Puis elle posa sur India un regard pénétrant. La jeune femme pria pour ne pas rougir. Et si Serena devinait l'affection qu'elle portait à Paul, et combien elle s'était confiée à lui ? Nul doute qu'elle n'apprécierait guère cette intimité soudaine... Il était toujours difficile de savoir ce qu'un mari disait à sa femme, et vice versa. Doug et elle, par exemple, n'avaient quasiment jamais eu de secrets l'un pour l'autre, elle n'avait gardé pour elle que certaines confidences de Gail, par loyauté envers son amie.

— Je voulais vous demander une faveur, dit Serena, qui semblait étrangement mal à l'aise, ce qui ne lui ressemblait guère.

India n'avait aucun mal à deviner ce qu'elle allait lui dire : « Laissez mon mari tranquille... » Elle savait que son sentiment de culpabilité était excessif ; mais Paul était un homme terriblement séduisant, et elle avait passé toute une journée seule avec lui, à lui répéter qu'elle était malheureuse avec son mari. A posteriori, c'était affreusement embarrassant, en particulier s'il l'avait répété à Serena. Elle se sentait soudain très bête.

— Depuis que j'ai vu vos photos, continua Serena, j'ai envie de vous demander une faveur... Voilà, j'ai désespérément besoin d'une nouvelle photo pour la couverture de mes livres, et je n'ai pas encore trouvé le temps de m'en occuper. Malheureusement, nous partons dès demain. Croyez-vous que vous pourriez passer nous voir dans la matinée et prendre quelques clichés ? Si vous avez le temps, bien sûr... Mais je vous préviens, j'ai une tête à faire peur le matin, et il vous faudra un bon retoucheur ! Cela dit, j'ai confiance en vous. Votre travail m'a vraiment impressionnée. Je n'arrive jamais à avoir une photo correcte de Paul, et vous avez réussi à en prendre des dizaines sans même qu'il s'en aperçoive ! En général, il fait des grimaces atroces, sur les photos, et on dirait toujours qu'il est sur le point d'écharper quelqu'un. Alors, quelle est votre réponse ? Si vous me dites que vous n'êtes pas intéressée, je comprendrai, naturellement. D'après

Paul, vous êtes plutôt spécialisée dans les guerres, les révolutions et les cadavres...

Comme elle arrivait à la fin de sa proposition, India eut un petit rire. Serena ne semblait pas le moins du monde contrariée qu'India et Sam aient passé du temps sur le bateau, et que la jeune femme ait pris un nombre indécent de photos de son mari. India était tellement soulagée qu'elle faillit l'embrasser. Peut-être Paul n'avait-il pas trahi tous ses secrets, en fin de compte. Ou peut-être Serena avait-elle trop pitié d'India pour s'inquiéter de ses relations avec lui.

— En fait, cela fait dix-sept ans que je n'ai plus photographié de pays en guerre ; maintenant, je suis plutôt spécialisée dans les matches de foot et les nouveau-nés des voisins ! Je serais ravie de vous photographier, et je suis très flattée que vous me l'ayez proposé. Mais je dois vous dire que je ne suis pas particulièrement douée pour les portraits. Je ne suis qu'une journaliste photo devenue mère...

— Je n'ai jamais été ni photographe ni mère, et les deux m'impressionnent. Alors, on dit neuf heures, demain matin ? Je ferai un effort pour essayer de me rendre présentable avant votre arrivée. Je pense que quelque chose de très simple, en T-shirt et jean blanc, devrait faire l'affaire. J'en ai assez des photos glamour. Je veux quelque chose de plus réel.

— Je suis vraiment très flattée que vous me le demandiez, répéta India. J'espère seulement que je ne vous décevrai pas.

Mais elle était certaine que Serena serait un sujet facile. Elle était si belle, et avait une ossature si fine et un teint si lumineux, qu'il semblait impossible de rater une photo d'elle... India ne pensait même pas qu'elle aurait besoin de beaucoup retoucher les clichés. Elle avait vraiment hâte de faire cette séance de photos, et se réjouissait à l'idée de retourner à bord de l'*Etoile-des-Mers*. Cela lui donnerait une occasion supplémentaire de voir Paul. Certes, Serena serait avec lui, mais ils étaient mariés, après tout, et il était naturel qu'elle soit présente.

Les deux femmes bavardèrent encore quelques instants ; elles parlèrent du film sur lequel travaillait Serena, de son dernier livre, du prochain voyage en France du couple, et même des enfants d'India.

— Je ne sais pas comment vous faites, dit Serena avec admiration. Moi, j'aurais été une mère atroce. J'en ai toujours été convaincue, d'ailleurs, même quand j'avais vingt ans. Pas une seule fois je n'ai été tentée d'avoir un bébé. Paul voulait un autre enfant quand nous nous sommes mariés, mais j'avais déjà trente-neuf ans, et encore moins envie de tenter l'expérience qu'avant. Je ne me sentais pas capable de prendre une telle responsabilité. Sans compter le désordre...

— Je dois admettre que j'adore tout ça, répondit India avec un sourire serein, en songeant à ses enfants.

Deux d'entre eux jouaient au volley non loin de là, tandis qu'elle discutait avec Serena. India respectait la franchise de son interlocutrice, mais se rendait compte que toutes les deux n'auraient pu être plus différentes. India était terre-à-terre et directe, sans artifices ni faux-semblants. Serena, en revanche, paraissait plus artiste, plus imaginative, et, à sa façon, plus agressive. Mais, et cela la surprenait elle-même, India l'aimait bien. Elle avait vaguement espéré que l'écrivain l'insupporterait, mais, en vérité, elle comprenait à présent pourquoi Paul était amoureux d'elle. Serena dégageait une force, une puissance enivrantes. Leur seul point commun était leur extrême féminité, mais, là encore, elles l'exprimaient de manières totalement opposées.

India était douce là où Serena était dure, mais forte dans tous les domaines où l'écrivain était faible. Globalement, cependant, le caractère d'India était plus subtil, et c'était ce qui avait intrigué Paul. Serena ne présentait guère de mystère : avec elle, tout était une question de pouvoir, de contrôle. India, elle, était pleine de douceur et de gentillesse, et bien plus humaine. Cela avait frappé Paul lorsqu'ils avaient longuement parlé, sur le bateau.

Il finit par revenir vers les deux femmes, et demeura un moment immobile à côté d'elles, admirant leurs contrastes. C'était une occasion unique de contempler deux types de femmes extrêmes et opposés, et s'il l'avait osé, il aurait admis que toutes deux le fascinaient, pour des raisons très différentes.

Il fut presque soulagé lorsque Sam vint les rejoindre. India présenta le petit garçon à Serena ; il lui serra poliment la main, mais parut mal à l'aise pendant tout le temps où il lui parla. Il était évident que Serena ne savait pas comment s'y prendre avec un enfant ; elle parlait à Sam comme à un homme de petite taille, et faisait des plaisanteries qui tombaient à plat, car il ne pouvait les comprendre.

— Il est vraiment adorable, dit-elle lorsqu'il repartit vers ses amis. Vous devez être très fière de lui.

— Oui, je le suis, reconnut India en souriant.

— S'il disparaît un jour, vous saurez où le chercher, India : il sera avec Paul, sur le dériveur, et foncera droit sur le Brésil.

India éclata de rire.

— Je suis sûre qu'il ne demande que ça.

— Le problème, c'est que Paul aussi. Mais à son âge, c'est lamentable... Les hommes sont toujours des enfants, vous ne croyez pas ? De vrais bébés. Au mieux, ils deviennent adolescents, mais ça leur prend toute une vie. Et quand ils n'obtiennent pas ce qu'ils veulent, ils se conduisent comme de sales gosses.

India sourit de cette définition, et songea qu'elle s'appliquait effectivement à Doug, mais pas à Paul. Il n'avait rien d'un sale gosse ; elle le trouvait au contraire terriblement mûr et sage, et elle lui était reconnaissante des conseils qu'il lui avait donnés lors de leur dernière discussion.

Elles bavardèrent encore quelques minutes, puis confirmèrent leur rendez-vous du lendemain matin, et Serena s'éloigna pour saluer Jenny avant de partir. De son côté, India alla voir ce que faisaient ses enfants ; ils semblaient tous passer un très bon moment.

Il était tard lorsqu'ils rentrèrent chez eux, ce soir-là, et tout le monde était fatigué, mais ravi. India annonça à Sam qu'elle irait voir les Ward sur leur bateau le lendemain, et lui demanda si cela l'intéressait.

— Est-ce que Paul sera là ? demanda-t-il d'une voix ensommeillée en étouffant un bâillement, et lorsqu'elle eut acquiescé, il dit qu'il viendrait.

Elle proposa aux autres de se joindre à eux, mais ils préféraient faire la grasse matinée. India fut un peu déçue qu'ils n'aient pas eu l'occasion de voir le bateau ; elle était certaine qu'ils auraient été enchantés.

Elle réveilla Sam tôt le lendemain, et lui donna un bol de céréales afin qu'il ne pédale pas jusqu'au yacht-club le ventre vide. Mais, dès qu'ils arrivèrent au bateau, ils trouvèrent Paul qui les attendait, et qui leur proposa des pancakes. Serena était encore dans la salle à manger, en train de prendre son café. Quand ils pénétrèrent dans la pièce, elle leva la tête vers eux, et India trouva que, contrairement à ce qu'elle avait prétendu la veille, elle était très belle au petit déjeuner. Elle portait un chemisier blanc, un jean et des mocassins à semelle de crêpe, et ses cheveux étaient parfaitement coiffés. Elle les avait attachés en queue-de-cheval, et l'ensemble la faisait paraître à la fois nette et dynamique ; elle était maquillée juste ce qu'il fallait.

— Prête ? demanda-t-elle à India en la voyant.

— Prête ! répondit India.

Sam, lui, s'était aussitôt assis devant une assiette de pancakes, Paul à son côté.

— Je tiendrai compagnie à Sam, proposa-t-il.

Ce n'était pas un sacrifice pour lui : il suffisait de le regarder pour voir combien il aimait l'enfant.

— Nous irons faire un tour sur le dériveur.

— Quelle idée saugrenue ! s'exclama Serena.

Elle monta sur le pont, suivie par India, et le reste de la matinée passa comme dans un rêve.

India prit plus d'une centaine de photos. Serena était un sujet facile ; tout en posant, elle bavardait, racontant des anecdotes amusantes à propos des tournages de ses films à Hollywood, ou d'auteurs célèbres qu'elle connaissait et qui avaient fait des choses insensées... India prenait grand plaisir à l'écouter. Quand elles eurent terminé, Serena l'invita à rester déjeuner à bord, avec Sam naturellement. Paul et elle avaient finalement décidé de ne pas lever l'ancre ce jour-là, et de ne partir pour New York que le lendemain matin.

Ils se contentèrent de sandwiches sur le pont. Serena préférait cela à un déjeuner dans la salle à manger, qu'elle trouvait prétentieuse et étouffante. India ne partageait pas cette opinion, mais il était également agréable de manger en plein air.

Elles avaient presque fini lorsque Paul et Sam revinrent avec le dériveur.

— Vous nous avez gardé quelque chose ? demanda Paul en les rejoignant sur le pont. Nous sommes affamés !

— Rien que des miettes ! répondit gaiement Serena, mais, déjà, un steward s'approchait pour prendre la commande des deux marins.

Paul demanda des sandwiches club pour Sam et lui ainsi que des chips, et des cornichons, ajouta-t-il, se souvenant que Sam les adorait.

Il déclara qu'ils avaient passé un excellent moment, ce que Sam confirma d'un large sourire. Il ne dit pas à sa mère qu'ils étaient tous deux tombés à l'eau, et que Paul avait immédiatement redressé le bateau, mais elle le savait : elle avait assisté à la scène, et avait pu admirer la rapidité de réaction de Paul.

Lorsque le petit garçon eut terminé son sandwich, India annonça qu'ils devaient rentrer rejoindre le reste de la famille. De plus, elle avait envie de se mettre immédiatement au travail pour développer les photos de Serena.

— Je vous enverrai les épreuves dans quelques jours, promit-elle à l'écrivain en se levant pour prendre congé. Vous me direz ce que vous en pensez, ajouta-t-elle avec modestie.

— Je suis certaine qu'elles me plairont. Si elles sont à moitié aussi réussies que celles de Paul, j'en ferai du papier peint pour le salon ! Et puis, zut, je suis tout de même beaucoup plus belle que lui, conclut Serena en souriant.

India rit de bon cœur. Serena était décidément une femme hors du commun, et il était facile de tomber sous son charme. Elle n'était absolument pas ennuyeuse et ne manquait pas d'histoires cocasses à raconter. Après l'avoir écoutée

161

DOUCE AMÈRE

toute la matinée, India avait l'impression de connaître tous les potins d'Hollywood !

Elle remercia Serena de lui avoir donné le plaisir de la photographier, puis Paul d'avoir si bien su s'occuper de Sam pendant ce temps.

— C'est lui qui s'est occupé de moi, répondit Paul en souriant.

Puis il se pencha pour serrer le jeune garçon contre lui, et Sam lui sourit affectueusement.

— Tu vas me manquer, dit Paul, triste de le voir partir.

— Vous aussi ! répondit l'enfant.

Il n'oublierait jamais ses journées à bord de l'*Etoile-des-Mers*, India le savait.

— Un de ces jours, il faudra que tu fasses un petit voyage avec moi, si ta maman t'y autorise. Ça te plairait ?

— Vous plaisantez ? Quand vous voulez !

— Alors, marché conclu.

Puis Paul se retourna et embrassa India sur la joue. Tandis que Sam et elle s'éloignaient sur la passerelle pour rejoindre le quai, il eut l'impression de perdre de vieux amis. Tout l'équipage fit de grands signes à Sam ; le garçonnet avait conquis tout le monde au cours de ses quelques visites.

Sur le chemin du retour, plongée dans ses pensées, India heurta une pierre qu'elle n'avait pas vue et tomba de vélo, comme cela lui arrivait souvent lorsqu'elle avait la tête ailleurs.

— M'man, qu'est-ce qui t'est encore arrivé ? demanda Sam en l'aidant à se relever.

Par chance, elle ne s'était pas fait mal, et elle sourit, embarrassée de sa maladresse et honteuse du regard amusé que Sam posait sur elle. Etrangement, elle avait l'impression que leurs expériences communes sur le bateau, ces derniers jours, les avaient encore rapprochés.

— Je vais devoir m'acheter une de ces bicyclettes pour personnes âgées avec trois roues à l'arrière, l'année prochaine, dit-elle en ôtant la poussière de ses vêtements.

— Ouais, ça pourrait t'être utile.

Il rit et ils repartirent. Ils ne parlèrent pas davantage ; tous deux pensaient au bateau, et aux rencontres qu'ils avaient faites à son bord. Paul les avait beaucoup impressionnés, bien sûr, mais India le voyait différemment à présent qu'elle connaissait Serena. Le fait de les voir ensemble avait remis les choses au point, d'une certaine manière, et elle se rendait mieux compte à présent qu'il était un homme marié.

Une fois à la maison, elle se dirigea directement vers sa chambre noire et se mit au travail. A mesure que les photos apparaissaient, un sentiment d'exaltation croissant l'envahissait. Elles étaient fantastiques. Serena était magnifique, et India ne doutait pas qu'elles lui plairaient énormément. Il y en avait même une très réussie sur laquelle Serena et Paul étaient ensemble, prise quand il était revenu de sa balade en dériveur. Il était debout derrière la chaise de Serena et se penchait vers elle ; dans le fond, on voyait le grand mât se découper nettement sur le ciel limpide, et l'ensemble était particulièrement chaleureux. Ils formaient un couple superbe, et India avait hâte de leur faire parvenir les photos.

Dès le lendemain matin, elle les envoya à New York par Federal Express ; Serena l'appela aussitôt.

— Vous êtes un génie ! dit-elle de sa voix rauque et sensuelle.

Pendant un instant, India ne la reconnut pas, et elle fronça les sourcils.

163

— J'aimerais ressembler à ces photos, ajouta Serena, et India sourit, comprenant de qui il s'agissait.

— Vous êtes beaucoup mieux en réalité. Elles vous plaisent vraiment ? demanda-t-elle, aux anges.

— Je les adore ! confirma Serena avec admiration.

— Comment trouvez-vous celle de Paul et vous ?

— De Paul et moi ? Mais je ne l'ai pas reçue...

Serena paraissait surprise, et India ressentit une vive déception.

— Zut ! J'ai dû oublier de la mettre dans l'enveloppe. Je l'ai sûrement laissée dans la chambre noire. Je vais vous l'envoyer, elle est magnifique, vous verrez.

— Vous aussi, vous êtes magnifique ! J'ai parlé à mon éditeur ce matin, et il est d'accord pour vous acheter les photos. Et, bien sûr, votre nom sera mentionné sur la couverture.

— Ne vous inquiétez pas pour ça, répondit India avec timidité. C'est un cadeau. Sam a passé de si bons moments avec Paul, c'est un peu une manière pour moi de vous remercier.

— Ne soyez pas ridicule, India. Vous avez effectué un travail, un travail extraordinaire qui plus est, et il est normal que vous soyez rémunérée. Que dirait votre agent s'il vous entendait ?

— Ce qu'il ignore ne peut pas lui nuire, n'est-ce pas ? Et puis, je lui dirai que je les ai faites pour une amie. Je ne veux pas que vous me payiez.

— India, vous êtes un cas désespéré... Jamais vous ne parviendrez à relancer votre carrière si vous distribuez gratuitement vos photos ! Vous avez passé toute une matinée à réaliser ces clichés, et ensuite vous avez dû les développer. Vous savez quoi ? Vous êtes une femme d'affaires déplorable.

Je devrais être votre agent. Je n'arrive même pas à en choisir une, elles sont toutes réussies ! J'ai terriblement hâte de les montrer à Paul, mais il est encore au bureau... Je vous appellerai pour vous dire laquelle sera sélectionnée. Oh, j'aimerais pouvoir les faire toutes figurer, India ! Vraiment, merci. Mais j'aimerais que vous me laissiez vous payer.

— La prochaine fois, répondit India avec assurance, espérant sincèrement qu'il y en aurait une.

Elle raccrocha, et s'apprêtait à aller chercher la photo de Serena et Paul oubliée dans la chambre noire quand Aimée arriva en courant : elle s'était planté une écharde dans le doigt. Le temps de la lui ôter, India avait complètement oublié l'histoire de la photo.

Les jours suivants passèrent à toute vitesse, et le week-end où Doug devait les rejoindre arriva. Cela faisait près de deux semaines qu'India ne l'avait pas vu.

Il parut content de voir les enfants, même s'il était fatigué par la longue route. Comme il le faisait toujours, il alla piquer une tête dans l'océan avant de passer à table. Tous les enfants étaient là pour le dîner afin de profiter un peu de lui, mais ils s'empressèrent de retourner voir leurs amis dès la dernière bouchée avalée. Ils adoraient jouer sur la plage à la nuit tombée, se raconter des histoires de fantômes, et aller les uns chez les autres.

Cape Cod était l'endroit idéal pour eux, et Doug sourit en les voyant partir en courant. Il était heureux d'être là.

C'était la première fois qu'India et lui se retrouvaient seuls depuis son arrivée. Ils s'installèrent dans le salon, et soudain la jeune femme se sentit mal à l'aise. Il s'était passé tant de choses, dans sa tête, depuis la dernière fois qu'ils s'étaient vus... Sans parler de sa rencontre avec Paul Ward, des moments que Sam et elle avaient passés à bord de l'*Etoile-des-Mers*, et des photos qu'elle avait prises de Serena. Elle aurait dû avoir mille choses à lui raconter mais, sans savoir pourquoi, elle n'en avait pas envie. Elle avait beaucoup moins hâte que d'habitude de partager avec lui les événements de son existence ; tout à coup, elle éprouvait le besoin de garder certaines choses pour elle.

— Alors, quoi de neuf ? demanda-t-il, comme s'il s'adressait à un vieil ami perdu de vue depuis longtemps.

A son arrivée, il l'avait retrouvée sans chaleur ni tendresse, et elle se rendait compte à présent qu'il en avait toujours été ainsi. Simplement, désormais, elle s'en apercevait, alors qu'auparavant elle n'avait pas prêté attention à ce genre de détails.

— Pas grand-chose. La routine habituelle, répondit-elle.

Elle l'avait eu suffisamment souvent au téléphone pour qu'il sût déjà l'essentiel.

— Les enfants s'amusent bien.

— J'ai vraiment hâte de venir vous rejoindre pour de bon, le mois prochain, dit-il. Il fait une chaleur affreuse à Westport, et c'est encore pire à New York.

— Et comment ça se passe, avec tes nouveaux clients ?

Elle avait l'impression de discuter avec une vague connaissance.

— Ils me prennent beaucoup de temps. Je reste au boulot jusqu'à neuf, dix heures du soir. Maintenant que les enfants et toi êtes partis, je n'ai plus à courir pour attraper le train de six heures. Ça me permet de travailler plus longtemps.

Elle hocha la tête, tout en songeant que cette conversation était lamentable. Après deux semaines de séparation, n'auraient-ils pas dû être capables de parler d'autre chose que de

166

ses clients et de la température en ville ? Pas une fois depuis son arrivée, il ne lui avait dit qu'elle lui avait manqué ou qu'il l'aimait. Elle ne parvenait même pas à se remémorer la dernière fois où il lui avait fait une déclaration de ce type.

Elle se demanda si les retrouvailles de Paul et Serena manquaient à ce point d'ardeur, elles aussi. C'était fort peu probable : Serena n'aurait pas toléré une telle tiédeur. Tout en elle exprimait et exigeait la passion. Or il n'y avait rien de passionné dans la relation que partageaient désormais Doug et India. En fait, il en était ainsi depuis près de vingt ans... C'était déprimant d'en arriver à cette conclusion.

Doug mit la télévision en marche, et ils la regardèrent d'un œil distrait en parlant de tout et de rien jusqu'au retour des enfants. Enfin, quand Jessica fut rentrée à la maison, un peu après les trois autres, ils éteignirent toutes les lumières et allèrent se coucher. Songeant que son mari aurait certainement envie de faire l'amour avec elle, India prit une longue douche et enfila une chemise de nuit qu'il aimait bien. Cependant, quand elle sortit de la salle de bains ainsi vêtue, elle découvrit que Doug s'était déjà endormi. Il dormait profondément, en ronflant doucement, le visage enfoui dans l'oreiller. Elle le regarda, de nouveau envahie par un douloureux sentiment de solitude, et songea avec amertume que c'était la conclusion logique à la soirée qu'ils avaient passée. Et cela soulignait mieux que des mots l'état pitoyable de leur couple.

Elle se glissa dans le lit sans faire de bruit, sans le déranger. Il lui fallut de longues heures ce soir-là pour trouver le sommeil ; longtemps, elle pleura en silence, dans la pièce baignée par le clair de lune. Elle aurait aimé se trouver n'importe où, sauf là, à côté de son mari endormi.

8

L E LENDEMAIN, Doug et India passèrent la journée sur la plage. Les enfants et leurs amis allaient et venaient, et, ce soir-là, Doug emmena toute la famille dîner dans un vieux restaurant de grillades très sympathique où ils avaient l'habitude de se rendre chaque année, en général pour fêter des occasions particulières. Ils passèrent tous une bonne soirée.

Ensuite, lorsqu'ils rentrèrent à la maison, Doug fit enfin l'amour à India. Mais, à présent, même cela paraissait différent à la jeune femme. Elle trouvait les gestes de son mari un peu mécaniques ; il semblait peu se soucier de son plaisir à elle, et avoir simplement hâte d'en finir. Et quand, après, elle se tourna vers lui pour lui dire qu'elle l'aimait, elle l'entendit ronfler.

Le lendemain matin, après le départ des enfants, Doug regarda India avec une drôle d'expression.

— Ça ne va pas ? lui demanda-t-il alors qu'elle lui versait une seconde tasse de café. Tu te comportes bizarrement, depuis mon arrivée ici.

D'ailleurs, elle n'avait pas semblé elle-même non plus, les jours précédents, au téléphone.

India leva les yeux vers lui, ne sachant trop quoi lui dire.

— Je ne sais pas, répondit-elle enfin. Il y a des choses qui me tracassent... Mais je ne suis pas sûre que le moment soit bien choisi pour en discuter.

Elle avait décidé de ne pas aborder le sujet de son travail avant qu'il ne vienne les rejoindre en août ; elle n'avait pas envie de lâcher sa bombe, puis de le laisser repartir à Westport. Ils avaient besoin de temps pour en discuter, elle le savait.

— Qu'est-ce qui te turlupine ? C'est à propos des enfants ? Est-ce que Jess te pose de nouveau des problèmes ?

L'adolescente se montrait en effet assez insolente vis-à-vis de sa mère, depuis quelque temps.

India réprima un soupir. Doug ne pouvait concevoir qu'elle pût avoir un problème sans rapport avec les enfants.

— Non, elle s'est très bien comportée, jusqu'ici. Elle m'a même beaucoup aidée, en fait. Ils ont tous été adorables. Ce n'est pas eux, le problème, c'est moi. J'ai pas mal réfléchi, dernièrement.

— Eh bien, parle, alors ! s'impatienta-t-il sans la quitter du regard. Tu sais combien je déteste quand tu tournes autour du pot comme ça. C'est quoi, le gros mystère ? Tu n'as pas une liaison avec Dick Parker, quand même ?

Il plaisantait : il n'arrivait même pas à imaginer qu'India pût le tromper. Et il avait d'ailleurs raison de lui faire confiance, car elle n'aurait pu envisager d'avoir une liaison. Certes, elle trouvait Paul Ward séduisant mais elle savait parfaitement que l'attirance qu'elle éprouvait pour lui était hors de propos et n'irait pas plus loin.

— J'ai juste passé du temps à réfléchir à la vie que je mène, et à ce que j'ai envie de faire maintenant.

169

— Qu'est-ce que ça veut dire ? Tu as l'intention de grimper en haut de l'Everest, ou de traverser le pôle Nord en traîneau ?

A la façon dont il avait prononcé ces mots, on sentait que pour lui il était inconcevable qu'India pût un jour accomplir quelque chose d'intéressant. De fait, les quatorze dernières années lui donnaient raison : elle n'avait rien fait de palpitant, durant cette période. Elle avait élevé leurs enfants, et s'était comportée comme la « compagne fiable et responsable » qu'il souhaitait. C'était tout.

Elle décida de lui mettre les points sur les *i*.

— Tu m'as franchement déstabilisée quand nous avons parlé tous les deux, avant les vacances. Tu sais, quand nous sommes allés chez Ma Petite Amie ? En fait, je ne m'étais jamais considérée comme une compagne tout juste bonne à s'occuper des enfants. J'avoue que je nourrissais des illusions un peu plus romantiques à notre sujet.

— Oh, India, pour l'amour du ciel, ne sois pas si susceptible ! Tu sais très bien ce que je voulais dire. J'essayais seulement de t'expliquer qu'après dix-sept ans de mariage, ou quinze, ou même dix, on ne pouvait pas s'attendre à éprouver les mêmes sentiments qu'au début.

— Pourquoi pas ?

Elle plongea son regard dans le sien ; tout à coup, elle avait l'impression de le voir pour la première fois.

— Pourquoi ne pourrions-nous plus nous aimer au bout de dix-sept ans de mariage ? C'est trop fatigant ?

— Allons, la passion, c'est bon pour les jeunes, tu le sais parfaitement. Ça finit forcément par s'estomper. On passe ses journées à travailler comme un fou pour nourrir sa famille ; le soir, on se dépêche d'attraper le train de six heures afin de rentrer chez soi, et quand on arrive, on est sur les rotules, et on n'a envie de parler à personne, surtout pas à sa femme. Crois-tu vraiment qu'on ait l'énergie d'être romantique, dans ces conditions ?

— Certes non. Mais je ne te parle pas d'énergie, Doug, je te parle de sentiments. D'aimer quelqu'un et de lui faire sentir qu'on l'aime. Je ne suis même plus sûre que tu m'aimes.

Il y avait des larmes dans ses yeux lorsqu'elle prononça ces derniers mots. Doug parut mal à l'aise, et franchement étonné.

— Tu sais bien que si, ne sois pas ridicule. Qu'est-ce que tu attends de moi ? Que je t'apporte des fleurs tous les soirs ? demanda-t-il d'un air agacé.

— Non. Mais, une fois par an, ce serait gentil. Je ne me souviens même pas de la dernière fois où tu l'as fait.

— L'année dernière, pour notre anniversaire de mariage. Je t'ai offert des roses.

— Oui, et tu ne m'as même pas emmenée au restaurant. Tu as dit qu'on pourrait y aller l'année prochaine.

— Nous sommes allés dîner dehors il y a quelques semaines, chez Ma Petite Amie, et c'est ce qui a déclenché tout ça. Alors franchement, si on doit en arriver là à chaque fois, je préfère m'abstenir.

— Comprends-moi... Ces derniers temps, j'ai réfléchi à ma vie, à ce pour quoi j'avais renoncé à ma carrière. Je sais que j'ai arrêté de travailler pour mes enfants, et je ne le regrette pas. Mais j'ai aussi arrêté de travailler pour toi, Doug, et je me demande si tu t'en rends compte, si tu apprécies ce que j'ai fait. Si tu m'aimes.

171

Elle s'était exprimée avec franchise, et à présent, elle attendait une réponse franche de sa part.

— C'est encore de ça qu'il est question ? De ton boulot ? Je t'ai pourtant déjà expliqué que tu ne pouvais pas recommencer à travailler. Qui s'occuperait des enfants ? Même financièrement, ça n'aurait pas de sens. Tu gagnerais moins que ce que nous coûterait une gouvernante. Et comment être sûrs qu'elle prendrait bien soin des enfants ? Si je me souviens bien, India, ton travail t'a rapporté quelques prix, par le passé, mais pratiquement pas d'argent. Alors franchement, de quel genre de carrière s'agit-il, je te le demande ? Bien sûr, c'était parfait pour une jeunette tout juste sortie du Peace Corps, sans responsabilités ni raisons de se trouver un vrai boulot. A présent, tu as un travail à plein temps : tu t'occupes de nos enfants. Si tu ne trouves pas ça assez passionnant et que tu éprouves le besoin d'aller courir de nouveau à droite et à gauche, je te conseille de réfléchir à deux fois, India. Nous avons fait un marché quand tu es venue me rejoindre à New York : nous nous marierions et tu travaillerais jusqu'à ce que nous ayons des enfants, après quoi, terminé. C'était simple et clair, et tu ne semblais pas y voir d'objections. Et maintenant, dix-sept ans plus tard, tu veux dénoncer ce marché ? Eh bien, tu sais quoi ? Tu ne peux pas faire ça.

Il semblait sur le point de sortir de la pièce en claquant la porte, mais India était bien décidée à ne pas se laisser faire. Ses yeux lançaient des éclairs, tout à coup, et elle était envahie d'une rage dévastatrice. Il n'avait pas le droit de lui faire ça. Et il ne lui avait même pas dit qu'il l'aimait ; il avait détourné la conversation.

— Quel droit as-tu de me dire ce que je peux et ne peux pas faire ? La décision m'appartient, à moi aussi. Jusqu'ici, j'ai fait de mon mieux pour respecter notre marché. J'ai été honnête, et je t'en ai largement donné pour ton argent. Mais maintenant, ce marché ne me satisfait plus. J'ai l'impression d'avoir renoncé à trop de choses, et que tu n'en as rien à faire. Tu as l'air de penser que mon métier n'était qu'une sorte de passe-temps insignifiant... C'est injuste ! Bon sang, Doug, si je m'étais accrochée, j'aurais probablement reçu le Pulitzer, à l'heure qu'il est. Ce n'est pas rien. C'est même très important, et j'ai abandonné tout ça pour faire le chauffeur et nettoyer le derrière de nos enfants.

— Si c'était ça que tu voulais vraiment, alors tu aurais dû rester dans le trou où tu étais, au Zimbabwe ou au Kenya. Il ne fallait pas rentrer pour m'épouser et avoir quatre enfants avec moi.

— Je pourrais concilier les deux, si tu me laissais libre.

— Jamais je ne te le permettrai. Tu ferais mieux de te faire une raison maintenant, parce que je n'ai pas l'intention de discuter de ça avec toi tous les deux jours. Ta carrière est terminée, India, avec ou sans Pulitzer. Tu comprends ?

— Peut-être que ce n'est pas ma carrière qui est terminée, mais autre chose, répondit-elle en faisant appel à tout son courage.

De grosses larmes coulaient sur ses joues, mais Doug s'en moquait ; il demeurait campé sur ses positions. Il avait une carrière, une vie, une famille, une femme pour s'occuper de ses enfants... Il avait tout ce qu'il souhaitait. Mais elle, qu'avait-elle ?

— Est-ce que tu me menaces ? demanda-t-il, l'air encore plus furieux. Je ne sais pas qui te met toutes ces idées en tête, India, si c'est ton satané agent, ou ton idiote de copine Gail, ou même Jenny, qui s'amuse à jouer au docteur depuis vingt-cinq ans. Mais qui que ce soit, tu peux lui dire de laisser tomber. En ce qui me concerne, notre couple ne tient que si tu remplis ta part du marché.

— Notre mariage n'est pas un « marché », Doug. Ce n'est pas un contrat d'affaires. Je suis un être humain, et ce que j'essaie de te dire, c'est que tu m'affames émotionnellement, et que je vais devenir folle si je continue à ne rien faire de ma vie, à part emmener Sam, Aimée et Jason à l'école tous les matins. Je ne peux pas rester assise sur une chaise toute la journée à mourir d'ennui et à attendre que tu rentres pour pouvoir te servir à dîner !

Elle sanglotait en disant cela, mais cela ne sembla pas émouvoir Doug le moins du monde. Il avait simplement l'air fou de rage.

— Tu ne t'ennuyais jamais, avant. Qu'est-ce qui t'est donc arrivé, bon sang ?

— J'ai vieilli. Les enfants n'ont plus autant besoin de moi qu'avant. Toi, tu as une vie à toi, et moi aussi j'ai besoin de m'occuper. Je m'ennuie, je commence à avoir l'impression de gâcher ma vie. Je veux faire quelque chose d'intelligent, pour changer. J'en ai assez d'attendre et de faire le service, je veux davantage. Ça fait quatorze ans que je mets mes besoins entre parenthèses, et maintenant, je voudrais penser un peu à moi. Est-ce trop demander ?

— Je ne comprends pas ce que tu dis. C'est de la folie...

— Absolument pas ! s'exclama-t-elle avec désespoir. Mais je vais bel et bien finir par devenir folle, si tu refuses obstinément d'entendre ce que j'essaie de t'expliquer.

— Je t'entends, mais je n'aime pas ce que j'entends. India, tu perds ton temps.

Il était rare qu'ils se querellent, mais, cette fois, India était

174

complètement hors d'elle. Quant à Doug, il était livide. De toute évidence, il n'avait pas l'intention de lâcher un pouce de terrain.

— Pourquoi ne peux-tu au moins essayer de me laisser faire un ou deux reportages ? demanda India. Ça pourrait peut-être marcher. Donne-moi au moins une chance !

— Pour quoi faire ? Je sais déjà comment ça se passerait. Je me souviens très bien des mois qui ont précédé notre mariage. Tu étais tout le temps perchée sur des arbres je ne sais où. Quand tu appelais, c'était sur des téléphones de l'armée, et tu t'interrompais toutes les deux secondes pour esquiver des balles, des éclats de verre ou je ne sais quoi. Est-ce vraiment ça que tu veux faire ? Ne penses-tu pas que tes enfants ont au moins le droit d'avoir une mère ? Jusqu'où vas-tu pousser l'égoïsme ?

— Tu es deux fois plus égoïste que moi, Doug. Quel genre de mère les enfants auront-ils si je perds toute estime de moi-même, et si je suis tout le temps contrariée parce que je suis seule et que je m'ennuie à mourir ?

— Si tu veux recommencer à travailler, India, trouve-toi un nouveau mari.

— Tu es sérieux ?

Elle le regardait avec stupéfaction, se demandant s'il oserait réellement aller aussi loin. Ce n'était pas impossible ; il semblait attacher une telle importance à cette question...

— Je ne sais pas, répondit-il. J'ai besoin d'y réfléchir.

— Je n'arrive pas à croire que tu sois prêt à sacrifier notre couple aussi facilement. Tout ça pour ne pas faire de compromis ! Bon sang, Doug, tu ne peux pas essayer de penser à ce que j'éprouve, pour une fois ? Ça fait un sacré bout de temps que je m'efforce de te satisfaire sur tous les plans.

Peut-être que le moment est venu que la tendance s'inverse un peu, non ?

— Tu ne penses même pas aux enfants.

— Si, et ça fait longtemps que j'y pense. Mais peut-être que maintenant le moment est venu de penser à moi.

Elle réalisa soudain qu'elle ne lui avait jamais rien dit de tel, et fut parcourue d'un frisson. Ce n'était certainement pas maintenant qu'il allait lui dire qu'il l'aimait...

En fait, plus il l'écoutait, et plus il se persuadait que non, il ne l'aimait pas. Comment aurait-il pu aimer une femme qui trahissait le contrat qu'ils avaient passé ensemble, qui sacrifiait leurs enfants et mettait leur mariage en danger ?

India, de son côté, tenait désespérément à tenter une dernière fois de lui faire comprendre son point de vue.

— Doug, ce que je faisais n'était pas seulement un métier. C'était une forme d'art. Cela faisait partie de moi. La photographie est ma manière de m'exprimer, d'exprimer ce qu'il y a dans ma tête, dans mon cœur, dans mon âme. C'est pour ça que je n'ai jamais cessé de transporter mon appareil partout avec moi ; j'en ai besoin pour appréhender le monde et y laisser ma marque. Ce que toi, tu vois avec tes yeux, moi, je le vois avec mon cœur, et je le montre aux autres à travers mes photos. J'ai renoncé à tout ça pendant très longtemps. Maintenant, je voudrais simplement pouvoir retrouver cette partie de moi. Elle me manque trop, Doug. Je crois que j'en ai besoin pour être moi-même... Je ne sais pas comment te l'expliquer, je ne le comprends pas moi-même, je sais juste que je me rends compte que c'est important pour moi.

Mais de toute évidence, cela ne l'était pas pour Doug. C'était là le problème : il ne saisissait absolument pas ce qu'elle voulait dire, et ne faisait aucun effort pour y parvenir.

— Tu aurais dû réfléchir à tout ça il y a dix-sept ans, quand tu m'as épousé. Tu avais le choix, à l'époque. Je pensais que tu avais pris la bonne décision, et toi aussi. Si tu as changé d'avis, il faut regarder les conséquences en face.

— J'ai seulement besoin de rajouter un petit quelque chose à ma vie, Doug. Un peu d'air, d'espace... Je veux m'exprimer, être à nouveau moi-même. Sentir que moi aussi je suis importante, que j'ai un rôle à jouer dans le monde. Mais surtout, et c'est plus important encore, j'ai besoin de savoir que tu m'aimes.

— Je ne peux pas t'aimer, India, si tu me sors des inepties pareilles. Oui, parfaitement, des inepties ! Tu te comportes en gamine pourrie gâtée, et tu nous laisses tomber, les enfants et moi.

— Je suis désolée que tu refuses d'entendre ce que je te dis, répondit-elle avec lassitude.

Levant les yeux au ciel, Doug quitta la pièce, sans lui dire un mot, sans tendre la main pour la toucher ou la prendre dans ses bras, sans esquisser le moindre geste d'apaisement. Et sans lui dire qu'il l'aimait. D'ailleurs, en cet instant, c'était clair ; il ne l'aimait pas. Et il était trop furieux pour l'écouter une minute de plus. Il préféra aller dans la chambre et préparer sa valise.

— Qu'est-ce que tu fais ? demanda India depuis le seuil de la pièce.

— Je rentre à Westport. Et je ne viendrai pas le weekend prochain. Je n'ai vraiment pas envie de me taper cinq heures de route pour t'entendre pleurnicher à propos de ta prétendue carrière. Je pense que nous avons besoin de respirer un peu, tous les deux.

India ne dit pas le contraire, mais un douloureux sentiment d'abandon l'étreignit.

— Pourquoi es-tu si sûr de savoir ce qui est mieux pour nous, pour moi, pour les enfants ? Pourquoi est-ce toujours toi qui dictes les règles ?

— Parce que c'est comme ça, India. Ça a toujours été comme ça. Et si ça ne te plaît pas, tu es libre de t'en aller.

— A t'entendre, ça a l'air très simple.

— Peut-être que ça l'est. Peut-être que c'est aussi simple que ça.

Il se redressa et la regarda, son sac de voyage à la main. Elle avait du mal à croire ce qui se passait, la vitesse à laquelle leur mariage se délitait, après dix-sept ans et quatre enfants. Apparemment, elle n'avait pas le choix : elle devait obéir à Doug, ou devait partir. Il préférait en arriver là plutôt que de négocier avec elle. En fait, il ne l'aimait pas assez pour s'inquiéter de ce qu'elle ressentait ou de ce dont elle avait besoin. Il ne se préoccupait que de lui-même, et du fameux « marché » qu'ils avaient conclu. C'était tout ce qui comptait pour lui, et il n'avait pas l'intention de réviser le contrat.

— Dis au revoir aux enfants pour moi. Je vous verrai dans deux semaines. J'espère que d'ici là tu seras revenue à la raison.

India se mordit la lèvre. Elle n'était pas sûre de pouvoir encore faire marche arrière. Il était trop tard, désormais. Durant les semaines qui venaient de s'écouler, elle avait pris trop vivement conscience de ce qui lui manquait, de ses besoins profonds.

— Pourquoi es-tu aussi têtu ? Parfois, dans la vie, il faut accepter de changer ses habitudes pour s'adapter aux nouvelles situations, aux nouvelles idées...

— Nous n'avons pas besoin de nouvelles idées, et nos enfants non plus. Il leur faut une mère, une mère responsable, capable de remplir son rôle auprès d'eux. C'est tout ce que j'attends de toi.

— Pourquoi n'engages-tu pas une gouvernante, dans ce cas ? Comme ça, si elle ne te convient pas, ou si elle ne respecte pas suffisamment votre « marché » à ton goût, tu n'auras qu'à la renvoyer.

— C'est peut-être ce que je serai obligé de faire, si tu décides de suivre l'exemple de ton père.

— Je ne suis pas comme lui. Je n'ai aucunement l'intention d'aller sur des champs de bataille. Je veux juste faire un ou deux reportages intéressants...

— Ecoute-moi bien, India, rétorqua-t-il d'une voix glaciale. A la fin de l'été, quand nous rentrerons à Westport, tu as intérêt à avoir recouvré la raison. Je ne veux plus qu'il soit question de toutes ces sottises sous mon toit. C'est bien compris ?

Jamais jusqu'alors elle n'avait réalisé à quel point il était insensible, à quel point il se moquait de ses sentiments. Aussi longtemps qu'elle avait accepté de jouer le jeu selon ses règles, tout s'était bien passé ; mais dès lors qu'elle exprimait des besoins différents, des idées différentes, il ne le supportait plus.

Il se dirigea vers la porte d'entrée, s'immobilisa et se retourna pour lui lancer un dernier ultimatum :

— Je suis sérieux, India. Reprends-toi, ou tu le regretteras.

Elle ne lui répondit pas, et demeura derrière la fenêtre de la cuisine, sans un mot, tandis qu'il montait dans la voiture et s'éloignait. Elle n'arrivait pas à croire à ce qui leur arrivait, à ce qu'il lui avait dit, à ce qu'il ne lui avait pas dit. Elle pleurait toujours lorsque Sam entra dans la maison ; elle ne l'entendit pas s'approcher derrière elle.

— Où est papa ? demanda-t-il d'un air surpris.

Il pensait sans doute qu'il se promenait sur la plage avec Crockett.

— Il est parti, répondit India en s'essuyant les yeux à la hâte pour qu'il ne vît pas ses larmes.

— Il a oublié de dire au revoir, s'étonna Sam.

— Il a dû rentrer plus tôt pour une réunion de travail.

— Oh, d'accord. Bon, j'étais juste venu te dire que j'allais chez John, en face.

— Rentre à temps pour dîner, dit-elle en se retournant pour lui sourire.

Ses yeux étaient encore humides, mais il ne le vit pas. Il ne remarqua que son sourire, et le lui rendit.

— Je t'aime, Sam, dit-elle doucement.

— Ouais... je sais, m'man. Moi aussi, je t'aime.

Déjà, il était parti ; elle entendit la porte d'entrée claquer, et le vit traverser la rue pour se rendre chez son ami. Il ne se doutait pas le moins du monde de ce qui venait de se produire, mais India, elle, avait le sentiment que leurs vies étaient sur le point de changer à jamais.

Elle aurait pu appeler Doug sur son téléphone portable, lui dire qu'elle avait changé d'avis ; elle aurait pu faire tout un tas de choses, mais il était trop tard, elle le savait.

Elle n'avait plus le choix. Elle devait aller de l'avant.

9

DOUG ne l'appela qu'une fois ou deux durant les deux semaines qui suivirent, et quand il revint, l'atmosphère entre eux était toujours tendue. Il ne fit aucune référence à ce qui s'était passé, et India non plus. Mais elle avait beaucoup pensé à son couple, et avait été tentée d'appeler Raoul, son agent, pour qu'il mît son nom en tête de liste pour tous les reportages dans les environs. En fin de compte, elle avait décidé d'attendre la fin de l'été pour lui téléphoner. Agir dans la précipitation était toujours dangereux ; elle souhaitait d'abord examiner toutes les possibilités, réfléchir calmement aux éventuelles conséquences de ses actes. Et elle avait besoin de parler une nouvelle fois avec Doug. Ils avaient des questions à régler, maintenant plus que jamais. Elle avait toujours envie de recommencer à travailler, mais l'enjeu était important, et elle voulait être sûre de savoir ce qu'elle faisait.

Doug n'essaya même pas de lui faire l'amour, et il lui parla à peine de tout le week-end. A le voir, on eût dit qu'elle avait fait quelque chose de terrible, d'impardonnable.

Le dimanche, après le départ de Doug, Jason s'approcha d'India, les yeux pleins de questions. Des enfants, c'était le plus proche de son père.

181

— Tu fais la tête à papa ? demanda-t-il sans ambages à India, tout en l'aidant à mettre la table.

— Non. Pourquoi ?

Elle préférait ne rien dire de leur querelle aux enfants ; à quoi bon les inquiéter ? C'était suffisamment difficile ainsi, avec Doug qui lui adressait à peine la parole.

— Tu ne lui as rien dit du week-end, insista Jason.

— Je suppose que je suis fatiguée, c'est tout. Et papa a beaucoup de travail à terminer avant ses vacances.

Le week-end suivant, il revenait pour de bon, et India ne se réjouissait guère à cette perspective. Mais peut-être cela leur ferait-il du bien. Du moins l'espérait-elle. Elle n'arrivait toujours pas à croire qu'il était prêt à remettre leur couple en question, sous prétexte qu'elle souhaitait effectuer quelques reportages. Cela semblait si absurde ! Et si injuste. Tout lui paraissait d'ailleurs injuste.

Jason parut se satisfaire de sa réponse, et sortit retrouver ses amis sur la plage ; il revint pour le dîner avec deux d'entre eux. Mais même le repas fut calme, ce soir-là. On eût dit que tous sentaient que quelque chose n'allait pas, sans vraiment en avoir conscience. India avait remarqué à maintes reprises que les enfants avaient un instinct particulier pour sentir les choses.

Elle était allongée dans son lit avec un livre, ce soir-là, lorsque le téléphone sonna. Elle se demanda si ce pouvait être Doug, qui appelait pour s'excuser de ce week-end désastreux. Mais au moins, songea-t-elle, cette fois il n'y avait eu ni menaces, ni ultimatums, ni explosions. Juste un silence déprimant.

Elle tendit la main vers le combiné, s'attendant à entendre

la voix de son mari, et fut surprise de reconnaître celle de Paul Ward.

— Où êtes-vous ? s'enquit-elle, surprise de l'entendre. Pourquoi donc l'appelait-il ? Elle se dit qu'il avait peut-être l'intention de remonter à Cape Cod, et souhaitait inviter Sam à venir le voir. Cependant, il la détrompa aussitôt.

— Je suis sur le bateau. Il est quatre heures du matin, et nous approchons de Gibraltar. J'ai décidé de faire la traversée jusqu'en Europe à bord de l'*Etoile-des-Mers*.

India trouvait cela très courageux, mais elle savait que ce n'était pas la première fois qu'il effectuait ce voyage, et qu'il y prenait un grand plaisir. Il en avait longuement parlé avec Sam lors du déjeuner au yacht-club de New Seabury.

— Ça a l'air formidable, dit-elle en souriant, contente de l'entendre. Je suppose que Serena n'est pas avec vous ?

Cette question le fit rire.

— Non, en effet, elle se trouve à Londres. Elle avait une réunion avec ses éditeurs anglais et a pris le Concorde. Et vous ? Comment allez-vous ?

— Bien.

Elle se demanda si elle devait lui dire la vérité, à propos de sa querelle avec Doug et de l'ultimatum qu'il lui avait lancé deux semaines plus tôt. Elle savait qu'il serait ennuyé pour elle.

— Comment c'est, là-bas ? demanda-t-elle plutôt.

— Merveilleux. Paisible. Nous avons eu du très beau temps, et la traversée s'est faite sans problèmes.

— Il faudra que vous racontiez tout ça à Sam.

Elle s'interrogeait toujours sur la raison de son appel. C'était étrange, en particulier à quatre heures du matin pour

183

lui. Peut-être s'ennuyait-il, et avait-il besoin de quelqu'un à qui parler.

— Je pensais à vous. Je me demandais comment vous alliez, et où vous en étiez de vos projets de travail. En avez-vous reparlé avec votre mari ?

— Oui, admit-elle dans un soupir, il y a deux semaines. Il ne m'adresse plus la parole, depuis. Il était là, ce week-end, et l'ambiance était glaciale.

Cela lui faisait du bien de pouvoir en parler avec Paul. Sans qu'elle sût pourquoi, elle avait l'impression de s'adresser à un vieil ami. C'était d'autant plus agréable que Gail se trouvait en Europe, et qu'elle ne voyait personne à qui elle eût pu se confier à Westport.

— Il m'a plus ou moins prévenue que si je recommençais à travailler il me quitterait. Ou du moins, il l'a laissé entendre. Il a dit qu'il considérerait ça comme une rupture de contrat.

Elle semblait découragée en prononçant ces mots.

— Et vous, India ? Comment réagissez-vous ?

— Plutôt mal. Il refuse de s'intéresser à ce que j'éprouve. Je ne sais pas, Paul... Je crois qu'il est sérieux. C'est une grosse décision à prendre, et peut-être que ça n'en vaut pas la peine.

— Réfléchissez. Si vous lui cédez, comment vous sentirez-vous ?

Il avait l'air d'attacher de l'importance à ce qui lui arrivait, et elle en fut touchée.

— Je crois que si je renonce, quelque chose mourra au fond de moi, répondit-elle avec franchise. Mais perdre son mari est un lourd prix à payer pour un peu d'indépendance et d'estime de soi.

184

— La décision vous appartient, India. Personne ne peut la prendre à votre place. Vous savez ce que j'en pense.

— Je sais ce que ferait Serena à ma place, dit India avec un sourire las. J'aimerais avoir autant de cran qu'elle.

— Vous en avez, à votre manière. Vous ne le savez pas, c'est tout.

Mais tout au fond d'elle-même, India savait que ce n'était pas vrai. Serena n'aurait jamais pu supporter Doug plus de cinq minutes... Cela dit, elle ne l'aurait pas épousé non plus. India avait fait un choix, et maintenant, elle devait l'assumer. Fallait-il pour autant qu'elle laisse son mari la menacer ? Cette idée la déprimait. Il ne lui offrait pas grand-chose ces derniers temps, pas de chaleur, pas de compréhension, de soutien ou d'affection. Et elle se rendait compte qu'il en allait ainsi depuis bien longtemps. Ils se contentaient de vivre sous le même toit et d'élever leurs enfants. Et soudain, cela ne lui paraissait plus suffisant.

— Comment va mon ami Sam ? demanda Paul, et tous deux sourirent en pensant au jeune garçon.

— A l'heure qu'il est, il dort profondément. Il s'amuse bien avec ses copains, et il parle à tout le monde de l'*Etoile-des-Mers*.

— J'aimerais qu'il soit ici avec moi... Et vous aussi, ajouta Paul d'une voix étrange, qui fit courir une petite décharge électrique le long de la colonne vertébrale d'India.

Il y avait en lui quelque chose de fort, de puissant, qui la troublait infiniment. Cependant, elle n'était pas sûre de ce qu'il cherchait à lui dire, du but de son appel. Il ne cherchait pas ouvertement à la séduire ; d'ailleurs, depuis leur première rencontre, elle savait d'instinct qu'il ne le ferait pas. Néanmoins, elle sentait qu'il l'aimait beaucoup.

185

— Vous adoreriez la traversée, j'en suis certain. C'est si paisible !

Il raffolait de ces longues périodes en mer. Il lisait et dormait, et dès qu'il en éprouvait l'envie, il prenait la barre, comme en ce moment. C'était pour cette raison qu'il l'avait appelée à une heure pareille ; il avait pensé à elle toute la nuit, le regard perdu sur l'océan, et avait fini par se décider à lui téléphoner.

— Nous irons sur la Côte d'Azur d'ici quelques jours, mais il faut d'abord que je passe par Paris. Serena prendra l'avion pour m'y retrouver. Elle adore Paris, et moi aussi, avoua-t-il.

C'était l'une de ses villes préférées.

— Cela fait des siècles que je n'y suis pas allée, déclara India d'une voix rêveuse, se souvenant de son dernier séjour là-bas.

Elle était très jeune, alors, et logeait dans une auberge de jeunesse. Elle était sûre que Paul, lui, descendait dans un grand hôtel comme le Ritz, le Plaza Athénée ou le Crillon...

— Quel hôtel avez-vous choisi ? demanda-t-elle.

— Le Ritz. Serena l'adore. Quand je suis seul, il m'arrive de descendre au Crillon, mais elle préfère mille fois le Ritz. J'avoue que je ne fais pas vraiment la différence, mais c'est peut-être parce que je ne parle pas français, alors qu'elle, si. Je me sens toujours complètement idiot quand je m'adresse aux taxis et que j'essaie de me débrouiller dans Paris. Vous parlez français, India ?

— Suffisamment pour me déplacer et me nourrir, mais pas assez pour entretenir une conversation. En fait, j'ai pas mal appris au Maroc, où j'ai passé six semaines, mais mes

186

amis français se moquent tous de mon accent. Enfin, ça me permet au moins de me débrouiller avec les taxis.

— Serena a étudié un an à la Sorbonne, et son français est parfait.

Décidément, à tous points de vue, il était difficile de concurrencer Serena... Plus que difficile, impossible ! Mais de toute façon, nulle n'était appelée à lui succéder : il était évident que Paul et elle étaient fous l'un de l'autre.

— Au fait, quand retournerez-vous à Westport ? s'enquit Paul.

— Pas avant la fin du mois d'août.

Ils n'avaient pas beaucoup de choses à se dire, mais elle prenait plaisir à entendre sa voix, et à savoir où il se trouvait.

— Je rentre toujours juste avant la rentrée des classes, afin de préparer les enfants.

En entendant ces mots, Paul secoua la tête en silence. India méritait mieux que cette existence routinière, et il espérait de tout son cœur qu'elle aurait le courage de se battre pour l'obtenir.

— Combien de temps resterez-vous en Europe ?

— Jusqu'au premier lundi de septembre, mais Serena, elle, doit retourner à Los Angeles avant. Je ne suis pas sûr que ça l'ennuie, d'ailleurs. Elle se débrouille toujours pour ne pas rester longtemps au même endroit. Elle est très indépendante, et se lasse très vite de tout.

— Dans ce cas, elle s'ennuierait à mourir, ici. Je passe mes journées allongée sur la plage à ne rien faire, et à six heures je rentre à la maison pour préparer le dîner.

— Ça me paraît être une vie très agréable, et je suis sûr que les enfants sont ravis.

187

— Oh, oui. Mais on s'amuse beaucoup plus sur l'*Etoile-des-Mers*, croyez-moi.

— C'est vrai que c'est le paradis, pour certaines personnes. Il faut vraiment aimer être sur un bateau, naviguer et voguer sur l'océan. Soit on a ça dans le sang, soit on ne l'a pas. La plupart des gens ne parviennent pas à y prendre goût. Il faut en être tombé amoureux tôt, comme ça a été mon cas. J'avais à peu près l'âge de Sam lorsque j'ai réalisé combien j'aimais la mer.

— Je n'avais jamais été très attirée par la voile avant de monter sur votre bateau. C'est un merveilleux moyen de commencer. D'ailleurs, j'ai bien peur que Sam ne puisse jamais se contenter de moins, désormais.

— Oh, si, ne vous inquiétez pas ! C'est un vrai marin, comme moi. Il a même adoré le dériveur. C'était un véritable test, et il l'a passé haut la main.

— Je crois que je me contenterai des gros bateaux, pour ma part.

— Sage décision... Chaque fois que je vais en France, je vois de très beaux bateaux, en particulier de superbes voiliers anciens. Un de ces jours, je finirai par en acheter un. Et je parie que Serena demandera le divorce. Un bateau, elle trouve déjà que c'est beaucoup, alors deux... Je ne crois pas que j'aurai le courage de le lui avouer.

Il rit à cette idée.

— Elle s'y attend probablement, de votre part, souligna India en riant elle aussi.

C'était si bon de l'entendre, de lui parler ! Il lui suffisait de fermer les yeux pour l'imaginer dans le cockpit de l'*Etoile-des-Mers*, avec Sam à son côté, ou sur le pont, bavardant avec elle... Ils avaient vraiment passé des moments merveilleux avec lui.

Il lui parla des régates auxquelles il allait participer en Sardaigne, et des gens qu'il allait voir, parmi lesquels l'Aga Khan.

— C'est vraiment dommage que vous évoluiez dans des cercles aussi miteux, Paul, le taquina-t-elle. Je vous plains... Ah, on est bien loin de Westport !

— Le Botswana aussi est loin de Westport, et il est grand temps que vous y retourniez, lui répondit-il du tac au tac.

Il sentait qu'elle avait encore besoin d'encouragements. Peut-être maintenant plus que jamais, si son mari menaçait de la quitter. Comment pouvait-il faire une chose pareille ? C'était si méprisable de sa part ! Paul était malade à la pensée qu'elle pût continuer à gâcher son talent, même s'il comprenait sans peine que Doug se sentît menacé. Il ne voulait pas qu'India menât une vie plus intéressante que la sienne. Paul se demandait si Doug n'était pas tout simplement jaloux de sa femme, en définitive.

— Parfois, je me demande si je reverrai tous ces endroits un jour, soupira India. Je n'arrive même pas à convaincre Doug de nous emmener en Europe pour les vacances !

— J'aimerais que vous soyez ici avec moi. Je sais que vous vous y plairiez. Au fait, j'ai vu les épreuves de la couverture du prochain livre de Serena, sur laquelle figurera votre photo... Elle est superbe.

— Ça me fait plaisir. J'ai passé un bon moment à prendre ces photos, répondit India en souriant à ce souvenir.

Ils bavardèrent encore quelques minutes, puis elle songea qu'il avait l'air fatigué. Il était très tard, pour lui.

— Je ferais mieux d'y aller, dit-il en effet. Nous avons

quelques manœuvres à effectuer ; nous nous approchons du détroit. Et le soleil ne va pas tarder à se lever.

Elle imaginait la scène sans difficulté. Le bateau, le détroit de Gibraltar, le soleil levant... Cela semblait merveilleusement exotique. Et très romantique.

— Je suppose que vous allez vous coucher, vous ? (Il se plaisait à l'imaginer dans sa petite maison de Cape Cod.) Pensez à l'*Etoile-des-Mers*, et avec un peu de chance, Sam et vous aurez l'occasion de remonter à bord un de ces jours.

— Je ne pourrais rien imaginer de plus agréable.

— Moi si, répondit-il.

Un silence s'établit soudain entre eux. India ne savait que dire. Elle était heureuse de l'avoir rencontré, et attachait une grande importance à l'amitié qui s'était nouée entre eux. Suffisamment pour ne pas vouloir la mettre en danger, ou dire quelque chose qu'elle pourrait regretter. Lui non plus n'ajouta rien ; l'enjeu était trop important, ils le savaient tous les deux.

Elle le remercia de son coup de fil, et ils raccrochèrent peu après. Et elle fit exactement ce qu'il avait suggéré : elle s'allongea, éteignit la lumière et pensa à lui, à la barre de l'*Etoile-des-Mers*, approchant du détroit de Gibraltar. Elle imaginait le voilier tout illuminé, comme le soir où il était passé devant chez elle, évoquant une île magique peuplée de rêves et de gens heureux. Puis elle vit Paul sur le pont, regardant en direction du large.

Cependant, elle ne rêva pas de Paul, cette nuit-là, ni de sa vie si agréable à bord de l'*Etoile-des-Mers*. Au lieu de cela, elle fit des cauchemars dans lesquels Doug et elle se disputaient. C'était cela, sa réalité, celle qu'il lui fallait quitter ou avec laquelle elle devait accepter de vivre. Pour elle, l'*Etoile-des-Mers* n'était qu'une illusion, une étoile lointaine au firmament de quelqu'un d'autre.

10

LORSQUE Doug arriva à Harwich pour ses trois semaines de vacances, il y avait encore beaucoup de tension entre eux. Ils n'abordèrent pas une seule fois le sujet du travail d'India, et n'évoquèrent pas ce qu'ils s'étaient dit lors de leur dernière vraie conversation, mais on eût dit que les mots prononcés flottaient encore entre eux comme une vapeur nauséabonde. Par moments, India avait l'impression de pouvoir à peine voir au travers ; elle évoluait dans un brouillard, et vivait au côté d'un étranger. Les enfants s'en rendaient compte, eux aussi, mais ne disaient rien. Ils avaient trop peur d'exposer au grand jour le malaise tangible mais encore informulé qui régnait entre leurs parents.

La fin des vacances approchait lorsque India se décida enfin à parler à son mari.

— Qu'allons-nous faire à propos de tout ça, à notre retour ? demanda-t-elle prudemment.

Les enfants étaient sortis, afin de profiter des derniers moments avec leurs amis ; ils étaient toujours pris d'une sorte de frénésie lorsque la fin des vacances arrivait. En général, India et Doug organisaient un grand barbecue, mais cette année Doug avait décidé de ne pas le faire. C'était, en soi, une sorte de prise de position, mais India n'avait rien dit, elle non plus n'ayant pas le courage de recevoir leurs amis en faisant comme si tout allait bien. Pour la première fois en dix-sept ans, ce n'était pas vrai. Les graines de colère semées en juin étaient devenues un arbre monstrueux dont les branches menaçaient de les étouffer. Et India ne savait si elle devait l'abattre, ou espérer qu'il meure de lui-même. La solution au problème demeurait un mystère pour elle.

— Que veux-tu dire ?

Doug faisait semblant de ne pas comprendre de quoi elle parlait, mais il était difficile d'ignorer l'atmosphère inamicale qui régnait entre eux, et India voulait aborder la question avant qu'ils ne rentrent chez eux, et que la gangrène ne gagne leur quotidien. Ils avaient déjà gâché l'été, il fallait agir avant qu'il ne soit trop tard.

— Les vacances ont été plutôt catastrophiques, tu ne trouves pas ? demanda-t-elle.

Ils venaient de terminer leur déjeuner, et étaient tous deux assis à la table de la cuisine. Pendant le repas, ils ne s'étaient pas adressé une seule fois la parole.

— Nous avons tous les deux été très pris. C'est comme ça, certaines années, répondit-il en haussant les épaules.

Mais ils savaient l'un comme l'autre que c'était un mensonge. India prit une profonde inspiration.

— C'est vrai que tu as été très occupé, dernièrement, admit-elle, mais le problème n'est pas là. Depuis le début des vacances, nous sommes tous les deux contrariés et en colère ; j'aimerais savoir ce qui va se passer, maintenant. Nous ne pouvons pas continuer comme ça éternellement. Il faut que la tension cesse, sans quoi nous allons devenir fous.

192

Ne jamais se parler, ne jamais avoir un geste l'un envers l'autre... Pour elle, c'était insupportable. Ils lui faisaient penser à deux naufragés échoués sur des îles différentes, sans bateau, sans pont. Jamais India ne s'était sentie aussi seule. Quant à Doug, il continuait à estimer qu'elle l'avait trahi en demandant à recommencer à travailler et en exigeant qu'il fasse des efforts pour elle.

— Peut-être est-ce moi qui devrais te demander où tu en es ? C'est de ça qu'il est question, n'est-ce pas ? C'est toi qui me harcèles depuis quelque temps pour reprendre ton métier. Est-ce toujours ce que tu comptes faire en rentrant à Westport ?

La jeune femme n'était plus sûre de la réponse, à présent. Le prix à payer était élevé, peut-être trop élevé. Il avait dit qu'il considérerait cela comme une rupture de contrat, et elle sentait qu'il était sincère. Or elle n'était pas prête à renoncer à ce contrat, du moins pas encore, et peut-être ne le serait-elle jamais.

— Je voulais seulement dire à mon agent que j'étais prête à faire un reportage de temps en temps, de préférence près de la maison. Rien de long. Je voulais juste entrouvrir la porte...

— ... par laquelle s'engouffrera l'inondation qui finira par nous noyer. En fait, je crois que c'est ça que tu veux.

— Tu te trompes, Doug. J'ai refusé la mission en Corée. Je ne cherche pas à détruire nos vies, seulement à sauver la mienne.

Mais était-ce encore possible ? Même si Doug l'autorisait à accepter un reportage de temps en temps, cela ne résoudrait pas le problème de ses sentiments pour elle, de sa vision froide et sinistre de leur existence. Elle savait maintenant qu'il n'y avait ni passion, ni exaltation, ni romantisme dans ce qu'il éprouvait pour elle. Qu'elle travaille ou pas, elle ne pouvait plus se faire d'illusions sur leur couple.

— Je t'ai dit très clairement ce que je pensais de ton désir de travailler, déclara Doug. Rien n'a changé. Maintenant, c'est à toi de faire ton choix. Si tu es prête à prendre le risque de me perdre, vas-y.

— Comment peux-tu être aussi dur ? demanda-t-elle, les larmes aux yeux.

— Tu trouves que je suis dur, alors que tu es prête à sacrifier nos enfants, notre vie, et l'accord que nous avions passé ensemble, pour te faire plaisir ? Vas-y, India, consacre-toi à ta fameuse carrière, mais ne t'étonne pas si tu te retrouves toute seule.

— Attention, Doug, toi aussi tu prends un risque. Si tu continues à te moquer de ce que j'éprouve, tôt ou tard nous en paierons le prix. D'ailleurs, ajouta-t-elle en songeant aux quelques semaines qui venaient de s'écouler, nous avons déjà commencé.

— On dirait bien que nous sommes perdus dans les deux cas, alors.

La colère semblait être la seule émotion dont Doug fût encore capable. Il n'y avait aucune compassion dans ses yeux alors qu'il regardait India, les mains croisées sur sa poitrine.

— Fais ce que tu veux, India. De toute façon, ta décision est déjà prise, n'est-ce pas ?

— Pas vraiment. Je ne suis pas irresponsable. Et je n'ai jamais eu l'intention de provoquer une révolution, dit-elle tristement.

— Bien sûr que si, India. C'est exactement de ça qu'il est question. Mais laisse-moi juste te le répéter clairement une fois encore : tu ne peux pas tout avoir, moi, notre famille et ta carrière. Tôt ou tard, tu vas devoir faire un choix.

— Je crois que tu as été on ne peut plus clair, répondit India avec lassitude. Mais si je ne recommence pas à travailler, que se passera-t-il ? Tu me trouveras merveilleuse, fabuleuse et dévouée, et tu m'adoreras et me seras reconnaissant jusqu'à la fin de mes jours ?

Elle avait prononcé ces mots avec une ironie teintée d'amertume, et se souvint tout à coup de ce que Paul avait dit à propos des gens qui renonçaient à trop de choses et devenaient aigris et hargneux. Etait-ce ce qui allait lui arriver ?

— Je ne comprends rien à ce que tu racontes, rétorqua Doug d'un air énervé. Je crois que tu es devenue complètement folle, ma pauvre India, et je me demande qui t'a mis toutes ces bêtises en tête. Je continue de penser que c'est Gail.

En fait, beaucoup de choses, beaucoup de gens l'avaient poussée à s'interroger, beaucoup de rêves abandonnés depuis bien longtemps et dont elle s'était enfin souvenue. Il y avait eu ce que Gail lui avait dit en juin, et ce que Doug, lui, n'avait pas dit. Ses conversations avec Paul, sa rencontre avec Serena. Toutes ses réflexions des trois derniers mois, et la froideur de Doug envers elle. Son mari ne l'avait pas touchée depuis juillet ; elle savait que c'était sa manière de la punir pour ce qu'elle lui avait dit.

— Tu te conduis comme si tu t'attendais à une récompense, India. Je te rappelle qu'être épouse et mère c'est ton boulot. Moi, personne ne me remet de trophées quand je fais mon travail. On ne donne pas des Pulitzer ou des Nobel aux gens qui mènent une vie normale. Si tu espères que je vais te baiser les pieds chaque fois que tu iras chercher les enfants à l'école, tu te trompes. Et si tu décides de nous laisser tomber et de jouer au grand reporter, attends-toi à payer le prix fort.

— J'ai l'impression d'avoir déjà payé ce prix, alors que je n'ai fait qu'en parler avec toi, Doug. Ça fait deux mois que tu me punis.

Il ne répondit pas, et dans ses yeux elle ne vit que de la glace et de la colère.

— Je pense que tu as été injuste, malhonnête, et que tu nous as tous trahis en envisageant de retourner travailler. Jamais tu ne m'avais dit que tu en aurais envie un jour !

Il était clair qu'il se sentait floué.

— Mais je ne le savais pas ! répondit-elle avec franchise. Je n'ai jamais imaginé que je voudrais recommencer. Et d'ailleurs, ce n'est pas le cas : j'aimerais seulement faire un reportage de temps en temps, répéta-t-elle pour la énième fois.

— C'est la même chose. (Il se leva, et la toisa avec désapprobation, et même avec aversion.) Nous en avons assez parlé. A toi de te décider, maintenant.

Elle hocha la tête et le regarda s'éloigner. Longtemps, elle demeura seule dans la cuisine, plongée dans ses pensées. Par la fenêtre, elle voyait les enfants jouer sur la plage, et elle se demanda s'ils supporteraient aussi mal de la voir travailler que le prétendait Doug. Serait-ce un tel choc, un tel coup, une telle trahison pour eux ? Elle n'arrivait pas à le croire. D'autres femmes voyageaient et travaillaient, cela ne les empêchait pas de s'occuper de leurs enfants, et ceux-ci ne finissaient pas tous drogués ou délinquants. C'était Doug qui voulait qu'elle soit là en permanence, coincée à la maison, à accomplir le travail pour lequel il l'avait « embauchée », sans pour autant lui offrir en retour le moindre amour, la moindre compassion. C'était lui qui la forçait à faire un choix. Mais un choix entre quoi et quoi ? Lui devait-elle une totale obéissance, pour n'être en échange qu'une gouvernante ? Ne méritait-elle pas davantage ? Elle savait ce que Paul aurait répondu à cela.

Et tandis que, debout dans sa cuisine, elle réfléchissait encore et encore, elle comprit que c'était sans espoir. Doug ne changerait pas, il ne céderait pas. En fait, elle n'avait pas le choix, à moins d'être prête à tirer un trait sur dix-sept ans de mariage. Et, pour l'instant en tout cas, cela lui semblait un prix trop élevé à payer pour un semblant de liberté.

Elle ne lui dit rien lorsqu'ils allèrent dans la chambre préparer leurs valises, elle ne lui annonça pas qu'elle avait pris sa décision. Elle abandonna, tout simplement. Elle n'avait pas les moyens de s'offrir ses rêves.

Ce soir-là, au dîner, elle demeura très silencieuse, ce qui ne lui ressemblait guère, et le lendemain elle dit aux enfants de faire leurs sacs et entreprit de son côté de fermer la maison. Elle n'alla pas voir les Parker pour leur dire au revoir, ni personne d'autre d'ailleurs. Elle fit seulement ce que l'on attendait d'elle, son boulot, comme disait Doug, et quand le moment de partir arriva, elle monta en voiture avec eux.

En chemin, ils s'arrêtèrent au McDo. Elle passa les commandes des enfants et de Doug, nourrit le chien, mais ne mangea rien elle-même. Et une fois à la maison, quand ils eurent sorti les bagages du coffre, elle entra à l'intérieur sans un mot. Jessica se tourna alors vers son père.

— Qu'est-ce qu'elle a, maman ? Elle est malade ?

Ils avaient tous remarqué que quelque chose n'allait pas, mais elle était la seule à oser poser ouvertement la question.

— Je crois qu'elle est seulement fatiguée, répondit Doug sans se troubler. C'est fatigant de préparer les bagages et de ranger la maison, tu sais.

Jessica hocha la tête. Elle aurait voulu le croire, même si elle savait que chaque année sa mère fermait la maison et que c'était la première fois qu'elle se comportait ainsi. Elle était pâle, avait les traits tirés, semblait malheureuse, et plus d'une fois, Jessica était sûre d'avoir vu des larmes dans ses yeux, quand India pensait que personne ne la regardait.

Finalement, ce soir-là, India parla à Doug. Elle se tourna vers lui lorsqu'ils s'apprêtaient à se mettre au lit et, luttant pour ne pas pleurer, elle lui dit :

— Je ne vais pas enlever mon nom du fichier de mon agent. Mais je n'accepterai pas de reportages s'il m'appelle.

— Quel est l'intérêt, dans ce cas ? Pourquoi ne pas faire les choses jusqu'au bout ? Si tu sais que tu ne feras pas le travail, à quoi bon les laisser t'appeler ?

— De toute façon, ils finiront bien par cesser d'essayer, ne t'inquiète pas. C'est simplement bon pour mon ego de savoir qu'ils pensent encore à moi de temps en temps.

Il la regarda en silence pendant un long moment, puis haussa les épaules. Visiblement, cela ne lui suffisait pas qu'elle lui eût cédé ; il voulait remuer le couteau dans la plaie, s'assurer que le sujet ne reviendrait pas sur le tapis.

Il ne la remercia pas, ne la félicita pas, ne lui dit pas qu'elle avait bien agi, qu'il lui était reconnaissant. Il se contenta d'entrer dans la salle de bains, de refermer la porte derrière lui et de prendre une douche. India était déjà au lit lorsqu'il ressortit, une demi-heure plus tard.

Il éteignit les lumières et se glissa dans le lit à côté d'elle. Il demeura un moment allongé sans rien dire, puis il se tourna vers elle en silence et fit paresseusement courir ses doigts le long de son dos.

— Toujours éveillée ? chuchota-t-il.

— Oui.

Au fond d'elle-même, India voulait entendre qu'il l'aimait, qu'il était désolé de s'être montré si dur envers elle, qu'il allait la chérir et la rendre heureuse jusqu'à la fin de ses jours. Au lieu de quoi, il l'entoura de son bras et effleura un de ses seins. Aussitôt, la jeune femme eut l'impression que tout son corps se figeait, devenait de glace. Elle avait envie de se retourner et de le gifler pour ce qu'il lui avait fait, ce qu'il lui avait dit, pour le peu d'importance qu'il attachait à ses sentiments, mais elle ne dit rien et demeura dos à lui dans l'obscurité.

Il essaya de la caresser pendant un moment, mais elle ne réagit pas et ne se tourna pas vers lui comme elle le faisait toujours, d'habitude. Au bout d'un moment, il renonça.

Ils demeurèrent côte à côte dans le lit, séparés par un fossé aussi vaste et profond qu'un océan. Un océan de douleur, de tristesse et de déception. Il l'avait vaincue, il avait gagné. Et elle, elle avait perdu une partie d'elle-même. Elle pouvait cuisiner pour lui, faire le ménage pour lui, conduire leurs enfants à droite et à gauche, s'assurer qu'ils soient assez couverts, l'hiver. Elle pouvait lui demander comment s'était passée sa journée au bureau, quand il n'était pas trop fatigué pour lui répondre. Elle pouvait lui donner ce qu'elle lui avait promis des années plus tôt, pour le meilleur et pour le pire. Mais elle ne pouvait rien attendre de lui.

11

GAIL avait appelé India plusieurs fois depuis son retour de Harwich, sans réussir à la joindre. Elle laissait des messages joyeux sur le répondeur, mais quand India la rappelait, elle ne la trouvait jamais chez elle. Les deux femmes s'étaient parlé à deux reprises depuis le retour d'Europe de Gail, et celle-ci sentait que quelque chose n'allait pas. Pourtant, lorsqu'elle posait la question à son amie, India lui affirmait qu'elle se trompait.

Gail avait dit à India que son voyage en Europe s'était en définitive révélé plus agréable qu'elle ne l'avait craint. Jeff avait été plus amusant que d'habitude, et par elle ne savait quel miracle, en dépit des longues heures passées dans la voiture, les enfants avaient réussi à ne pas se battre. Ç'avait été le meilleur voyage en famille qu'ils eussent jamais fait.

Les deux femmes ne se virent vraiment que le jour de la rentrée des classes, quand elles se retrouvèrent sur le parking de l'école après que Sam et les jumeaux furent entrés en classe.

Dès l'instant où Gail aperçut India, elle sut que quelque chose de terrible lui était arrivé durant l'été.

200

— Mon Dieu, tu vas bien ?

India n'avait pas eu le temps de natter ses cheveux, ce matin-là : elle avait dû conduire Jessica et ses amies à l'école, puis Sam et les siens. Elle se sentait épuisée, et savait qu'elle devait avoir l'air un peu perdue et échevelée.

— Je n'ai pas eu le temps de me brosser les cheveux, expliqua-t-elle en passant une main distraite dans sa lourde chevelure blonde. J'ai l'air si terrible que ça ?

— Oui, répondit Gail sans ambages. Et ça n'a rien à voir avec tes cheveux. Tu as beaucoup maigri, non ?

— Est-ce si grave ?

— Non, mais à te voir, on dirait que tu as perdu un proche...

C'était le cas. Cependant, India ne voulait pas en parler à Gail.

— Que t'est-il arrivé ? Tu as été malade, cet été ? insista son amie, sincèrement inquiète.

— En quelque sorte, répondit-elle sans entrer dans les détails.

Elle s'efforçait d'éviter le regard de Gail, mais n'y parvint pas. Lorsqu'elle désirait savoir quelque chose, Gail avait la ténacité d'un chien de chasse.

— Oh, mon Dieu... Tu n'es pas enceinte ?

Mais India n'avait pas la mine d'une femme qui attend un bébé. Elle semblait malheureuse, minée de l'intérieur.

— Tu as le temps de venir prendre un cappuccino avec moi ? demanda Gail.

— Oui, bien sûr, répondit mollement India, bien qu'une pile de linge à laver l'attendît à la maison et qu'elle eût promis d'appeler toutes les dames du voisinage pour organiser les aller et retour à l'école des enfants.

201

— Je te retrouve au Caffe Latte dans cinq minutes.

Les deux femmes montèrent dans leurs voitures respectives. Gail arriva au café la première, et passait déjà la commande lorsque India la rejoignit. Gail savait exactement ce que voulait son amie : un cappuccino avec une goutte de lait écrémé et deux sucres. Cinq minutes plus tard, elles étaient installées à une table d'angle, deux *biscotti* recouverts de chocolat posés entre elles.

— Tu n'as rien dit quand je t'ai appelée à Harwich. Que t'est-il arrivé, cet été, bon sang ? demanda Gail en posant sur India un regard inquiet.

Elle ne l'avait jamais vue aussi malheureuse, aussi dénuée d'énergie. Pourvu qu'elle ne se fût pas découvert une terrible maladie, comme un cancer du sein, par exemple... A leur âge, c'était toujours à craindre, hélas.

India but une gorgée de cappuccino et ne répondit rien pendant un moment.

— Il y a un problème entre Doug et toi ? s'enquit Gail, suivant une intuition subite.

— Peut-être. En fait, je crois que c'est surtout moi, le problème. Je ne sais pas... Disons que c'est une boule de neige qui a commencé à rouler en juin et qui s'est transformée en avalanche, depuis.

— Quelle boule de neige ?

De quoi parlait-elle ? Gail n'en avait pas la moindre idée, mais elle se tut, attendant qu'India veuille bien se confier davantage. Au bout d'une longue minute, n'y tenant plus, elle demanda :

— Tu as eu une aventure, à Cape Cod ?

Elle savait que c'était absurde, mais la question valait tout de même la peine d'être posée. On ne savait jamais, avec les

gens... Parfois, c'étaient les plus responsables, les plus discrets, les plus honnêtes, comme India, qui commettaient les
pires folies. En tout cas, si India avait eu une liaison, celle-ci
n'avait pas dû très bien se passer, à en juger par sa mine
déconfite.

— Après les conversations que nous avons eues, toi et
moi, en juin dernier, commença India avec difficulté, j'ai
commencé à envisager sérieusement de me remettre à travailler. C'était à peu près à l'époque où j'ai refusé ce reportage
en Corée... C'est peut-être ça qui a tout déclenché, honnêtement je n'en sais rien. Toujours est-il que j'ai pensé que
ça me plairait de faire davantage de reportages – oh, rien
d'extraordinaire, plutôt des trucs comme cette enquête à
Harlem, il y a trois ans, tu te souviens?

— Tu appelles ça un truc « pas extraordinaire »? Tu as
même gagné un prix pour ces photos! C'était un article très
important, absolument génial.

— Bref, quoi qu'il en soit, je me disais que je pourrais
accepter des missions ponctuelles pas trop loin d'ici... Je pensais que je pourrais peut-être trouver quelqu'un pour m'aider
à m'occuper des enfants, le cas échéant.

— C'est génial! s'exclama Gail, heureuse pour elle. Mais
alors, que s'est-il passé? ajouta-t-elle, sentant que son amie
était loin d'avoir terminé son histoire.

— Doug est devenu fou. En gros, il m'a menacée de me
quitter si je faisais ça. Nous ne nous sommes pratiquement
pas adressé la parole de tout l'été, conclut-elle sombrement.

Gail n'eut aucun mal à appréhender la situation.

— En d'autres termes, il s'est conduit comme un vrai
goujat, résuma-t-elle sans mâcher ses mots.

— On peut dire ça comme ça. En tout cas, il a été très

clair : il m'a carrément interdit d'accepter de nouveaux reportages. Il a dit que je l'avais trahi, que je revenais sur le contrat que nous avions conclu lorsque je l'avais épousé, qu'en recommençant à travailler je détruirais notre famille, et qu'il ne pouvait tolérer ça. En résumé, l'alternative est la suivante : soit je fais des photos et il me quitte, soit je lui obéis gentiment, et il reste. C'est aussi simple que ça.

— Mais toi, dans tout ça ? Qu'obtiendras-tu, si tu acceptes de sacrifier ton talent à son ego surdimensionné ? Que t'offre-t-il pour faire passer la pilule ?

— Rien. Et c'est l'autre problème... (India posa son cappuccino et ferma les yeux. Elle sentait des larmes amères lui picoter les paupières.) Nous avons eu une longue conversation en juin, lui et moi, un soir où il m'a emmenée dîner dehors. A l'entendre, on aurait dit que j'étais pour lui une espèce de cheval de trait. Il m'a expliqué qu'il attendait de moi que je m'occupe des enfants et que je sois là, un point c'est tout. (Les larmes se mirent à rouler librement sur ses joues.) Gail, je ne suis même pas sûre qu'il m'aime !

Un sanglot déchirant lui échappa, et elle se tut.

— Probablement que si, affirma Gail en posant sur elle un regard compatissant. Peut-être qu'il ne le sait pas, ou qu'il ne sait pas comment te le montrer. Jeff est comme ça : il s'imagine que je fais partie des meubles, mais s'il me perdait, ça le tuerait probablement.

— Je ne suis pas sûre que ce soit vrai pour Doug. Il est persuadé que je lui appartiens, mais m'aime-t-il ? J'en doute. Et même si c'était le cas, je lui en veux tellement que ça ne changerait pas grand-chose. C'est le sentiment le plus atroce que j'aie jamais éprouvé, Gail... J'ai l'impression que toute ma vie s'est écroulée, cet été.

Gail l'écoutait avec attention, tout en se demandant ce qui s'était passé d'autre, à Cape Cod. Elle soupçonnait son amie de ne pas tout lui dire.

— Quoi qu'il en soit, reprit India en reniflant, je lui ai dit que je n'accepterai plus de reportages. Je laisserai mon nom dans le fichier de Raoul, mais je dirai non à tout ce qu'il me proposera. Je n'ai pas le choix : je crois que Doug me quitterait vraiment, sinon. Nous nous sommes disputés à ce sujet pendant deux mois, et ça a gâché tout notre été. Si je reste sur mes positions, ça détruira notre vie entière, et je ne le souhaite pas.

— Alors, tu fais une croix sur tes désirs profonds ? demanda Gail. (Cela la rendait folle, mais ne l'étonnait guère, au fond.) Et qu'a-t-il dit ? T'a-t-il remerciée ? Est-ce qu'il se rend compte, au moins ?

— Non. Il s'y attendait, semble-t-il. En revanche, le soir où je le lui ai annoncé, il a essayé de me faire l'amour, pour la première fois en deux mois. J'ai failli le frapper. Et depuis, il ne m'a plus touchée. Je ne sais pas ce que je vais faire, Gail. Tout me coûte, en ce moment. J'ai l'impression d'avoir perdu une partie de moi-même, cet été, et je ne sais pas comment me retrouver. Je ne suis même pas sûre d'en être capable. J'ai tout sacrifié pour sauver mon couple, et maintenant je suis vidée.

Gail la regarda avec inquiétude, ne sachant que dire pour lui remonter le moral. Selon elle, c'était précisément dans des circonstances comme celle-ci que les femmes devaient tromper leurs maris, afin de se sentir aimées, chéries, importantes. Et Gail savait, peut-être mieux encore qu'India elle-même, qu'en se montrant aussi intransigeant Doug avait pris un gros risque. Il s'imaginait sans doute avoir gagné la bataille, mais

Gail n'en aurait pas mis sa main au feu. India souffrait vraiment.

— Qu'as-tu fait d'autre, cet été, à part pleurer et te disputer avec Doug ? demanda-t-elle. Tu t'es quand même un peu amusée ? Tu es allée quelque part avec les enfants, tu as fait de nouvelles connaissances ?

Elle essayait de distraire India, et fut heureuse de voir le visage de la jeune femme s'éclairer.

— J'ai rencontré Serena Smith, annonça-t-elle en s'essuyant les yeux et en se mouchant dans une serviette en papier.

— L'écrivain ? demanda Gail, aussitôt intéressée. (Elle avait lu tous les livres de Serena.) Comment as-tu fait ?

— Elle était à l'université avec une de mes amies et son mari est venu passer quelques jours à Harwich sur son voilier. Sam et moi avons eu l'occasion de le fréquenter un peu avant l'arrivée de Serena ; nous sommes allés faire un tour en bateau avec lui, et ça a été merveilleux pour Sam. Ensuite, j'ai fait quelques photos de Serena pour la couverture de son prochain livre, et elle a eu l'air assez contente.

En parlant de Serena, India se souvint qu'elle avait rapporté la photo de Paul et elle à Westport, mais n'avait pas encore eu le temps de la lui envoyer.

— Avec qui est-elle mariée ? demanda Gail.

— Son mari s'appelle Paul Ward. Il est dans la finance.

Le regard d'India se perdit un instant dans le vague. Gail sursauta.

— Paul Ward ? Celui qu'on surnomme le Lion de Wall Street ?

— C'est lui, oui. Tu sais, c'est vraiment un homme adorable. Elle a beaucoup de chance.

— Il est aussi très séduisant. Je me rappelle avoir vu sa photo en couverture de *Time*, l'année dernière. Si je me souviens bien, il venait de signer un énorme contrat. Il doit peser des milliards, dis-moi.

— Ils ont un merveilleux voilier. Mais elle déteste naviguer.

India sourit en disant ces mots, se remémorant ses conversations avec Paul à ce propos.

— Attends une minute... (Gail plissa les yeux, regardant son amie avec un intérêt renouvelé et une pointe de suspicion.) Es-tu bien en train de me dire que tu es allée avec lui en bateau avant qu'elle n'arrive ?

— Elle était à Los Angeles, elle travaillait sur un film.

Gail n'était pas du genre à mâcher ses mots, et elle connaissait India depuis des années. Il y avait quelque chose dans le regard de son amie qui éveillait sa curiosité.

— India, es-tu amoureuse de lui ? Est-ce que ça fait partie de toute cette histoire ?

India se mordit la lèvre. Elle n'était pas prête à analyser ses sentiments pour Paul, et la perspicacité de Gail la troublait.

— Ne dis pas de bêtises.

— Ce ne sont pas des bêtises. Ce type ressemble à Gary Cooper ! La journaliste de *Time* disait qu'il était « indécemment séduisant et sauvagement attirant », et je me souviens encore de la photo. Et maintenant, tu m'annonces que Sam et toi avez fait une balade en bateau avec lui... Alors, que s'est-il passé ?

— Nous sommes plus ou moins devenus amis. Nous avons beaucoup parlé. Il sait très bien comprendre les gens. Mais il est également fou de Serena.

— Tant mieux pour elle. Et toi ? Est-ce qu'il t'a draguée, sur le bateau ?

— Bien sûr que non.

La question même était blessante. India savait que jamais Paul n'aurait fait une chose pareille ; et même s'il avait tenté une approche, elle l'aurait vite découragé. Ils avaient du respect l'un pour l'autre.

— T'a-t-il appelée ?

— Pas vraiment.

Le regard d'India démentait ses paroles, et Gail s'en aperçut aussitôt. India semblait protéger quelque chose, comme si elle lui cachait un secret en rapport avec Paul.

— Attends une minute. On appelle, ou on n'appelle pas. Qu'est-ce que ça veut dire, « pas vraiment » ? T'a-t-il appelée, oui ou non ?

Elle se montrait pressante, mais avait les intérêts de son amie à cœur, et India le savait.

— Oui, reconnut-elle, il m'a appelée. Une fois, de Gibraltar. Il était sur son voilier, en route pour l'Europe.

— Il faisait la traversée en voilier ? Mais dis-moi, ce bateau doit être de la taille du *Queen Elizabeth II* ! s'exclama Gail, visiblement impressionnée.

India rit.

— Il est assez grand, en effet, et magnifique. Sam en est fou.

— Et toi ? Est-ce que tu en es folle aussi ?

— Oui. Oui, je l'ai trouvé fabuleux. Et Paul aussi. C'est un homme merveilleux, et je crois qu'il m'aime bien. Mais il est marié, moi aussi, et ma vie est en train de s'écrouler. Et crois-moi, ça n'a rien à voir avec lui.

— Je comprends ça. Mais il pourrait te soulager un peu dans ton malheur. A-t-il demandé à te revoir ?

— Bien sûr que non. De toute façon, il est en Europe.

— Qu'en sais-tu ?

Gail était fascinée par cette histoire, et par le fait que son amie eût rencontré des gens aussi célèbres.

— Il a dit qu'il y resterait jusqu'au premier lundi de septembre.

— Avec Serena ?

— J'ai cru comprendre qu'elle rentrerait un peu plus tôt.

— T'a-t-il proposé d'aller le rejoindre ?

— Tu vas arrêter, oui ? Il n'y a rien entre nous, je te le jure. Il a dit qu'il serait ravi de me faire faire un tour en bateau un jour avec les enfants. C'est un ami, point final. Oublie cette histoire, Gail. Je ne vais pas avoir d'aventure avec qui que ce soit. Je viens juste d'abandonner à jamais ma carrière, ou le moindre espoir d'en avoir une, pour garder mon mari. Si je voulais condamner mon couple, il me suffirait d'accepter un reportage ! Pas la peine d'avoir une liaison...

— Ça pourrait t'aider, au contraire, observa Gail d'un ton pensif, bien que pour une fois elle ne le pensât pas vraiment.

India n'était pas du genre à prendre plaisir à une aventure extraconjugale. Elle était bien trop honnête pour jouer aux jeux qu'elle-même affectionnait, et c'était d'ailleurs l'une des raisons pour lesquelles Gail l'aimait tant. Elle la respectait énormément, et se désolait de la voir en si mauvaise forme, sans pour autant savoir comment l'aider. Elle pensait que Doug était un imbécile, un minable froid et insensible, mais si India voulait rester mariée avec lui, personne n'y pouvait rien.

209

— Peut-être qu'il te rappellera, dit Gail avec espoir.

Mais India se contenta de hausser les épaules. Elle savait que Paul Ward n'était pas la réponse à ses problèmes.

— Je ne pense pas, dit-elle d'une voix posée. Ce serait vraiment inutile. Nous nous sommes merveilleusement bien entendus, mais il est impossible d'entretenir une amitié comme celle-là. Nos vies sont trop compliquées, trop différentes. Et j'aime vraiment beaucoup sa femme. Il se peut que je fasse d'autres photos d'elle.

Gail sentait qu'India était complètement résignée à sa situation.

— Doug te laissera-t-il les faire ? s'enquit-elle.

— Peut-être. Je ne lui en ai pas parlé. Mais il se peut qu'il accepte. C'est sans grand danger, et il me suffirait d'aller passer un après-midi à New York. Je pourrais même le faire gratuitement, sans que mon nom apparaisse dans les crédits.

— Quel gâchis ! murmura tristement Gail. Tu fais partie des tout meilleurs photographes du pays, peut-être même du monde, et tu prends des photos à la sauvette, comme si c'était un crime...

Cela la rendait vraiment furieuse.

— Quand nous nous sommes mariés, j'ai promis à Doug d'arrêter de travailler, et maintenant il exige que je tienne cette promesse. Cela dit, je ne crois pas m'être engagée à ne plus toucher à un appareil photo.

— Alors, bats-toi ! Ne retire pas ton nom du fichier de Raoul. Peut-être que Doug finira par céder, lorsqu'il aura fini de jouer les grands mâles dominants. C'est seulement une histoire d'ego, de contrôle, tous ces trucs que les mecs inventent pour se sentir importants. Peut-être que dans un an ou deux il changera d'avis.

— J'en doute. Il s'est montré très clair.

Là-dessus, India se leva. Elle avait beaucoup de travail qui l'attendait à la maison ; elle n'avait même pas fait leur lit, ce matin-là. Depuis quelque temps, elle avait l'impression que ses semelles étaient plombées, et tout semblait lui prendre plus de temps que d'habitude. Elle n'avait même plus le courage de se coiffer ou de se maquiller le matin.

Les deux amies retournèrent lentement vers leurs voitures. Au moment de quitter India, Gail la serra brièvement contre elle et la regarda dans les yeux.

— Ne tire pas un trait définitif sur Paul Ward, India. Parfois, les hommes font de très bons amis, et je ne sais pas pourquoi, mais j'ai l'impression qu'il est plus important pour toi que tu ne veux bien l'admettre. Il y a quelque chose dans ton regard quand tu en parles...

Lorsqu'elle avait mentionné Paul Ward et la promenade en voilier, les yeux d'India s'étaient éclairés pour la première fois de la matinée.

— J'ignore ce qui se passe entre vous, mais je sais que tu en as besoin.

— C'est vrai, admit India d'une voix douce. Mais parfois je me dis qu'il a seulement pitié de moi.

— Ça m'étonnerait. Tu n'es pas quelqu'un qui inspire la pitié. Tu es belle, intelligente, amusante... Tu l'attires probablement, même s'il fait peut-être partie de la catégorie rarissime des hommes fidèles. C'est toujours une possibilité, aussi déprimante soit-elle.

Elle esquissa un sourire en coin et India rit de bon cœur.

— Tu es désespérante. Et toi, au fait ? De nouvelles victimes en perspective ?

Les deux femmes n'avaient aucun secret l'une pour l'autre,

ou du moins n'en avaient jamais eu jusqu'à présent. India n'avait pas voulu avouer à Gail l'attirance qu'elle éprouvait pour Paul ; elle pensait qu'il était préférable que cela demeure secret. Et de toute façon, ce n'était pas vraiment important, sans doute un simple effet de son imagination. Même si elle n'avait pas rêvé le coup de fil de Gibraltar, il ne fallait pas y attacher trop d'importance. Paul devait s'ennuyer, ou se sentir seul après la longue traversée.

Cependant, il aurait pu appeler Serena. Or c'était à elle qu'il avait téléphoné... India y avait pensé maintes fois depuis, pour finalement décider que cela n'avait pas de signification particulière.

— Dan Lewison a une petite amie, lui annonça Gail. Harold et Rosalie se marient en janvier, dès que le divorce sera prononcé. Et je ne vois personne de nouveau à l'horizon.

— Comme c'est ennuyeux... Je devrais peut-être te donner le numéro de Paul, la taquina India, et toutes deux rirent de bon cœur.

— Avec plaisir... Bon, ma grande, fais bien attention à toi. Ne sois pas triste. Et quand Doug rentrera ce soir, donne-lui un bon coup de pied dans le tibia, ça vous fera du bien à tous les deux – en plus, il le mérite.

India n'était pas loin de penser que Gail avait raison... Elle monta dans sa voiture et fit un signe de la main à son amie avant de retourner vers les tâches qui l'attendaient. Elle se sentait mieux, maintenant qu'elle s'était ouverte à Gail ; même si elle ne pouvait pas changer sa vie, en ce moment il était bon de savoir qu'elle pouvait parler de ses problèmes à quelqu'un.

Elle alla chercher les enfants après l'école, comme toujours, et emmena Jason et Aimée à leur cours de tennis. Sam alla

212

faire ses devoirs chez un copain, et rentra à la maison à l'heure du dîner. Quant à Jessica, elle bavarda un moment avec sa mère tout en l'aidant à préparer le dîner. Elle était tout excitée d'être en deuxième année au lycée ; deux élèves de terminale l'avaient regardée, et l'un d'eux lui avait même adressé la parole.

Doug appela pour dire qu'il resterait dîner en ville avec des clients. India s'en réjouit : elle ne se sentait pas d'humeur à discuter avec lui, ce soir-là. Elle dormait déjà lorsqu'il rentra par le dernier train et se glissa à côté d'elle.

Il prenait sa douche lorsqu'elle se leva le lendemain matin. Elle enfila rapidement un jean et un sweat-shirt, et descendit préparer le petit déjeuner sans même s'être brossé les cheveux.

Elle laissa sortir le chien, ramassa le *Wall Street Journal* et le *New York Times* sur le paillasson et les déposa à la place de Doug avant de mettre la cafetière en marche. Puis, tout en versant des céréales dans les bols des enfants, elle jeta un coup d'œil au journal.

Remarquant une photo de Serena à la une, elle sursauta : c'était l'une de celles qu'elle avait prises cet été-là. Elle était surprise de la découvrir ainsi dans le *Times*, avec son nom en petits caractères sur le côté, aussi tendit-elle la main pour déplier le journal. Elle eut un hoquet de stupeur en lisant le gros titre, et lâcha la boîte de céréales qu'elle tenait à la main, envoyant les corn flakes voler sur le sol de la cuisine.

Pendant un instant, elle eut l'impression qu'on venait de lui donner un coup de poing à l'estomac. Le journal annonçait qu'un avion reliant Londres à New York avait explosé la nuit précédente. Le FBI soupçonnait des terroristes d'avoir placé une bombe à l'intérieur de l'appareil, bien que l'attentat

213

n'eût pas encore été revendiqué. Serena était à bord de l'avion ; il n'y avait aucun survivant.

— Oh, mon Dieu ! murmura-t-elle en s'asseyant sur l'une des chaises de la cuisine pour prendre le journal entre ses mains tremblantes.

L'article expliquait que l'avion avait décollé normalement, avec un léger retard dû à un problème mécanique bénin ; deux heures après son départ de Heathrow, il avait explosé en plein vol. Il y avait trois cent soixante-seize personnes à bord, parmi lesquelles un membre du Congrès originaire de l'Iowa, un parlementaire britannique, un journaliste connu de la chaîne ABC de retour d'un reportage à Jérusalem, et Serena Smith, auteur de best-sellers mondialement célèbre et productrice de cinéma.

India ne pouvait détacher son regard de la photo de Serena. Dans sa tête, elle entendait encore la voix de l'écrivain, toutes les histoires qu'elle lui avait racontées pendant la séance de pose. Cela faisait presque exactement deux mois. Paul devait être anéanti.

India se mordit la lèvre. Devait-elle écrire ou appeler ? Comment lui faire savoir qu'elle pensait à lui et était de tout cœur avec lui ? Elle n'avait aucun mal à imaginer ce qu'il éprouvait, et elle en était malade pour lui. Serena était peut-être difficile à vivre, et elle n'avait pas le pied marin, mais c'était une femme extraordinaire, et tout le monde, India la première, savait que Paul l'adorait.

L'article disait que Serena était âgée de cinquante ans, et laissait derrière elle son mari, Paul Ward, et une sœur vivant à Atlanta. India était plongée dans sa lecture lorsque Sam descendit pour prendre son petit déjeuner.

— Salut, m'man ! Qu'est-ce qui ne va pas ?

214

Il y avait des céréales partout sur la table, et India était livide, comme si elle avait vu un fantôme.

— Je... c'est... Je lisais un article, c'est tout.

Puis elle se décida à lui dire la vérité.

— Tu te souviens de Paul, le propriétaire de l'*Etoile-des-Mers* ? (C'était une question purement rhétorique, Sam lui parlant de Paul quasiment tous les jours.) Eh bien, sa femme est morte dans un accident d'avion.

— La vache ! s'exclama Sam, visiblement impressionné. Je suis sûr que Paul est vraiment triste. Mais bon, elle n'aimait pas le bateau.

Aux yeux de Sam, c'était un péché mortel... Malgré tout, il était désolé pour son ami Paul. India et lui parlaient toujours de l'accident lorsque les autres descendirent. Doug était avec eux.

— Pourquoi toute cette agitation ? s'enquit-il.

Il y avait de l'hystérie dans l'air ; India était échevelée et semblait bouleversée. Il était évident, à la voir, que quelque chose de terrible venait de se produire.

— La femme de mon ami Paul a explosé, annonça Sam avec emphase.

— Voilà qui est inhabituel, observa Doug en tendant la main vers la cafetière. Paul qui ?

— Paul Ward, expliqua India. Le propriétaire du yacht que nous avons rencontré cet été, tu sais ? Il était marié à Serena Smith, l'écrivain.

Doug se rappela aussitôt qu'elle lui en avait parlé et arqua un sourcil surpris.

— Comment s'est-elle débrouillée pour exploser ? demanda-t-il, perplexe.

— Elle était à bord d'un avion qui a explosé la nuit dernière, au départ de Heathrow.

Doug se contenta de secouer la tête avec désapprobation avant de tendre la main vers le *Wall Street Journal*. Il n'avait pas conscience du choc que cette nouvelle avait fait à India, et dix minutes plus tard il s'en alla sans un mot de réconfort, après avoir avalé un muffin. Les enfants, eux, parlaient encore de l'accident lorsqu'on passa les chercher pour les emmener à l'école. India se réjouissait de ne pas avoir à les conduire elle-même, ce jour-là.

Longtemps, elle demeura assise dans la cuisine, les yeux rivés sur le journal, songeant à Paul, et à la détresse qui devait être la sienne. Mais elle n'osait pas l'appeler.

Soudain, la sonnerie du téléphone la fit sursauter ; c'était Gail.

— Tu as vu le journal ? demanda-t-elle, légèrement essoufflée.

— Oui, je viens de le lire. Je n'arrive pas à le croire, répondit India d'une voix lointaine, distraite.

— On ne peut jamais savoir ce qui va se passer, n'est-ce pas ? Au moins, il semblerait que personne n'ait souffert. Ils disent que l'appareil s'est désintégré en moins d'une seconde.

Un autre avion, qui volait au-dessus d'eux, avait vu l'explosion.

— Je n'ose imaginer ce qu'il éprouve. Il était tellement amoureux d'elle...

Gail faillit souligner que malgré cela il s'était tout de même débrouillé pour appeler India de Gibraltar, mais elle préféra se taire. Quand il serait remis du choc, Paul Ward serait un homme libre, ce qui, songeait-elle, risquait de poser à India un dilemme intéressant.

216

— Est-ce que tu vas l'appeler ?

— Je ne pense pas que je devrais le déranger maintenant, répondit India.

C'est alors qu'elle se souvint du cliché qu'elle avait pris de Serena et lui. Elle pouvait le lui envoyer maintenant ; c'était une très belle photographie, et il serait peut-être heureux de l'avoir.

— Tu n'auras qu'à aller à l'enterrement. Je suis sûre qu'ils organiseront un service à sa mémoire d'ici quelques jours. Paul serait peut-être content de t'y voir.

— Peut-être.

Elles en parlèrent encore quelques minutes, puis raccrochèrent. Ensuite, India alla chercher la photo, qu'elle trouva au milieu d'une pile de papiers à classer, dans sa chambre noire. Elle n'avait jamais trouvé le temps de l'envoyer à Serena comme elle l'avait promis... Un long moment, elle contempla le cliché, plongeant d'abord son regard dans celui de Paul, puis dans celui de Serena. Rien que leur position en disait long sur eux. Il était penché derrière la chaise sur laquelle elle était assise, et elle posait la tête sur son torse avec abandon, un sourire radieux aux lèvres. Difficile de croire qu'elle était partie à jamais, si vite, si totalement.

Paul devait toujours se trouver en Europe, sur l'*Etoile-des-Mers*, à moins qu'il n'eût sauté dans un avion pour rentrer à New York en apprenant la nouvelle. Que faisait-on dans un cas comme celui-là ? Elle n'en avait pas la moindre idée. Mais plus elle y pensait, et plus il lui paraissait évident qu'il valait mieux ne pas appeler Paul.

Elle s'installa donc à la table de la cuisine, au milieu des reliefs du petit déjeuner, et entreprit de lui écrire une lettre, dans laquelle elle lui disait combien elle était désolée, et qu'elle imaginait sans peine ce qu'il éprouvait. C'était un mot bref mais plein d'émotion ; elle le glissa dans une enveloppe avec la photo et alla le poster sur-le-champ.

Tout l'après-midi, elle eut l'impression de se déplacer dans le brouillard. Elle n'arrivait pas à admettre ce qui s'était passé, et elle se sentait encore sous le choc lorsqu'elle alla chercher les enfants à l'école.

Sans trop savoir comment, elle parvint à préparer le dîner, ce soir-là, mais lorsque Doug rentra à la maison, elle ne s'était toujours pas brossé les cheveux.

— Qu'est-ce qui t'est arrivé, aujourd'hui ? demanda-t-il. A te voir, on dirait que tu as été kidnappée par des Martiens.

— Je suis bouleversée, avoua-t-elle avec franchise, éprouvant le besoin de partager avec lui ce qu'elle ressentait. Ce qui est arrivé à Serena Smith... Ça me rend malade.

— Tu ne la connaissais pas si bien que ça, pourtant... Tu ne l'as vue qu'une fois ou deux, non ?

Il ne semblait guère intéressé, et avait l'air surpris par sa réaction.

— J'ai fait une séance de photos avec elle, pour la couverture de son dernier livre. Tu sais, cette photo qui était à la une du *Times*, ce matin ?

— Tu ne me l'avais pas dit, remarqua-t-il d'un air mécontent.

— J'ai dû oublier. Son mari était fou d'elle. Il doit être tellement désespéré..., conclut-elle en lui jetant un regard plein de détresse.

— Ce sont des choses qui arrivent, rétorqua platement Doug.

Là-dessus, il se tourna pour parler avec Jason, et le cœur d'India se serra douloureusement. Il n'y avait plus rien entre

218

Doug et elle. Plus la moindre compréhension, la moindre affection. Seulement des relents de rancune, et quelques souvenirs mal digérés. India avait l'impression que tout ce qu'ils partageaient autrefois avait été réduit en cendres.

Après avoir couché les enfants, ce soir-là, elle alluma la télévision afin de voir ce que l'on dirait de l'accident au journal. Le crash fit l'objet d'un long reportage ; on avait interviewé plusieurs personnes, dont le porte-parole du FBI. Puis il y eut un flash plus court uniquement consacré à Serena Smith. Le journaliste annonça qu'un service à sa mémoire aurait lieu en l'église Saint-Ignatius de New York le vendredi suivant.

India demeura un long moment devant la télévision, le regard dans le vide, tandis que les nouvelles sportives et le bulletin météo défilaient. Elle repensait à la suggestion de Gail, à propos du service religieux.

— Tu viens te coucher ? demanda Doug.

Elle ne s'était toujours pas coiffée ni douchée. Cela semblait si dérisoire, quand elle songeait à l'accident !

— Dans un moment, répondit-elle avec un geste vague.

Elle se dirigea vers la salle de bains, et s'assit tout habillée sur la cuvette des toilettes. Elle pensait à Paul, à sa femme, à leur vie brisée, à leur avenir pulvérisé au-dessus de l'Atlantique. Et puis, soudain, elle se rendit compte qu'au fond d'elle-même elle songeait à son mari. Cela faisait des mois qu'elle n'avait plus envie de lui. Le simple fait de se coucher à son côté lui faisait horreur, et cela ne pouvait continuer éternellement. Mais qu'y faire ?

Elle demeura extrêmement longtemps sous la douche et se lava les cheveux, espérant que Doug dormirait quand elle ressortirait, mais elle le trouva assis dans le lit, en train de lire un magazine. Il se tourna vers elle et la regarda avec froideur.

— Tu comptes jouer à ce petit jeu pendant encore longtemps, India ? demanda-t-il avec agressivité.

— Quel jeu ?

— Tu sais parfaitement de quoi je parle. Ces temps-ci, tu restes si longtemps sous la douche qu'un de ces jours tu finiras par fondre ! Je saisis le message, tu sais.

— Je te rappelle que c'est toi qui avais un message à faire passer, cet été !

Elle se sentait soudain furieuse, condamnée, fatiguée et déprimée. Que leur était-il arrivé, durant les trois derniers mois ? Leur relation était devenue cauchemardesque.

— Il était très clair que tu ne t'intéressais plus du tout à moi, jusqu'au jour où je t'ai annoncé que je n'accepterais plus de missions ; là, tu as décidé que tu pouvais de nouveau me toucher. Cela ne m'émeut guère, navrée. Sous prétexte que tu as eu ce que tu voulais, tu t'imagines que je t'appartiens. Désolée, mais tu ferais mieux de te montrer un peu plus subtil.

C'était la première fois depuis qu'ils se connaissaient qu'elle lui parlait ainsi, et tous deux en furent choqués. Doug eut un mouvement en arrière, comme si elle l'avait frappé.

— C'est intéressant de savoir que tu vois les choses ainsi, grommela-t-il.

— Tu n'as guère été discret. Tu as décidé de me sauter dessus dès l'instant où tu as eu ce que tu désirais ! Tu n'as même pas pris la peine de me remercier, de me montrer que tu étais conscient de l'effort que je faisais. Tu ne m'as pas dit que tu m'aimais.

C'était pourtant tout ce qu'elle attendait de lui : un peu d'amour...

— Ça y est, c'est reparti ! s'exclama-t-il avec exaspération. Excuse-moi, India, mais l'atmosphère que tu crées dans cette chambre ne favorise guère les déclarations enflammées.

— Eh bien, je suis désolée, rétorqua-t-elle, les yeux brillants de rage.

Elle en avait par-dessus la tête, et ne supportait plus l'attitude de Doug en ce qui concernait leur vie sexuelle. A présent qu'il avait décrété, après deux mois d'abstinence, que le feu était de nouveau passé au vert, voilà qu'il s'étonnait qu'elle ne l'accueillît pas à bras ouverts !

— Tu aurais peut-être dû mettre dans ton fameux contrat que je devais coucher avec toi dès que tu en avais envie...

— Très bien, India, je vois. Oublie ça.

Il éteignit la lumière et la laissa assise dans l'obscurité, furieuse. Lui s'allongea sur le côté, lui tournant le dos ; deux minutes plus tard, il ronflait. Leur querelle ne semblait pas l'avoir troublé outre mesure.

India, elle, demeura éveillée pendant des heures, pleine de haine et de ressentiment. Elle s'en voulait d'éprouver de tels sentiments, et savait qu'elle s'était montrée blessante, mais après tout ce qu'il lui avait fait et dit, elle estimait qu'il le méritait.

Elle finit par fermer les yeux, et essaya de penser à Paul, de lui envoyer par la pensée toute sa compassion et son amitié. Lorsqu'elle finit par s'endormir, elle rêva de Serena ; celle-ci essayait de lui dire quelque chose qu'India n'entendait pas, en dépit de tous ses efforts. Quelque part au loin, elle voyait Paul pleurer, debout, totalement seul. Mais, quoi qu'elle fît, elle ne parvenait pas à aller le rejoindre.

12

LES JOURNAUX des jours suivants ne parlaient presque que du crash aérien, et India les lut tous avec avidité. L'enquête ne progressait guère ; bien que plusieurs groupes arabes eussent été soupçonnés d'avoir commis l'attentat, personne ne l'avait revendiqué. Mais cela, de toute façon, ne faisait guère de différence pour les familles des victimes. India n'avait rien lu au sujet de Paul dans les journaux ; de toute évidence, il se protégeait des reporters, et s'était isolé pour panser ses plaies. Le cœur de la jeune femme se serrait quand elle songeait à lui.

Et puis, finalement, le jeudi, un avis parut dans le journal confirmant qu'un service à la mémoire de Serena Smith aurait lieu le lendemain en l'église Saint-Ignatius de New York. India resta un long moment le quotidien à la main, se demandant si elle devait aller assister à ce service ; elle n'avait pas encore pris sa décision lorsque, ce soir-là, Doug et elle montèrent se coucher.

L'atmosphère avait été tendue toute la semaine entre son mari et elle. Il n'avait pas été possible d'effacer ce qu'ils s'étaient dit quelques jours plus tôt, et moins encore de l'oublier. Malgré tout, elle décida de lui parler des funérailles de Serena.

— J'envisage d'aller à l'enterrement de Serena Smith, demain, en ville.

En disant cela, elle avait sorti de son placard un tailleur noir que Doug lui avait offert pour Noël, et qui semblait bien convenir à la circonstance.

— C'est un peu idiot, non ? Tu la connaissais à peine. Franchement, je trouve ta réaction excessive.

Il ne comprenait pas, mais il ignorait tout du lien qu'elle avait noué l'été précédent avec Paul. Hélas, elle ne pouvait lui en parler.

— Je pensais seulement que ce serait une marque de respect, dans la mesure où je l'ai prise en photo.

Et puis Paul avait été gentil avec Sam, et elle avait l'impression de lui devoir quelque chose. Elle n'avait pas eu de ses nouvelles depuis qu'elle lui avait envoyé la photo, mais elle n'en attendait pas : elle se doutait qu'il était très occupé. Elle espérait simplement qu'il avait bien reçu le cliché, ainsi que la lettre qui l'accompagnait.

Doug lui jeta un coup d'œil irrité.

— Tu me fais penser à ces gamines hystériques qui suivent les stars partout. Ce n'est pas parce qu'elle était célèbre que tu la connaissais, India.

— Non, mais je l'aimais bien.

— Moi aussi, j'aime bien des tas de gens dont on parle dans les journaux, mais pas au point de me rendre à leur enterrement. Je pense que tu devrais réfléchir avant d'y aller.

— Je verrai demain.

Lorsqu'ils se réveillèrent le lendemain matin, il pleuvait. C'était une journée triste, grise, sinistre ; le vent violent qui

223

soufflait en rafales rendait tout parapluie inutile. Ce temps était déprimant à souhait, parfait pour un enterrement.

Doug ne parla pas à India avant de partir travailler, et durant toute la matinée les enfants et diverses courses la maintinrent occupée. Mais elle était libre cet après-midi-là, et en fin de compte elle se décida à aller assister au service funéraire. Celui-ci était prévu à trois heures, et à midi elle prit une douche et enfila son tailleur. Elle releva ses longs cheveux en chignon, se maquilla très légèrement et mit des bas noirs et des escarpins à talons assez hauts. Jetant un coup d'œil dans son miroir, elle fut satisfaite du résultat : le tailleur lui allait bien, et quand elle était habillée ainsi, elle comprenait mieux pourquoi les gens la comparaient souvent à Grace Kelly.

Cependant, ce n'était pas à la célèbre actrice qu'elle songeait lorsqu'elle monta dans sa voiture et prit le chemin de la gare. Elle pensait à Paul et à ce qu'il devait éprouver. Rien que d'imaginer son chagrin, elle avait le cœur serré.

Elle laissa sa voiture sur le parking de la gare et prit le train de treize heures quinze pour New York ; une heure plus tard, elle était arrivée. La pluie tombait plus dru que jamais, et elle eut du mal à trouver un taxi, si bien qu'elle n'arriva au coin de la 58e Rue et de Park Avenue que cinq minutes avant le début du service. L'église était pleine à craquer d'hommes en costumes sombres et de femmes élégantes. Elle devait apprendre par la suite que tout le monde des lettres était présent, mais sur le moment elle ne reconnut personne.

Beaucoup de gens – producteurs, réalisateurs, acteurs – avaient également fait le déplacement depuis Hollywood, et il n'y avait pas un banc, pas une chaise de libre. Même les allées étaient bondées lorsque le service commença sur une sonate de Bach.

La cérémonie fut magnifique, très sobre et extrêmement émouvante. Après que l'agent de Serena, son éditeur et un ami d'Hollywood eurent pris la parole, Paul Ward monta à l'autel, et fit un panégyrique de sa femme qui arracha des larmes à toute l'assistance. Dans un premier temps, il évoqua avec respect et admiration ses nombreux succès et ses réalisations ; puis il se mit à parler de Serena Smith, la femme. Il les fit tour à tour rire et pleurer, et aussi réfléchir sur ce qu'avait été la vie de Serena. Lorsque, enfin, il lui dit adieu, personne dans l'église n'avait les yeux secs.

Il avait tenu durant tout son discours, mais il pleurait lorsqu'il retourna s'asseoir, et India, qui le regardait de loin, vit ses larges épaules secouées de sanglots. Elle se mordit la lèvre, souffrant de ne pouvoir s'approcher de lui pour le réconforter.

Il quitta l'église le premier à l'issue du service, et personne ne chercha à l'arrêter tandis que, toujours bouleversé, il se dirigeait vers la limousine qui l'attendait. Un moment plus tard, India vit un homme plus jeune – son fils, sans doute, à en juger par leur étonnante ressemblance physique – le rejoindre. Tout le monde était si troublé que les gens se dispersèrent très vite et disparurent sous la pluie. India regarda la limousine de Paul s'éloigner, puis héla un taxi. Pendant tout le service, elle n'avait pas quitté Paul des yeux, bien qu'elle fût quasiment sûre que lui ne l'avait pas vue. Peu importait, de toute façon : elle ne s'était déplacée que par respect pour eux, et pour soutenir Paul. Peut-être Doug avait-il raison, et aurait-elle pu se contenter de penser à lui en restant chez elle, dans son salon de Westport, mais elle avait eu envie d'être là, près de lui physiquement, et elle ne regrettait pas d'être venue.

Elle s'arrêta pour appeler Doug de la gare. Elle lui annonça qu'elle était venue en ville pour le service, et lui demanda s'il voulait qu'elle l'attende pour qu'ils rentrent ensemble. Sinon, elle pouvait attraper le train de 16 h 30 et être à la maison à temps pour préparer le dîner.

— Je serai en retard de toute façon, ne m'attends pas, dit-il plutôt sèchement. Je dois prendre un verre avec des gens à six heures, et je ne serai pas à la maison avant neuf heures. Ne te fatigue pas à me laisser à manger, je m'achèterai un sandwich.

Il lui parut froid et distant, et elle devina qu'il était contrarié qu'elle eût assisté au service.

— Alors, tu as vu des tas de gens connus, là-bas? demanda-t-il avec une ironie marquée.

India soupira. Il ne comprenait décidément pas ce qu'elle éprouvait.

— Je n'y allais pas pour voir des gens, souligna-t-elle.

Elle s'était attendue à croiser les Parker, mais ne les avait pas repérés dans la foule, et n'aurait pu dire s'ils étaient présents ou non.

— Vraiment? Je pensais que tu voulais voir de plus près toutes les stars qu'elle fréquentait.

C'était vraiment une remarque désagréable, et India dut faire un effort de volonté pour ne pas lui répondre vertement.

— J'ai assisté à ce service parce que je souhaitais présenter mes respects à une femme que j'admirais. C'est tout. A présent, c'est fini. Bon, écoute, je dois y aller, sans quoi je vais rater mon train. A ce soir.

— Oui, à plus tard, grommela-t-il avant de raccrocher.

226

Il semblait si dépourvu d'émotions, depuis quelque temps, si incapable de comprendre ce qu'elle ressentait... India se demanda s'il avait toujours été ainsi sans qu'elle s'en rendît compte, ou si leurs querelles de l'été précédent avaient aggravé les choses. Quoi qu'il en fût, elle se sentait extrêmement solitaire.

Mais pas autant que Paul, bien sûr... Elle n'arrivait pas à oublier son visage lorsqu'il avait quitté le pupitre, en larmes. Il avait l'air anéanti, et elle avait senti son cœur se serrer en le voyant ainsi. Sur le chemin du retour, elle ne parvint à penser qu'à lui, et aux conversations qu'ils avaient eues sur l'*Etoile-des-Mers*.

Lorsqu'elle arriva chez elle, la pluie avait enfin cessé, les enfants étaient tous là, et ils parurent heureux de la voir.

— T'étais où, m'man ? demanda Sam lorsqu'elle entra et ôta son imperméable.

— A l'enterrement de Serena Smith, répondit-elle simplement. C'était très triste.

— Est-ce que tu as vu Paul ? demanda le petit garçon avec intérêt.

— Seulement de loin.

— Est-ce qu'il pleurait ?

Comme tous les garçons de son âge, Sam éprouvait une fascination morbide pour les drames, les tragédies et la mort.

— Oui, acquiesça tristement India. Il avait l'air affreusement malheureux.

— Peut-être que je pourrais lui écrire une lettre, suggéra Sam avec compassion.

India lui sourit. Les autres enfants avaient écouté leur conversation, mais aucun ne dit mot. Ils n'avaient jamais rencontré Serena, et Paul était l'ami de Sam, pas le leur.

— Je suis sûre que ça lui ferait plaisir, affirma India.

— Je m'y mettrai après le dîner, décréta Sam avant de retourner devant la télé.

Une demi-heure plus tard, le repas était prêt – à nouveau des hamburgers et des frites, mais personne ne s'en plaignit –, et la conversation alla bon train entre les enfants durant le dîner. Cela permit à India, plongée dans ses pensées, de garder le silence. Elle n'arrivait pas à chasser Paul de son esprit, et les souvenirs qu'elle avait de Serena.

Elle portait toujours son tailleur noir lorsque Doug rentra, à neuf heures et demie.

— Tu es bien, comme ça, observa-t-il d'un air surpris.

Cela faisait un certain temps qu'elle ne faisait plus le moindre effort vestimentaire ; elle était trop déprimée pour se préoccuper de son apparence. Mais ce tailleur, très élégant, lui allait à ravir et mettait sa silhouette en valeur.

— C'était comment ? demanda-t-il, parlant du service.

— Triste.

— Ça n'a rien de surprenant. Il reste quelque chose à manger ? Je n'ai pas eu le temps d'acheter un sandwich et je meurs de faim.

Elle avait jeté les restes de hamburgers froids depuis longtemps, et il ne restait plus grand-chose dans le réfrigérateur, sinon quelques tranches de dinde froide et une pizza surgelée : elle avait l'intention d'aller au supermarché le lendemain. Il opta pour des œufs sur le plat et des toasts ; puis, pour la première fois depuis des mois, il demanda à India ce qu'elle avait prévu pour le week-end.

— Rien. Pourquoi ? demanda-t-elle, surprise.

— Je me disais que nous pourrions peut-être aller dîner, par exemple.

Les choses allaient de mal en pis entre eux, et il commençait à s'inquiéter. Même lui ne pouvait ignorer le problème plus longtemps. C'était le fait qu'elle refusât de faire l'amour avec lui qui l'avait alerté. Tant que la décision venait de lui, cela ne le dérangeait pas, mais le peu d'intérêt qu'India lui manifestait le préoccupait. Il se disait qu'un dîner dehors pourrait les aider.

Mais India, habituée à ses rebuffades perpétuelles, réagit avec circonspection.

— Ce n'est pas la peine, si tu n'en as pas envie, déclara-t-elle.

— Si je n'en avais pas envie, je ne te le proposerais pas. Tu veux retourner chez Ma Petite Amie ?

C'était le premier geste de paix qu'il esquissait, mais la jeune femme n'était pas encore prête, et elle gardait un trop mauvais souvenir de leur dernier dîner là-bas.

— Pas vraiment, répondit-elle. Pourquoi n'irions-nous pas manger une pizza ?

— OK. Dans ce cas, que dirais-tu d'un cinéma et d'une pizza, demain soir ?

Cela valait au moins la peine d'être tenté. Si elle devait passer le restant de ses jours avec Doug, il faudrait bien qu'elle fasse tôt ou tard la paix avec lui ! Bien sûr, on était loin de l'amour sincère et passionné dont elle avait si désespérément besoin, mais elle soupçonnait son mari de ne pas pouvoir faire mieux.

— Ça m'a l'air très bien, affirma-t-elle.

Qu'avait-elle à perdre, sinon son temps ? De toute façon, Doug lui avait déjà brisé le cœur, et il avait détruit sa confiance en elle. Aller au cinéma avec lui ne pourrait guère lui faire plus de mal...

Après avoir mis les enfants au lit, elle ôta son tailleur et alla se coucher. Doug ne lui fit pas d'avances, ce soir-là ; il avait compris le message, la dernière fois. Ils allaient devoir commencer doucement, par une pizza et un film. Ensuite, ils verraient. Il se disait qu'avec le temps, s'il s'occupait un peu d'elle, elle reviendrait à la raison.

Ils se couchèrent sans se dire bonne nuit, comme chaque soir depuis un moment déjà. India s'y était presque habituée. Elle demeura longtemps allongée dans le noir, plongée dans ses pensées, à écouter son mari ronfler. C'était un son familier, qui avait en quelque sorte remplacé les gestes tendres du coucher.

Tout comme la solitude, elle aussi, était désormais un sentiment familier...

13

L E LENDEMAIN de l'enterrement, Doug emmena Sam à son match de football et India aida Jessica à nettoyer ses placards. Ils contenaient quantité de choses inutiles, et India sortait de la chambre de sa fille les bras chargés d'une pile de vêtements trop petits lorsque le téléphone sonna.

La jeune femme supposa que l'appel était pour l'un des enfants, comme toujours, et ne fit pas l'effort de répondre. Elle posa les vêtements par terre dans le garage, puis retourna dans la cuisine ; cependant, comme la sonnerie persistait, elle finit par décrocher, exaspérée.

— Oui ?

— Allô ?

C'était une voix d'homme qui ne lui était pas familière. Une voix d'adulte, a priori, même si cela ne voulait pas dire grand-chose, dans la mesure où, depuis quelque temps, les garçons qui appelaient Jessica n'étaient plus des enfants...

— Excusez-moi, mais à qui voulez-vous parler ?

— Ici Paul Ward. J'appelais Mme Taylor.

En entendant ces mots, India eut l'impression que son cœur s'arrêtait de battre, et elle dut s'asseoir sur l'un des tabourets de la cuisine.

— Paul... C'est moi... Comment allez-vous ? demanda-t-elle, incapable de chasser de son esprit le visage couvert de larmes de Paul, la veille, lorsqu'il était sorti de l'église.

— Je suis un peu déphasé, je crois. Quelqu'un m'a dit que vous étiez là, hier ; je suis désolé de ne pas vous avoir vue.

Par respect pour Paul, tout l'équipage de l'*Etoile-des-Mers* avait pris l'avion pour venir assister au service. L'une des hôtesses avait reconnu India.

— Je ne m'attendais pas à ce que vous me remarquiez. C'était un service magnifique. Paul... je suis tellement triste... Je ne sais pas quoi dire.

— J'ai reçu votre lettre, elle était merveilleuse. Et la photo...

Sa voix se brisa, et India comprit qu'il pleurait.

— J'adore cette photo, reprit-il au bout de quelques secondes. Comment allez-vous ? ajouta-t-il en s'efforçant de reprendre une voix normale.

Il avait eu envie de la remercier d'être venue, et de lui avoir écrit. Mais à présent qu'il l'avait au téléphone, l'émotion le submergeait. Il se souvenait de sa douceur, de sa tendresse, et se sentait tout à coup particulièrement vulnérable.

— Moi, ça va, répondit-elle d'un ton peu convaincant.

— Qu'est-ce que ça veut dire ? Allez-vous reprendre votre travail ?

— Non. Quand j'en ai parlé avec Doug, j'ai eu l'impression d'avoir déclenché la Troisième Guerre mondiale, et ça a duré tout l'été... Je ne peux pas le faire, conclut-elle dans un soupir. Il m'a très clairement fait comprendre que ce n'était pas négociable. Et puis, peut-être n'est-ce pas très important, en fin de compte.

— Vous savez bien que si, répondit-il avec douceur. C'est un besoin pour vous... Ne sacrifiez pas vos rêves, India, sans quoi vous vous perdriez. Je suis sûr que vous en êtes consciente, au fond de vous.

Jamais Serena n'aurait cédé, jamais elle n'aurait renoncé, songea India. Elle avait toujours été fidèle à elle-même, quel que fût le prix à payer. Mais Serena n'était pas la femme de Doug Taylor, elle n'avait pas fait un marché avec lui. Et jamais Paul ne lui aurait posé un ultimatum comme l'avait fait le mari d'India.

— J'ai abandonné ces rêves il y a longtemps, dit-elle d'une voix calme. Apparemment, je n'ai pas le droit de les revendiquer aujourd'hui. Doug et moi allons dîner dehors ce soir pour la première fois depuis des mois ; tout l'été, notre vie a été un enfer.

— Je suis désolé de l'apprendre, répondit-il.

Il se sentait profondément triste pour elle. Elle gâchait sa vie, et elle le savait – ils le savaient tous les deux.

— Comment va le petit Sam ?

— Très bien. Il est parti jouer au foot. Il a dit qu'il allait vous écrire.

— Ça me ferait plaisir, affirma-t-il, mais son ton n'était plus celui du Paul d'autrefois, celui qu'elle avait connu à bord de l'*Etoile-des-Mers*.

Il semblait fatigué, triste et abattu. Lui-même venait tout juste de perdre son rêve, et se demandait comment il pourrait lui survivre.

— Et vous ? lui demanda India avec sollicitude. Qu'allez-vous faire, à présent ?

— J'ai l'intention de me réfugier sur le bateau et de naviguer. J'ai prévenu mes collaborateurs que je ne travaillerais pas pendant quelque temps. De toute façon, pour le moment, je serais complètement improductif. Je ne sais pas encore exactement où je vais aller. Actuellement, le bateau se trouve en Italie, et je pensais aller jusqu'en ex-Yougoslavie et en Turquie. En fait, je me moque de la destination, je veux seulement que ce soit loin, et ne voir que de l'eau.

C'était ce dont il avait besoin à présent pour guérir.

— Est-ce que je peux faire quoi que ce soit ? s'enquit India.

Elle aurait aimé trouver un moyen de l'aider. Jusqu'à présent, elle n'avait été capable de lui offrir qu'une malheureuse photo.

Paul répondit aussitôt :

— Appelez-moi. Cela me ferait vraiment plaisir d'avoir de vos nouvelles.

De nouveau, sa voix se brisa, et elle comprit qu'il pleurait.

— India, je me sens si seul sans elle ! Cela ne fait que cinq jours, et c'est déjà intolérable. Par moments, elle me rendait fou, mais elle était tellement extraordinaire... Elle était unique.

Il ne cherchait pas à dissimuler son chagrin, et India, le cœur serré, l'écoutait, regrettant en cet instant de ne pouvoir le prendre dans ses bras.

— Oui, elle était unique, acquiesça-t-elle. Mais elle n'aurait pas voulu que vous vous effondriez. Cela l'aurait mise en rage ! Il faut que vous pleuriez, que vous criiez et tapiez du pied, il faut que vous sillonniez les océans à bord de l'*Etoile-des-Mers* ; mais ensuite, il faut que vous reveniez et que vous soyez fort. Pour elle. C'est ce qu'elle aurait voulu.

— Oui. (A cette pensée, il sourit entre ses larmes.) Et elle me l'aurait fait savoir sans prendre de gants !

234

Cette fois, ils rirent tous les deux, et Paul cessa momentanément de pleurer. Cela faisait cinq jours que les crises de larmes se succédaient, plus ou moins espacées, et il avait l'impression que cela continuerait toute sa vie.

— Je crois que j'arriverai à me reprendre en main, tôt ou tard, dit-il. Mais vous, vous devez me promettre de ne pas renoncer complètement à vos rêves, India. Ce serait criminel.

— Je ne peux pas m'accrocher à la fois à mes rêves et à mon couple. C'est aussi simple que ça. Pas de compromis possible. Peut-être que Doug cédera un jour, mais ça n'en prend pas le chemin.

— Attendez de voir ce qui se passe, et demeurez ouverte, lui conseilla-t-il. Au fait, vous n'avez pas enlevé votre nom des fichiers de votre agent ? ajouta-t-il avec une inquiétude perceptible.

— Non.

— Bien. Surtout n'en faites rien. Votre mari n'a pas le droit de vous forcer à sacrifier votre talent en vous faisant du chantage.

— Il peut faire tout ce qu'il veut, Paul. Je lui appartiens, ou du moins c'est ce qu'il croit.

— Il se trompe, et vous le savez. Ne le laissez pas vous traiter comme un objet. C'est vous seule qui lui donnez le pouvoir de vous faire du mal.

— Je me suis mise entre ses mains il y a dix-sept ans. Il dit que nous avons fait un marché, et il exige que je le respecte.

— Je ne vous dirai pas ce que je pense de ses théories, dit Paul d'une voix plus forte, qui lui rappelait davantage celle de l'homme qu'elle avait rencontré l'été précédent et qui l'avait tant impressionnée. Ni de son attitude, ajouta-t-il.

Il ne connaissait pas Doug, mais estimait que celui-ci traitait India de façon inadmissible. Il était évident qu'elle n'était pas heureuse avec lui.

— J'ai beaucoup pensé à vous cette semaine, India. Aux choses dont nous avons parlé ensemble l'été dernier. C'est amusant comme on peut croire sa vie immuable, programmée... On est toujours si sûr de soi, si certain que l'on sait tout, que l'on a tout. Et puis, patatras, tout explose en mille morceaux, et l'on se rend compte qu'on n'a plus rien. C'est le sentiment que j'éprouve en ce moment. Toutes ces vies gâchées dans cet avion, des enfants, des bébés, des jeunes, des gens qui méritaient de vivre... Je n'arrête pas de penser que j'aurais préféré être à bord avec elle.

Pendant un moment, India ne sut que lui répondre. D'une certaine manière, elle ne pouvait lui reprocher cette réaction. Mais il devait cesser de penser au drame et aller de l'avant.

— Le destin en a voulu autrement, dit-elle enfin. Vous êtes toujours là, et elle n'aurait pas voulu que vous gâchiez cette chance.

— Ce sont les terroristes qui ont tout gâché. Ils ont détruit ma vie, et celle de tous les autres.

— Je sais.

Le moment était mal choisi pour lui dire qu'un jour il se sentirait mieux, même si elle savait que c'était vrai. La vie était ainsi faite. Jamais il n'oublierait Serena, ni ne cesserait de l'aimer, mais avec le temps il apprendrait à vivre sans elle. Il n'aurait pas le choix.

— Cela vous fera du bien d'être sur l'*Etoile-des-Mers*, affirma-t-elle avec douceur.

Elle vit Aimée entrer et sortir de la cuisine, et se demanda quand Doug et Sam rentreraient à la maison.

— Vous me promettez que vous m'appellerez ? demanda Paul.

Il avait l'air terriblement seul et, émue aux larmes, la jeune femme acquiesça.

— Oui. J'ai votre numéro.

— Je vous appellerai aussi. Parfois, j'ai vraiment besoin de parler à quelqu'un.

India était infiniment touchée qu'il l'eût choisie comme interlocutrice dans ces moments de détresse, et se promit d'être là pour lui.

— Vous m'avez beaucoup aidée, l'été dernier, dit-elle.

Alors même qu'elle prononçait ces mots, avec une conscience aiguë de son propre désespoir, elle eut le sentiment de lui devoir une explication, ou du moins des excuses.

— Je suis désolée de vous décevoir.

— Vous ne me décevez pas, India. Simplement, je ne veux pas que vous baissiez les bras et le regrettiez ensuite. Mais cela ne se produira pas, vous verrez. Tôt ou tard, vous trouverez le courage de faire ce que vous avez à faire.

A savoir ? se demanda-t-elle. Défier son mari ? Si elle se résolvait à cela, elle savait qu'elle le perdrait.

— Je n'en suis pas encore là, admit-elle avec honnêteté. Et je ne sais pas si j'y arriverai un jour.

— Oh si, croyez-moi. En attendant, mettez vos rêves en sécurité quelque part, et n'oubliez pas où.

C'était une jolie façon de dire les choses, et India sourit.

— Je suis heureuse que vous m'ayez appelée, Paul, dit-elle.

— Ça m'a fait du bien de vous parler, affirma-t-il d'un air sincère.

— Quand partez-vous ?

237

— Ce soir. Je prends l'avion pour Paris, et je change après pour Nice. Le bateau doit me retrouver là-bas.

L'équipage était déjà reparti le matin même, expliqua-t-il, et la distance entre Portofino et Nice n'était pas très grande. Il savait que son bateau arriverait à temps pour l'accueillir.

Paul soupira, et son regard balaya la pièce dans laquelle il se trouvait. Elle était pleine de photos de Serena, et d'objets accumulés par elle au cours de leur vie commune. Pour le moment, l'endroit lui était intolérable.

— Je pense que je devrais vendre l'appartement, dit-il. Je ne supporte pas d'être ici. Peut-être que je pourrais le confier à une agence pendant mon absence, et leur demander de tout placer dans un garde-meubles.

— N'agissez pas trop précipitamment, Paul, lui conseilla India avec sagesse. Prenez un peu de temps. Vous ne savez pas encore ce que vous voudrez faire à votre retour.

— Non, c'est vrai. Pour l'instant, je n'ai qu'une envie : fuir et tout oublier.

— L'*Etoile-des-Mers* est l'endroit idéal pour ça, observa-t-elle.

A cet instant, Doug entra dans la cuisine et vint se poster derrière elle ; puis, presque aussitôt, il ressortit, sans doute pour aller chercher quelque chose.

— Prenez bien soin de vous, et essayez d'être fort, reprit-elle à l'adresse de Paul. Et quand vous vous sentirez mal, n'hésitez pas à m'appeler. Je serai toujours là.

— Merci. Moi aussi, India, je serai toujours là pour vous, si vous avez besoin de moi. Ne l'oubliez pas. Et ne laissez personne s'imaginer qu'il a des droits sur vous. Ce n'est pas vrai. Vous n'appartenez qu'à vous-même. C'est bien compris ?

238

— Oui, chef !

— Pensez bien à vous, murmura-t-il, et de nouveau elle entendit des larmes dans sa voix.

Consciente de sa souffrance, India se mordit la lèvre.

— Vous aussi, Paul, répondit-elle. Vous n'êtes pas aussi seul que vous le croyez, en ce moment ; essayez de vous en souvenir. Et à sa manière, Serena est avec vous, elle aussi. Elle est à votre côté, à chaque instant.

A travers ses sanglots, Paul eut un petit rire.

— La pauvre, elle qui détestait l'*Etoile-des-Mers*, elle va en avoir une indigestion... A très bientôt, India. Merci.

— Merci à vous d'avoir appelé, Paul.

Ils raccrochèrent, et India poussa un profond soupir avant de se lever. C'est alors qu'elle vit Doug debout dans l'encadrement de la porte, les sourcils froncés.

— Qui était-ce ? demanda-t-il d'une voix agressive.

— Paul Ward. Il appelait pour me remercier d'une photo de Serena que je lui ai envoyée.

— Eh bien, on dirait que le veuf éploré se remet bien vite de son chagrin ! Ça fait combien de temps qu'elle est morte ? Moins d'une semaine, c'est bien ça ?

Ecœurée par ses sous-entendus, India secoua la tête.

— Ce que tu suggères est immonde ! Si tu veux tout savoir, il pleurait, au téléphone.

— Oh, j'en suis persuadé ! C'est le stratagème le plus vieux du monde. On pleure un peu, on suscite la pitié de celle que l'on convoite, et bingo ! Tu t'es fait avoir comme une débutante, India. A t'entendre, on aurait dit que tu parlais avec ton petit ami.

— Tu es ignoble. C'est un homme adorable, un type bien, et il est anéanti d'avoir perdu sa femme. En ce moment, il souffre, il est bouleversé, et s'il m'a appelée, c'est parce que nous nous étions bien entendus l'été dernier, voilà tout.

— Oh, je n'en doute pas. D'ailleurs, sa femme n'était pas là, si je me souviens bien ? C'est amusant, quand on y songe, je me demande où elle se trouvait, s'ils étaient aussi fous l'un de l'autre que tu le prétends ?

Il y avait du venin dans ses paroles, et India sentait qu'il était prêt à l'accuser de l'avoir trompé avec Paul.

— Elle travaillait, Doug, dit-elle posément. Certaines femmes y sont autorisées.

— Est-ce elle qui t'a monté la tête avec toutes ces idioties ? Et ton Paul Ward, faisait-il partie de la conspiration ?

Il était clair que Doug cherchait un moyen de mépriser Paul, et India lui en voulait de cette mesquinerie absurde. Quoi qu'elle éprouvât pour Paul, elle n'avait nullement l'intention de faire quoi que ce fût avec lui, ou même de lui révéler ses sentiments ; et elle se réjouissait que les circonstances les aient poussés sur la voie de l'amitié.

— Je pense que tu es débile, si tu ne vois pas ce qu'il essaie de faire, India, insista Doug. Et je ne veux plus qu'il appelle ici. Franchement, on aurait dit que tu parlais à ton amant !

— Je n'ai pas d'amant, Doug, rétorqua-t-elle d'un ton glacial, incapable tout à coup de maîtriser sa rage. Si j'en avais un, je serais peut-être plus heureuse que je ne le suis. Mais, de toute façon, Paul Ward n'est pas candidat au poste. Il était très amoureux de sa femme, et la respectait profondément, tout comme il respectait la carrière de Serena – mais ça, tu ne peux pas le comprendre. Je crois qu'il va la pleurer très longtemps.

— Et quand il aura séché ses larmes, tu seras là pour lui ?

C'est ça ? Peut-être que tu aimerais être la maîtresse d'un homme aussi riche.

— Tu me rends malade, Doug, rétorqua-t-elle.

Là-dessus, elle retourna dans la chambre de Jessica pour l'aider à finir de ranger ses placards. Elle ne voulait pas voir Doug, et l'évita durant tout le restant de l'après-midi.

L'atmosphère était toujours tendue entre eux lorsqu'ils prirent la voiture pour aller dîner, ce soir-là. India n'avait d'ailleurs aucune envie de sortir, mais était consciente qu'en refusant cette soirée elle n'aurait fait qu'envenimer les choses.

Si elle y avait réfléchi, elle aurait peut-être été flattée que son mari se fût montré jaloux de Paul ; mais la façon dont il avait exprimé cette jalousie était si odieuse qu'elle n'éprouvait que de la colère. Par ailleurs, les soupçons qu'il nourrissait étaient ignobles. Paul Ward n'était pas son amant, et ne le serait jamais ; c'était juste un très bon ami – cela, elle en était sûre.

Leur dîner se déroula dans une atmosphère pesante, et ils s'adressèrent à peine la parole durant le repas. Pour tout arranger, le film qu'ils allèrent voir ensuite était si déprimant qu'India pleura pendant presque toute la séance ; lorsqu'ils reprirent le chemin de la maison, elle se sentait plus mal que jamais. Pour elle, la soirée avait été un désastre – et, de toute évidence, Doug pensait de même.

Découragés, ils montèrent dans leur chambre. Ni l'un ni l'autre n'avait envie de se mettre au lit, aussi s'assirent-ils devant la télévision. Ils tombèrent sur un vieux film qu'ils aimaient tous les deux et le regardèrent avec plaisir ; il leur parut bien meilleur que celui qu'ils étaient allés voir au cinéma. Si bien qu'à une heure du matin ils étaient toujours éveillés, et décidèrent de descendre grignoter quelque chose à la cuisine.

— Je suis désolé de ce que je t'ai dit aujourd'hui, dit enfin Doug en jetant à India un coup d'œil malheureux. Je sais bien qu'il n'est pas ton amant.

Cette expression de remords inattendue prit India par surprise.

— J'espère bien que tu le sais ! s'exclama-t-elle avant de se montrer plus conciliante. Moi aussi, je suis désolée de ce que je t'ai dit. Ça n'a pas été facile, pour nous, dernièrement, hein ?

Chaque conversation, chaque échange, chaque contact, chaque heure passée ensemble avait été pénible, et tous deux en avaient douloureusement conscience.

— J'imagine que parfois ça arrive, dans un couple, dit-il d'une voix triste. Tu m'as manqué, ajouta-t-il, et cela la toucha au plus profond d'elle-même.

— Toi aussi, reconnut-elle en souriant.

Elle s'était sentie si seule, sans lui... Durant les derniers mois, il lui avait à peine adressé la parole, et il s'était montré si agressif lorsqu'elle avait envisagé d'accepter quelques reportages qu'elle avait l'impression qu'il avait été absent tout l'été.

Ils finirent leurs sandwiches et remontèrent dans leur chambre. Les enfants étaient tous endormis depuis longtemps, et India referma doucement la porte derrière eux. Après avoir éteint la télévision, ils se préparèrent pour la nuit, et quand India rejoignit son mari au lit, il ne dormait pas. Lorsque, cette fois, il tendit une main hésitante vers elle, elle ne se détourna pas et ne le repoussa pas. Il la prit avec douceur dans ses bras et lui fit l'amour. Ses gestes manquaient de passion, il semblait presque maladroit, après tout ce temps, et à aucun moment il ne lui dit qu'il l'aimait. Mais telle était la vie qu'ils partageaient, le marché qu'ils avaient conclu. Elle devait s'en satisfaire.

242

14

Durant les deux mois qui suivirent, India et Doug continuèrent ainsi, tant bien que mal. Ils avaient recollé les morceaux ; mais la colle ne semblait pas aussi forte qu'autrefois. Au moins les enfants maintenaient-ils India occupée en permanence, lui évitant de se poser trop de questions... De toute façon, elle était certaine que plus rien ne changerait, à présent. Doug était comme il était, et il lui avait clairement fait savoir quelles étaient ses attentes. Elle n'avait qu'à vivre avec.

Elle voyait très souvent Gail aux matches de football de Sam, ainsi qu'aux réunions de parents d'élèves et aux dîners organisés par le lycée, puisqu'elles avaient toutes les deux des enfants du même âge. Comme elle l'avait déjà fait maintes fois par le passé, Gail avait confié à son amie qu'elle avait un nouvel amant. A son habitude, il s'agissait d'un homme marié. Mais au moins, elle semblait heureuse.

— Alors, quoi de neuf ? demanda-t-elle à India un après-midi, alors qu'elles étaient assises, gelées, dans les tribunes du stade. Doug a-t-il fini par se calmer ?

— A peu près. Il a beaucoup de nouveaux clients, et il est très occupé. Nous avons cessé d'aborder les sujets sensibles.

Certains aspects de leur relation – leur vie sexuelle, notamment – avaient souffert de leurs querelles de l'été précédent, mais India avait cessé de s'en préoccuper. Elle s'était résignée à accepter ce qu'elle avait plutôt que de se battre pour ce qu'elle souhaitait.

— Paul Ward t'a-t-il rappelée ?

— Non, je crois qu'il est en Europe.

C'était la première fois de sa vie qu'India mentait à Gail. En réalité, Paul lui avait téléphoné, quoique peu souvent. Mais elle préférait garder cela pour elle. Si par malheur Doug venait à apprendre qu'ils avaient gardé contact, il serait fou de rage, elle en était certaine.

Paul avait appelé une seconde fois en septembre, et déjà deux fois en octobre. Il lui téléphonait lorsqu'elle était seule chez elle, à peu près à l'heure du dîner pour lui. Jamais il n'avait une parole déplacée, et il semblait toujours désespérément seul. Ce n'était guère étonnant : la mort de Serena remontait à moins de deux mois, et India savait mieux que quiconque combien il en avait été affecté. La dernière fois qu'il l'avait appelée, l'*Etoile-des-Mers* se trouvait en ex-Yougoslavie. Paul lui avait dit qu'il ne se sentait pas encore prêt à rentrer.

Il n'avait à aucun moment parlé de la revoir, ni mentionné de date de retour. Peut-être, songeait-elle, reviendrait-il aux Etats-Unis vers la période des fêtes, pour voir son fils et ses petits-enfants. A moins que ce ne fût trop douloureux... Il lui avait dit un jour que Serena et lui avaient pour habitude d'aller skier en Suisse à Noël, et il s'était déjà juré de ne plus jamais mettre les pieds à Saint-Moritz. Il ne voulait plus revoir les lieux que sa femme et lui avaient fréquentés ensemble, ni se souvenir des rêves qu'ils avaient partagés.

« Cela élimine beaucoup d'endroits », l'avait taquiné India, et il avait ri doucement.

Il avait un mal fou à remonter la pente. Cependant, il pensait toujours à lui demander comment elle allait, et elle lui répondait avec honnêteté. Elle s'était accommodée de sa situation, bien qu'elle ne fût plus très heureuse ; en tout cas, elle refusait de mettre de nouveau son couple en péril. Elle se satisfaisait, affirmait-elle, des photos qu'elle prenait des enfants. Quand elle lui disait cela, Paul la grondait gentiment. Il estimait qu'elle aurait dû se montrer plus courageuse, mais cela lui faisait peur. Elle n'était pas Serena...

Ce qui n'empêchait pas Paul de prendre un grand plaisir à discuter avec elle, et de tirer de leurs conversations un grand réconfort.

India ne lui demandait jamais quels étaient ses projets ou s'il comptait retourner travailler. Elle n'exigeait rien de lui, et ne cherchait pas à le pousser dans une direction ou une autre ; elle se contentait d'être là lorsqu'il l'appelait, apaisante et douce, et c'était exactement ce dont il avait besoin. Ils ne s'étaient pas promis de se revoir, n'avaient jamais envisagé une liaison. Quoique chaleureux, prévenant et attentionné, Paul se montrait toujours extrêmement circonspect avec elle.

India n'avait pas eu de nouvelles de lui depuis deux semaines lorsque le téléphone sonna, un après-midi juste après l'heure du déjeuner. La jeune femme songea que Paul devait être de retour en Italie, où il était environ sept heures du soir, l'heure à laquelle il l'appelait d'ordinaire.

Elle décrocha le téléphone un sourire aux lèvres, s'attendant à entendre sa voix.

— India ? Bonjour, c'est Raoul !

Stupéfaite, India ne répondit pas tout de suite. Cela faisait six mois, depuis qu'elle avait refusé le reportage en Corée, qu'elle n'avait pas eu de nouvelles de son agent.

— Quoi de neuf, ces derniers temps ? reprit-il. Est-ce que tu te lasses enfin de tes enfants ?

— Non ! répondit-elle avec fermeté.

Tout à coup, elle se sentait idiote d'avoir laissé son nom sur les listes de l'agence. Elle allait une nouvelle fois devoir refuser un reportage, et Raoul serait furieux contre elle... Doug avait raison : elle aurait dû leur dire une bonne fois pour toutes qu'elle ne souhaitait plus travailler.

— Ce n'est pas la réponse que j'espérais... J'ai un truc pour toi, annonça Raoul.

Une certaine excitation perçait dans sa voix ; il venait de recevoir une proposition, et avait aussitôt pensé à elle.

— Je ne suis pas sûre que je devrais te laisser m'en parler, Raoul, l'interrompit la jeune femme. Mon mari a déjà assez mal pris la Corée...

— La Corée ? Mais tu n'y es même pas allée !

Il avait raison, naturellement, et pourtant ce reportage avorté avait failli provoquer un drame. A présent, India ne voulait plus prendre de risques.

— Allons, écoute-moi juste une minute. Un mariage royal se prépare en Angleterre. Aucun danger : un truc très classe, toutes les têtes couronnées d'Europe seront là. Le magazine qui nous a contactés souhaite quelqu'un qui sache bien se tenir, une « véritable lady », je cite, capable de se mêler à la foule des invités sans détonner. C'est à Londres ; même ton mari n'y trouvera rien à redire. Et pendant que tu seras sur place, j'ai un autre reportage pour toi. Sur un réseau clandestin de prostitution, quelque part dans le West End, qui emploierait des gamins de dix à quatorze ans. Tu bosseras en liaison avec la police, et le sujet sera publié dans tous les grands magazines internationaux. Et la bonne nouvelle, c'est que, si tu te débrouilles bien, le tout pourra être bouclé en une semaine – le mariage, et les gosses.

— Oh, merde, murmura India.

Inutile de nier que l'offre était tentante. Peut-être pourrait-elle vendre le mariage royal à Doug... Naturellement, ce qui l'intéressait réellement, elle, c'était l'autre reportage, sur les enfants prostitués. Ce scandale devait être dénoncé, et dans de pareils cas de bonnes photos faisaient toute la différence.

— Pourquoi m'appelles-tu pour me proposer des trucs comme ça, Raoul ? Je vais finir par divorcer, à cause de toi, observa-t-elle dans un soupir.

— Je t'appelle parce que je t'adore, et que tu es la meilleure photographe que je connaisse. Souviens-toi de ce que tu as fait à Harlem.

— Oui, mais c'était à moins d'une heure d'ici. Ça ne m'empêchait pas de rentrer à temps pour faire dîner mes enfants.

— J'embaucherai une cuisinière pour te remplacer pendant ton absence. Bon sang, j'irai leur faire la tambouille moi-même ! Je t'en prie, India, ne me dis pas non une nouvelle fois. Il faut que tu acceptes ce reportage.

India se mordit la lèvre. Elle avait rarement été aussi tentée de dire oui...

— Ce serait quand ? demanda-t-elle avec inquiétude.

Il lui faudrait du temps pour convaincre Doug de la laisser partir.

— Dans trois semaines, à peu près, répondit Raoul d'un ton vague.

247

Elle fit le calcul dans sa tête et fronça les sourcils.

— Trois semaines ? répéta-t-elle. Attends... si je ne m'abuse, ça va tomber au moment de Thanksgiving, non ?

— Plus ou moins, répondit-il, visiblement mal à l'aise.

— Comment ça, plus ou moins ? C'est Thanksgiving, ou pas ?

— Eh bien... Le mariage a lieu le samedi suivant Thanksgiving, mais il faudrait que tu arrives dès le jeudi. Deux célébrations importantes sont prévues avant le mariage, et tous les chefs d'Etat seront présents, le président et la First Lady y compris. Tu pourrais manger la dinde traditionnelle en leur compagnie, qu'en dis-tu ?

— Très drôle. Doug va me tuer.

— C'est moi qui l'étranglerai s'il t'empêche de partir. Ecoute, fais-moi plaisir et réfléchis à tête reposée. Tu peux me rappeler demain.

— Demain ? Tu es fou ? Tu me donnes une malheureuse nuit pour annoncer à mon mari que je les laisse tomber, les enfants et lui, pour Thanksgiving ? Tu veux ma mort ou quoi ?

— Non, je veux te sauver de ta petite vie ennuyeuse, de ce mari qui ne sait pas apprécier ton talent et de tous ces gamins qui, aussi mignons soient-ils, ne méritent pas d'avoir l'une des photographes les plus douées du monde comme cuisinière personnelle et chauffeur. Allez, India, sois gentille. J'ai besoin de toi, et toi, tu as besoin de te changer les idées. Dis oui, juste pour cette fois.

— Je vais voir ce que je peux faire, répondit-elle sombrement. Je te rappellerai demain... ou après-demain. Si je suis encore vivante d'ici là.

— Je t'adore, s'exclama-t-il, et elle entendit à sa voix qu'il arborait un large sourire. Merci, India. A demain !

— N'oublie pas de culpabiliser un minimum quand on trouvera mon cadavre abandonné sur le parking du centre commercial de Westport.

— Dis à ton mari de grandir un peu et de réaliser qui il a épousé. Il ne peut pas te garder sous clé éternellement.

— Peut-être pas, mais ça ne l'empêche pas d'essayer...

Après avoir raccroché, India resta une longue minute immobile dans la cuisine, les mains tremblantes. En vérité, elle était terrorisée à l'idée de parler à Doug, mais également surexcitée par la proposition de Raoul. Ces deux reportages promettaient d'être passionnants, chacun à sa manière. Oh, elle mourait d'envie d'accepter... Mais comment annoncer cela à son mari ? Elle s'assit sur un tabouret pour y réfléchir, puis, une fois sa décision prise, elle se rendit au supermarché.

Elle acheta tout ce que Doug adorait – et même un peu de caviar –, bien décidée à lui offrir un repas de rêve ce soir-là. Elle lui servirait du vin, et puis ils parleraient... et il la tuerait. Mais, au moins, elle aurait essayé.

Doug, en rentrant à la maison, n'en crut pas ses yeux. India avait acheté un chateaubriand, et préparé la sauce favorite de son mari, au poivre et à la moutarde. En accompagnement, elle avait prévu des pommes de terre en robe des champs, des haricots verts et des champignons farcis, et, en entrée, caviar et saumon fumé. Lorsqu'il s'assit à table, Doug était aux anges.

— Tu as embouti la voiture, aujourd'hui, m'man ? s'enquit Jason en versant une généreuse quantité de crème fraîche sur sa pomme de terre.

— Bien sûr que non, répondit-elle, étonnée. Quelle drôle de question !

— C'est pas tous les jours que tu nous prépares un dîner pareil. J'en déduis que t'as fait un truc qui va mettre papa hors de lui – vraiment hors de lui, corrigea-t-il en jetant un coup d'œil au caviar.

— Ne dis pas de bêtises.

Mais il était très malin, bien plus que son père, qui ne se doutait de rien. Ce dernier était confortablement installé sur sa chaise préférée, et semblait rassasié et heureux. India avait fait une mousse au chocolat avec des macarons aux amandes, ses préférés, pour le dessert.

— Quel dîner ! s'exclama-t-il en souriant lorsqu'elle vint le rejoindre au salon après avoir débarrassé la table. (Tous les enfants étaient montés faire leurs devoirs dans leurs chambres.) Qu'ai-je donc fait pour mériter ça ?

— Tu m'as épousée, répondit-elle en s'installant sur un petit tabouret près des pieds de Doug et en priant pour que les dieux se montrent cléments envers elle – une fois, juste une fois.

Elle était prête à le supplier, à lui promettre de cirer ses chaussures pendant dix ans, tant elle mourait d'envie d'aller à Londres.

— J'ai eu beaucoup de chance, dit-il, une main sur l'estomac.

— Moi aussi, répondit-elle avec douceur. (C'était la conversation la plus agréable qu'ils aient eue depuis l'été précédent. Mais cette fois, la jeune femme n'était pas totalement désintéressée.) Doug...

Elle leva les yeux vers lui, et il comprit aussitôt qu'elle lui

250

avait tendu un piège. Il lisait une supplique dans ses yeux, et s'interrogea sur ce qu'elle allait lui demander.

— Oh, oh, s'exclama-t-il en riant, Jason avait-il raison ? Aurais-tu embouti la voiture, ou celle de quelqu'un d'autre ?

— J'ai encore tous les points de mon permis, notre bonus d'assurance n'a pas bougé d'un iota et la voiture se porte comme un charme, le rassura India. N'hésite pas à aller vérifier.

— Tu t'es fait arrêter pour vol à l'étalage ?

— Tiens, je n'avais pas pensé à ça...

India décida que ce petit jeu avait assez duré. Il était inutile de tourner autour du pot : elle devait rappeler Raoul le lendemain, et obtenir une réponse ferme de Doug d'ici là.

— J'ai reçu un coup de fil, aujourd'hui, avoua-t-elle.

— De qui ? demanda Doug, sourcils froncés.

India déglutit avec difficulté. Le moment fatidique était arrivé.

— De Raoul.

— Oh non ! C'est reparti !

Doug se redressa sur son fauteuil et la toisa d'un air mécontent.

— Je t'en prie, supplia-t-elle, écoute-moi avant de t'énerver. C'est le boulot le plus civilisé qu'on m'ait jamais proposé ; le client a spécifiquement demandé une « lady ».

Elle avait pris sa décision : elle ne lui parlerait pas du réseau de prostitution dans le West End. Jamais il n'accepterait qu'elle couvre une telle histoire, même à Londres. Mais peut-être que le mariage...

— Quelqu'un de très important épouse un membre de la famille royale anglaise, et ils veulent une femme pour suivre le mariage. Tous les grands chefs d'Etat seront là, même le président des Etats-Unis et la First Lady, et toutes les têtes couronnées d'Europe aussi...

— Et toi, tu n'y seras pas, coupa Doug avec fermeté. Ils peuvent demander à n'importe quel photographe de faire ça à ta place.

— Oui, mais c'est moi qu'ils veulent, ou du moins que Raoul veut. Doug... s'il te plaît... J'aimerais vraiment y aller.

— Je croyais que nous avions déjà eu cette conversation. Combien de fois cette histoire de travail va-t-elle revenir sur le tapis, India ? Je t'avais pourtant dit d'enlever ton nom des fichiers de l'agence ! Si tu ne le fais pas, Raoul continuera de t'appeler. Arrête de me torturer – et de te torturer – avec ça. Tu as des enfants, India, des responsabilités. Tu ne peux pas t'enfuir et tout oublier aussi facilement.

— Doug, il n'est question que d'une semaine d'absence. Une semaine, point final. Les enfants ne vont pas se suicider si je ne suis pas là pour Thanksgiving.

Alors même que ces mots lui échappaient, India fut prise de panique. Elle n'avait pas eu l'intention de mentionner Thanksgiving si vite... Mais au moins, maintenant, elle avait tout dit, tout ce qu'elle avait l'intention de dire, en tout cas.

— Je n'arrive pas à le croire. Tu me demandes si tu peux nous laisser seuls pour Thanksgiving ? Qu'est-ce que tu t'imagines, que je vais cuire la dinde moi-même ?

— Tu n'auras qu'à les emmener au restaurant. Je préparerai un vrai dîner de Thanksgiving la veille de mon départ, et je suis certaine que pour eux ça ne fera pas la moindre différence.

— Pour eux, peut-être pas, mais pour moi si. Tu sais parfaitement quels sont les termes de notre accord. Nous avons déjà discuté de tout ça l'été dernier.

— Oui. Mais c'est important pour moi. J'ai besoin de le faire.

— Dans ce cas, peut-être que tu n'as pas besoin d'être mariée et d'avoir des enfants. Il n'est pas question que je tolère une femme qui n'est même pas capable d'être là pour Thanksgiving. Pourquoi ne vas-tu pas au Kosovo ou je ne sais où, tant que tu y es ?

— Au moins, au mariage, je ne risquerai rien.

— Sauf si des terroristes décident de mettre une bombe sur le chemin du cortège. Tu oublies déjà l'avion de ta copine ?

Il s'accrochait à tous les arguments possibles avec une mauvaise foi confondante.

— Je ne peux pas rester à la maison, au fond de mon lit, jusqu'à la fin de mes jours, observa India. Bon sang, Doug, les Russes pourraient faire sauter Westport, s'il leur en prenait l'envie. Je ne vais pas arrêter de vivre par crainte du terrorisme !

— Quand décideras-tu de grandir enfin, India ? Toutes ces bêtises sont derrière toi ou, du moins, devraient l'être.

— Eh bien, désolée, mais non, ces bêtises, comme tu dis, ne sont pas derrière moi. Mon métier fait encore partie de moi, et il en sera toujours ainsi. Il faut que tu le comprennes.

— Il ne faut rien du tout, rétorqua-t-il avec colère en se levant. Je ne te donnerai pas ma bénédiction, India. Si tu veux partir quand même, c'est ton problème. Mais après, ne t'étonne pas des conséquences.

— Merci de ta compréhension, Doug, dit-elle en se levant à son tour et en le regardant droit dans les yeux. Tu sais quoi ? Je ne vais pas te laisser me donner des ordres ou me faire du chantage plus longtemps. Je suis comme je suis, et c'est ainsi que tu m'as épousée. Et je me moque de tes menaces, conclut-elle avec calme.

Tout à coup, elle savait ce qu'elle faisait et ce qu'elle voulait.

— Je vais aller à Londres, et faire ce reportage. Je resterai là-bas une semaine, après quoi je reviendrai m'occuper des enfants – et de toi, d'ailleurs – comme je le fais toujours. Et tu sais quoi ? Personne n'en mourra. Tu ne peux pas continuer à me dicter ma conduite, Doug. Ce n'est pas juste, et je ne te laisserai pas faire.

Il l'écouta sans un mot. Puis il tourna les talons et monta l'escalier ; elle entendit la porte de la chambre à coucher claquer violemment.

India sentit un calme étrange l'envahir. Elle avait osé tendre la main et prendre ce qu'elle voulait. C'était la première fois, et elle était terrifiée, mais en même temps elle se sentait mieux que jamais.

Cela faisait des années, réalisait-elle, que Doug la traitait de cette façon. Dix-sept ans plus tôt déjà, il lui avait posé un ultimatum pour l'obliger à rentrer d'Asie ; si elle n'obéissait pas, avait-il dit, il sortirait de sa vie. Et parce qu'elle avait perdu son père quand elle était encore très jeune, elle avait pensé que perdre Doug serait la pire chose qui pût lui arriver. Maintenant, cependant, **elle** réalisait qu'il y avait pire encore : se perdre elle-même. Elle **ne pensait pas** que Doug la quitterait vraiment, elle espérait que non, en tout cas ; mais si cela se produisait, elle était prête à l'assumer.

Elle attendit un moment avant de monter à l'étage. Lorsque enfin elle se décida, elle trouva la lumière éteinte. Doug était couché, mais elle ne l'entendait pas ronfler.

— Tu es réveillé ? murmura-t-elle.

Il ne répondit pas, mais elle sentit que oui, et s'approcha. Effectivement, il avait les yeux ouverts. Elle resta debout au pied du lit dans l'obscurité et le vit bouger, mais il ne dit rien.

— Je suis désolée que cela ait dû se passer ainsi, Doug. J'aurais de loin préféré que tu acceptes de me laisser partir. Je t'aime très fort... mais il faut que je le fasse. Pour moi-même. C'est difficile à expliquer...

Ou plutôt, c'était très simple pour elle de l'expliquer, mais impossible pour lui de le comprendre. Il voulait lui dicter sa loi, la menacer pour qu'elle s'y plie. Depuis toujours, il la maintenait ainsi en son pouvoir, tablant sur la peur panique qu'elle avait de le perdre. Mais elle ne pouvait avoir peur éternellement.

— Je t'aime, Doug, répéta-t-elle, comme pour le rassurer, ou pour se rassurer elle-même.

Mais il ne répondit pas.

Un moment plus tard, elle se rendit dans la salle de bains et prit une douche. Elle resta longtemps sous le jet brûlant, un sourire aux lèvres.

Elle avait osé.

15

COMME promis, India prépara un dîner traditionnel de Thanksgiving la veille du jour férié. Le repas fut délicieux ; ils formaient, vus de l'extérieur, une famille parfaite. Cependant, Doug n'ouvrit pas la bouche du dîner. Nul ne pouvait ignorer ce qu'il pensait du départ d'India.

Elle avait parlé elle-même du reportage aux enfants, et une fois le premier choc passé, ils s'étaient tous montrés ravis pour elle, surtout les filles, qui trouvaient cette histoire de mariage royal « démente », selon leurs propres termes. Les garçons avaient accueilli la nouvelle avec davantage d'indifférence, mais contrairement à ce qu'avait prédit Doug, aucun des enfants ne s'était senti trahi ou abandonné.

Petite, India était terrorisée chaque fois que son père s'envolait pour des missions de six mois au Viêt-nam ou ailleurs. Mais son reportage à Londres n'avait rien de comparable, et tous s'en rendaient compte. Naturellement, les enfants étaient déçus qu'elle ne puisse passer Thanksgiving avec eux, mais dès qu'ils surent qu'elle allait tout de même leur préparer un vrai dîner traditionnel, ils se montrèrent ravis.

India partait pour Londres le matin de Thanksgiving et,

ce soir-là, Doug et les enfants devaient aller dîner chez des amis à Greenwich. En effet, Doug et India n'avaient plus de parents ni l'un ni l'autre. Sans doute, songeait la jeune femme, était-ce pour cette raison qu'elle avait toujours été si dépendante de son mari et de son approbation : à part leurs enfants, elle n'avait personne d'autre que lui.

Les enfants dévorèrent tout ce qu'elle leur avait cuisiné, et Jason affirma que c'était le meilleur dîner qu'elle eût jamais préparé ; elle le remercia en souriant. Après cela, tous s'installèrent dans le salon pour regarder un film pendant que Jessica et India nettoyaient la cuisine ; puis, lorsque son mari vint lui parler, India envoya Jessica rejoindre les autres. Doug avait l'air de plus en plus en colère.

— Cela ne te gêne pas de les transformer en orphelins pour la période des vacances ? demanda-t-il, cherchant une nouvelle fois à la culpabiliser.

— Ils ne sont pas orphelins, Doug. Ils ont une mère à qui il arrive de travailler, et ils semblent le comprendre bien mieux que toi.

— Tu me répéteras ça quand ils commenceront à avoir des résultats désastreux à l'école pour exprimer leur mécontentement !

— Je ne pense pas que cela se produise, se contenta de répondre India avec calme.

Gail avait accepté de conduire les enfants à l'école à sa place, durant son absence, et leur baby-sitter habituelle devait venir chaque jour de quinze à vingt et une heures. Jessica avait même promis de l'aider à préparer le dîner. Tout était en ordre, et India avait laissé six pages d'instructions précises en cas de besoin. Le seul problème, c'était... Doug. Mais jamais India ne s'était sentie aussi forte de sa vie, aussi déterminée. Paul l'avait appelée durant la semaine et lui avait dit qu'il était fier d'elle, et elle avait promis de lui téléphoner de Londres. L'*Etoile-des-Mers* se trouvait en Turquie. Il avait dit qu'il avait hâte d'avoir de ses nouvelles.

— Tu vas bien être obligée de tenir compte de moi à ton retour, India, la menaça Doug une nouvelle fois.

Cela ne le gênait nullement de la torturer ainsi. Mais India refusait de l'écouter. Qu'est-ce qui avait changé en elle ? Elle l'ignorait ; elle savait seulement qu'elle ne pouvait continuer à vivre enfermée dans une cage, et que celle qu'il avait refermée sur elle quatorze ans plus tôt ne lui permettait pas d'ouvrir ses ailes. Elle n'avait plus le choix. Quoi qu'il lui en coûtât, il fallait qu'elle aille au bout de son projet.

Raoul avait été aux anges, quand elle l'avait appelé pour lui annoncer la bonne nouvelle. Elle allait être très décemment payée, et comptait utiliser cet argent pour offrir un beau cadeau de Noël aux enfants, peut-être un voyage quelque part, à la montagne par exemple.

Elle laissa les enfants veiller tard, dans la mesure où le lendemain était un jour férié. Au moment de partir, très tôt le matin, elle alla les voir dans leurs chambres : tous dormaient, mais chacun ouvrit un œil lorsqu'elle se pencha pour l'embrasser, et murmura quelque chose du genre « Passe un bon moment, m'man » quand elle promit de leur téléphoner. Elle avait donné à chaque enfant le nom de son hôtel ainsi que le numéro de téléphone et, pour plus de sécurité, elle l'avait également affiché sur le panneau de liège de la cuisine. Bref, tout était organisé à la perfection, et elle n'en revenait pas de constater à quel point cela avait été facile. Une fois encore, son seul problème avait été son mari.

Quand elle retourna dans la chambre pour lui dire au

revoir, il lui jeta un coup d'œil mauvais. Il s'était réveillé en même temps qu'elle, mais avait fait semblant de dormir ; à présent, il était assis dans le lit, immobile et muet, l'image même de la réprobation.

— Je t'appellerai aussi souvent que possible, lui dit India comme si elle s'adressait à un enfant.

Et c'était exactement à un enfant capricieux et boudeur qu'il faisait penser, en cet instant, avec son air buté et ses bras croisés sur sa poitrine. Il n'esquissa pas un geste vers elle.

— Ne prends pas cette peine, rétorqua-t-il seulement. Je n'aurai rien à te dire jusqu'à ton retour.

Il semblait le penser vraiment.

— Et ensuite ? Tu me jetteras dehors dans la neige ? Allons, Doug, sois un peu fair-play, et souhaite-moi bonne chance. S'il te plaît ? Ça fait des années que je n'ai pas fait un reportage comme ça... C'est terriblement excitant pour moi.

Mais il ne se réjouissait pas pour elle. Au contraire, il était plus mécontent que jamais, et il souhaitait qu'elle ait peur de l'avenir, des répercussions de son geste.

De fait, la jeune femme craignait encore ses réactions, mais plus assez pour renoncer à son reportage. Il l'avait poussée à bout.

— Je t'aime, Doug, dit-elle simplement en sortant de la pièce.

C'était vrai, mais la réciproque l'était-elle ? Doug ne répondit rien, en tout cas, et elle descendit l'escalier en soupirant, son équipement photographique sur l'épaule. Arrivée dans le salon, elle prit sa valise et sortit attraper la navette qui devait l'emmener à l'aéroport.

Le trajet fut court, même s'ils s'arrêtèrent à plusieurs reprises pour laisser monter d'autres passagers. Pour la première fois depuis des années, India se sentait indépendante. Jamais encore elle n'était allée où que ce fût sans ses enfants, et le sentiment de liberté qui l'envahissait était merveilleusement enivrant.

Après avoir enregistré ses bagages, elle se promena dans le terminal de l'aéroport et acheta des magazines, puis elle téléphona à Raoul afin de voir s'il avait des instructions de dernière minute à lui donner. Il lui promit de lui envoyer un fax s'il recevait de nouvelles informations à propos du second reportage, mais à part cela il n'avait rien à ajouter. Il lui souhaita bon voyage et, aussitôt après avoir raccroché, elle se dirigea vers sa porte d'embarquement.

L'avion partit à l'heure prévue. Ils devaient arriver à Londres à neuf heures ce soir-là ; quelqu'un viendrait chercher India à Heathrow pour l'emmener directement à un bal donné par la reine en l'honneur des fiancés, dans le célèbre Painted Hall de la Royal Naval Academy, à Greenwich. India avait emporté une longue jupe en velours avec un haut assorti et un rang de perles, et elle avait prévu de se changer dans la limousine qui la conduirait de l'aéroport à la soirée. C'était fort différent des reportages qu'elle avait faits par le passé, mais elle avait hâte d'être arrivée.

Durant le vol, elle lut beaucoup, dormit un peu, et goûta le déjeuner qu'on lui servit ; puis, pendant un moment, elle regarda par le hublot, songeant à ses enfants. Elle savait qu'ils allaient lui manquer, mais ne s'inquiétait pas : ils se débrouilleraient parfaitement pendant sa courte absence, elle en était certaine. Alors, elle pensa à Doug, et aux choses qu'il lui avait dites, au pouvoir qu'il avait exercé sur elle pendant si

longtemps, et aux raisons qui l'avaient poussé à agir ainsi.
Cela semblait si injuste... A présent qu'elle y réfléchissait, elle
n'éprouvait plus de la colère, mais du chagrin. S'il l'avait
laissée partir sans faire d'histoires, s'il avait accepté qu'elle
évolue à son rythme, tout se serait bien mieux passé. Mais
Doug voulait la contrôler, la contraindre à lui obéir.

Elle s'endormit sur cette pensée déprimante, et somnolait
encore lorsqu'ils atterrirent à Heathrow. Cependant, dès
qu'elle se retrouva à l'intérieur de l'aéroport, elle fut envahie
d'une excitation intense, et réalisa qu'enfin elle avait pris son
envol. Pour la première fois depuis plus de quinze ans, elle
avait agi par et pour elle-même... Elle souriait toute seule en
se dirigeant vers le poste de douane. Cela faisait des années
qu'elle n'était pas venue à Londres, et elle mourait d'impatience. Quel meilleur moyen de redécouvrir une ville que
dans de telles conditions ?

Comme prévu, un chauffeur l'attendait, et il la conduisit
en ville aussi vite qu'il le put, tandis qu'elle changeait de
vêtements à l'arrière de la limousine et se coiffait tant bien
que mal. Lorsqu'elle jeta un coup d'œil à son image dans le
rétroviseur, elle décida qu'elle pourrait passer l'inspection
sans trop de problèmes. Et puis, elle n'était pas là pour être
belle, mais pour prendre des photos. Nul ne se préoccuperait
de son apparence.

Déjà, ils approchaient de la Royal Naval Academy. Elle
vit des cadets en grand uniforme debout à l'extérieur, des
fusils anciens sur l'épaule ; ils se mettaient au garde-à-vous
lorsque des invités entraient ou sortaient. Le lieu lui-même
était très impressionnant : les bâtiments entouraient un
immense carré de pelouse et une chapelle, au dôme somp-
tueux, datant de 1779.

India prit quelques photos rapides de l'extérieur, et se dépêcha d'entrer pour rejoindre les invités du bal. Tout en montant l'escalier, elle eut le temps d'admirer les magnifiques peintures qui ornaient les murs et le plafond ; on se serait cru à Versailles ou à la chapelle Sixtine. Dans la grande salle, au moins quatre cents personnes étaient rassemblées et, dès son arrivée, India commença à les mitrailler. Elle n'eut aucun mal à repérer les personnages les plus éminents : le prince Charles, la reine des Pays-Bas, celle du Danemark et celle de Norvège... Elle reconnut également le président français et plusieurs autres. De loin, elle aperçut la reine Elisabeth, entourée de gardes, qui bavardait, apparemment détendue, avec le Premier ministre britannique, le président américain et la First Lady. India avait dû montrer son accréditation en arrivant, mais l'avait ensuite rangée dans sa poche ; elle passa les quatre heures qui suivirent à se glisser discrètement de groupe en groupe, sans que nul ne fît attention à elle. Lorsque, à deux heures du matin, la soirée arriva à son terme, elle savait qu'elle avait fait de très bonnes photos. Elle reconnaissait ce sentiment de satisfaction à nul autre égal qu'elle éprouvait toujours lorsqu'elle sentait qu'elle avait réussi un reportage.

La reine était partie depuis longtemps et, un à un, les illustres invités prenaient le chemin de la sortie. India entendit plusieurs d'entre eux affirmer que la soirée avait été merveilleusement réussie. Certains se dirigèrent vers la chapelle, et India les suivit afin de prendre un dernier rouleau de pellicule dans la magnifique église, après quoi elle remonta dans sa limousine et repartit en direction du centre-ville.

Une chambre lui avait été réservée au Claridge. Elle pénétra dans le hall du luxueux hôtel, sa valise à la main et son matériel photo sur l'épaule, et réalisa qu'elle était épuisée. Il était deux heures et demie du matin, soit seulement vingt heures trente aux Etats-Unis, mais cela faisait des heures qu'elle travaillait, et le voyage, avant cela, avait été long. Malgré tout, elle était aux anges ; elle ne s'était pas sentie aussi bien depuis des années. C'était comme au bon vieux temps, bien qu'à l'époque sa garde-robe consistât en tenues de combat et rangers plutôt qu'en jupes de velours et escarpins... Elle savait qu'elle n'oublierait jamais cette soirée.

Elle avait hâte de se déshabiller et d'aller au lit, et s'endormit dès que sa tête toucha l'oreiller.

Ce fut la sonnerie du téléphone qui la tira de son sommeil. Un instant, elle se demanda qui pouvait bien la réveiller en pleine nuit, mais en ouvrant les yeux, elle constata qu'il faisait grand jour. Un coup d'œil à sa montre lui apprit qu'il était dix heures du matin, en ce froid matin de novembre. Elle se souvenait qu'il lui fallait être quelque part à midi et sursauta : elle n'avait pas entendu son réveil sonner.

— Allô ? dit-elle d'une voix endormie en s'étirant et en regardant autour d'elle.

La chambre n'était pas très grande, mais décorée de façon charmante, en chintz bleu orné de motifs floraux.

— Je croyais que vous étiez censée travailler ?

— Ma foi, c'est le cas... Qui êtes-vous ?

Ce n'était pas du tout la voix de Raoul... Tout à coup, elle comprit : c'était Paul, qui lui téléphonait de Turquie.

— Oh, pardonnez-moi, je ne vous avais pas reconnu... J'étais profondément endormie. Heureusement que vous avez appelé.

— Comment ça se passe ? s'enquit-il d'une voix détendue.

— Très bien. La soirée de la nuit dernière a été formidable ; il y avait une foule de gens illustres, et plus de rois et de reines que dans un jeu de cartes ! Et le Painted Hall est vraiment un endroit sublime.

— Oui, n'est-ce pas ? Serena et moi y avons assisté une fois à une soirée donnée en l'honneur d'un auteur que j'aime beaucoup, Patrick O'Brian. Peut-être le connaissez-vous, il est spécialisé dans les histoires maritimes. Je me souviens que le Painted Hall m'avait vraiment semblé grandiose, à l'époque.

India avait souvent l'impression qu'il était allé partout. Malgré tout, il parut impressionné lorsqu'elle lui énuméra les personnes présentes au bal de la reine.

— Je crois que j'ai pris quelques photos vraiment réussies.

— Alors, quel effet cela fait-il de travailler de nouveau ?

Paul sourit en imaginant India dans sa petite chambre du Claridge. Il lui suffisait de fermer les yeux pour la voir. Sachant combien le pas avait été difficile à franchir pour elle, il était conscient que c'était une véritable victoire, et qu'elle signifiait beaucoup de choses. Il était heureux pour elle.

— C'est passionnant. J'adore ça.

Elle lui avait également parlé du second reportage, et il s'inquiétait un peu pour elle ; cependant, il lui faisait confiance, et elle lui avait expliqué que la police la protégerait.

— Et vous, Paul, demanda-t-elle, comment allez-vous ?

Il semblait un petit peu mieux, ces derniers temps, mais elle savait que la période de Thanksgiving ne devait pas être facile pour lui, même s'il avait évité les festivités américaines en restant en Turquie.

264

— Vous n'auriez pas l'intention de passer à Londres, cette semaine, par hasard ?

C'était une idée en l'air, et elle savait instinctivement qu'il ne la prendrait pas au mot. Il avait encore besoin de fuir le monde à bord de l'*Etoile-des-Mers*.

— Je ne pense pas, dit-il avec honnêteté. Pourtant, j'aimerais vraiment vous revoir, India... Mais, de toute façon, vous serez probablement trop occupée durant votre séjour pour traîner avec de vieux amis.

Car c'était ce qu'ils étaient devenus, au cours des cinq derniers mois. India avait partagé ses peines avec Paul, elle s'était ouverte à lui chaque fois que Doug l'avait déçue ou blessée ; et, depuis la mort de Serena, Paul n'avait pas hésité à pleurer à maintes reprises en lui parlant.

— Je crois que j'ai peur de retourner à la civilisation, avoua Paul.

C'était encore trop douloureux pour lui. India hocha la tête ; elle le comprenait sans peine.

— Ce n'est pas encore nécessaire, souligna-t-elle, sachant qu'il pouvait contacter son bureau par ordinateur et fax, et que ses partenaires s'occupaient de l'essentiel de ses affaires en son absence.

Mieux valait qu'il reste à bord de son voilier, d'autant que celui-ci semblait avoir un effet apaisant sur lui.

— Comment étaient les enfants lorsque vous êtes partie ? J'ai beaucoup pensé à vous, hier matin.

— C'est très gentil. Ils allaient très bien, ma foi, beaucoup mieux que Doug. Nous avons fêté Thanksgiving avant-hier, et c'est à peine s'il m'a adressé la parole. Il digère mal ma petite escapade, et je m'attends à des représailles à mon retour.

— Il faut vous endurcir et être fataliste. Que peut-il vous faire, de toute façon ?

— Me mettre dehors, pour commencer – au sens figuré, j'entends. Il pourrait me quitter, dit-elle d'un ton sérieux qui trahissait son inquiétude.

— Ce serait idiot de sa part. (Hélas, Doug était capable de se montrer à la fois stupide et borné, Paul le savait...) Je suis sûr qu'il essaie seulement de vous faire peur, affirma-t-il.

— Peut-être. Quoi qu'il en soit, maintenant, je suis venue, je suis là... Et je ferais mieux de me préparer si je ne veux pas rater la prochaine fête.

— C'est quoi, aujourd'hui ? s'enquit-il avec intérêt.

— Il faut que je vérifie mon emploi du temps... Je crois que ça commence par un déjeuner donné par le prince Charles au palais de Saint-James.

— Voilà qui devrait être amusant. Appelez-moi à votre retour pour tout me raconter.

— Je risque de rentrer très tard à l'hôtel ; je dois assister à un dîner, ce soir.

— Décidément, ce reportage m'a l'air bien éprouvant ! la taquina-t-il.

India sourit. Elle considérait un peu Paul comme son ange gardien ; lui seul savait combien elle avait souffert pour en arriver là, et elle était heureuse de partager cette victoire avec lui.

— Je me coucherai moi-même très tard, dit-il. N'hésitez pas à m'appeler, nous sommes presque dans le même fuseau horaire à présent. Je crois que nous ferons route vers la Sicile, demain. J'ai envie de passer quelque temps en Italie et en Corse. Et d'aller à Venise.

— Pour vous aussi, la vie est dure, Paul... Je vous plains de tout mon cœur.

— Vous devriez, répondit-il d'un ton plus grave qu'il ne l'aurait voulu.

India se mordit la lèvre, consciente de la solitude de Paul depuis la disparition de sa femme. Serena lui manquait toujours terriblement, et India le soupçonnait de s'endormir en larmes – ou ivre mort – plus souvent qu'il ne voulait bien l'admettre. Mais trois mois seulement s'étaient écoulés depuis l'accident ; il fallait laisser le temps faire son œuvre.

— Je vous appellerai, promit-elle.

Lorsqu'ils eurent raccroché, elle s'approcha de la fenêtre, et jeta un coup d'œil à Brook Street, au-dessous d'elle. Tout semblait très propret, très familier, très anglais. Elle était si heureuse d'être là ! Elle songea alors qu'elle devait trouver des cartes postales pour les enfants. Elle le leur avait promis, et elle avait également l'intention d'aller chez Hamley's, si elle le pouvait, afin d'acheter des jeux pour Sam, Aimée et Jason. Pour Jessica, elle voulait trouver quelque chose de plus adulte ; peut-être passerait-elle chez Harvey Nichols, si elle avait le temps entre les deux reportages. Mais pour commencer, il fallait qu'elle aille travailler.

Elle pensait encore à Paul lorsqu'elle entra dans sa salle de bains et se glissa dans l'immense baignoire. Elle prenait vraiment un grand plaisir à discuter avec lui, et espérait avoir un jour l'occasion de le revoir. Pour elle, il était un merveilleux ami, même à distance.

Durant tout l'après-midi, elle fut très occupée par son reportage, mais tout se passa fort agréablement. Elle découvrit même qu'elle connaissait un des autres photographes, un Irlandais plein d'humour nommé John O'Malley. Ils avaient effectué un reportage ensemble au Kenya autrefois, et ne s'étaient pas vus depuis près de vingt ans. Lorsqu'ils eurent terminé de prendre leurs photos, il l'invita au pub voisin pour bavarder devant un verre.

— Où diable étais-tu passée ? Je croyais que tu avais fini par te faire descendre durant une de tes enquêtes ! s'exclama-t-il, de toute évidence ravi de la voir.

— Eh non ! Je me suis mariée et j'ai eu quatre enfants. En fait, je suis à la retraite depuis quatorze ans.

— Alors, qu'est-ce qui t'a décidée à revenir maintenant ? demanda-t-il, un large sourire aux lèvres, en buvant une rasade de whiskey.

— Ça me manquait.

— Tu es folle – mais ça, je l'ai toujours su, dit-il avec conviction. Moi qui donnerais n'importe quoi pour prendre ma retraite et être entouré d'une femme et de quatre enfants ! Cela dit, on ne peut guère qualifier ce reportage-ci de dangereux. Rien à voir avec ceux que tu faisais autrefois... A moins que les membres de la famille royale ne nous attaquent en justice. Ce n'est pas impossible, tu sais. Il suffirait d'une petite prise de bec autour des hors-d'œuvre, et hop ! Sans compter l'IRA. Parfois, j'ai honte d'avouer que je suis irlandais.

Ils en vinrent à parler de l'attentat terroriste de septembre, et India lui expliqua que la femme d'un de ses amis était à bord de l'avion.

— Une honte. Les trucs comme ça me rendent malade. Je ne peux pas m'empêcher de penser aux enfants. Tuez les militaires, faites sauter les usines qui fabriquent les missiles, mais, pour l'amour du ciel, laissez les enfants en paix ! Et pourtant, ces ordures s'en prennent toujours à eux. Chaque groupuscule en manque de publicité finit par tuer des gosses. Il avait passé pas mal de temps en Bosnie, et avait détesté ce qu'il y avait vu. Des enfants croates décapités par des militaires serbes dans les bras de leurs mères... Des bébés orphelins hurlant dans des villages abandonnés... C'était la pire expérience qu'il eût vécue depuis le Rwanda.

— Ne fais pas attention à ce que je raconte, India, reprit-il avec un sourire désabusé. La cruauté des hommes est l'un de mes sujets de prédilection, surtout après un ou deux whiskeys. Au troisième, je deviens romantique. Et alors, attention !

John n'avait pas changé avec le temps, et India prenait plaisir à bavarder avec lui. Il lui présenta un autre journaliste, qui vint les rejoindre à leur table. Le nouveau venu, australien, n'était pas aussi chaleureux que John O'Malley, mais sa façon pince-sans-rire de commenter le déjeuner chez le prince les fit rire aux larmes. Il affirma avoir travaillé avec India de longues années plus tôt, à Pékin, mais la jeune femme ne se souvenait pas de son visage.

Lorsqu'ils quittèrent le pub, John O'Malley était bien éméché ; India, pour sa part, devait retourner au Claridge se changer avant la soirée. Par chance, c'était la dernière avant le mariage. Elle avait lieu dans un hôtel particulier sur Saint James Place. Des valets de pied en livrée accueillaient les invités avant de les faire entrer dans une immense salle de bal aux lustres étincelants.

Lorsque la jeune femme retourna à son hôtel, il était minuit, et elle appela les enfants qui, décalage horaire aidant, s'apprêtaient tout juste à passer à table. Elle parla à chacun d'eux ; tout paraissait bien se passer. Ils lui dirent qu'ils s'étaient beaucoup amusés à Greenwich la veille, qu'elle leur manquait, et que, le samedi suivant, leur père avait promis de les emmener faire du patin à glace. Mais lorsque India demanda à parler à Doug, il fit répondre par les enfants qu'il était occupé : il préparait le dîner. Il aurait fort bien pu décrocher le téléphone dans la cuisine, comme elle le faisait toujours lorsqu'on l'appelait à l'heure des repas, et elle comprit le message. Il lui avait dit qu'il ne lui parlerait pas avant son retour, et de toute évidence il avait l'intention de tenir parole.

Elle se sentit un peu seule après avoir raccroché, et décida d'appeler Paul, espérant le trouver encore debout. Il l'était en effet, et ils bavardèrent un long moment. India lui raconta la soirée ; Paul, coïncidence amusante, connaissait ceux qui l'avaient organisée, ainsi que la plupart des invités présents, et il rit des descriptions pleines d'humour que lui fit India. Ç'avait été une soirée intéressante, réunissant une foule d'aristocrates et de gens distingués. India comprenait que le journal eût insisté pour embaucher quelqu'un de discret et de bien élevé, et se sentait flattée d'avoir été choisie.

— A quelle heure a lieu le mariage, demain ? demanda Paul en réprimant un bâillement.

Il commençait à être fatigué, d'autant que la mer avait été un peu agitée ce soir-là. Mais cela ne le dérangeait pas ; au contraire, il adorait naviguer par gros temps.

— A cinq heures, répondit India.

— Qu'allez-vous faire en attendant ?

— Dormir ! s'exclama-t-elle en souriant. (Depuis son arrivée, elle n'avait pas eu le temps de souffler.) En fait, j'ai surtout l'intention d'aller voir les policiers avec qui je dois travailler sur l'autre reportage. Ils m'ont laissé un message ;

l'opération de démantèlement du réseau de prostitution commence dimanche.

— Vous ne perdez pas beaucoup de temps, n'est-ce pas, India ?

Serena avait été comme cela, elle aussi, songea-t-il. Elle travaillait toujours à quelque chose : un nouveau livre, un nouveau script, une relecture, des épreuves... Cela manquait douloureusement à Paul. Tout chez elle lui manquait.

— Appelez-moi demain pour me raconter le mariage, d'accord ?

Il était heureux de pouvoir parler à India à n'importe quel moment, de ne pas avoir à attendre que son mari soit parti pour entendre sa voix.

— D'accord, je vous passerai un coup de fil en rentrant à l'hôtel.

— Parfait. Nous serons probablement en mer ; vous savez combien j'aime naviguer de nuit. C'est moi qui serai de garde à partir de minuit, mais je peux décrocher le téléphone dans la timonerie, alors n'hésitez pas à appeler. Ça m'a fait plaisir de bavarder avec vous, India. Vous êtes mon seul lien avec le monde extérieur.

Il n'avait pas envie de vivre dans ce monde sans Serena ; mais en entendre parler à travers le filtre d'India le distrayait agréablement.

— Vous finirez par y revenir un de ces jours, quand vous en aurez envie.

— Je suppose. Mais je n'arrive pas à m'imaginer sans elle au milieu de tous ces gens, reconnut-il tristement. Nous faisions tant de choses amusantes, ensemble ! Je ne pense pas que je pourrais les faire tout seul. Je suis beaucoup trop vieux pour recommencer à zéro.

271

C'était faux, bien sûr, mais il avait cette impression ; comme si la perte de Serena lui avait fait prendre dix ans.

— On croirait m'entendre ! s'exclama India. Si je ne suis pas trop vieille pour me remettre à travailler, vous, vous n'êtes pas trop vieux pour recommencer à vivre normalement, quand vous vous sentirez prêt.

Ils avaient treize ou quatorze ans de différence, mais ni l'un ni l'autre n'en avait conscience. Parfois, ils se comportaient comme frère et sœur, et à d'autres moments vibrait entre eux une sorte de tension électrique troublante, qu'India avait déjà ressentie lors de leurs premières rencontres sur l'*Etoile-des-Mers*. Mais Paul n'y faisait jamais allusion ; il ne voulait pas trahir Serena. Et il se sentait toujours coupable de ne pas avoir été à bord de l'avion avec elle. Pourquoi lui avait-il survécu ? Il ne trouvait pas de réponse à cette question. Son fils était adulte, ses petits-enfants menaient une vie agréable. Personne n'avait plus besoin de lui, désormais, et il le dit à India.

— Moi, si, affirma-t-elle avec douceur. J'ai besoin de vous.

— Bien sûr que non. Vous êtes lancée, à présent.

— N'en soyez pas si sûr... Quand je suis partie, Doug refusait de m'adresser la parole. Attendez que je sois rentrée à Westport. Ça va être l'enfer, et vous le savez.

— Peut-être. N'y pensez pas maintenant, en tout cas. Vous avez beaucoup de choses qui vous attendent avant ça.

Mais, tôt ou tard, le problème se poserait : elle avait prévu de rentrer chez elle le vendredi suivant, afin d'être avec ses enfants durant le week-end.

— Je vous appellerai demain, promit-elle de nouveau avant de raccrocher.

C'était étrange de voir à quel point ils étaient à l'aise l'un avec l'autre, songea India. Elle avait l'impression de connaître Paul depuis toujours, alors qu'elle ne l'avait rencontré que l'été précédent. Toutes les difficultés qu'ils avaient traversées ensemble durant ces quelques mois les avaient beaucoup rapprochés.

Elle était allongée dans l'obscurité et sombrait doucement dans le sommeil lorsque le téléphone sonna de nouveau. Elle songea que c'étaient peut-être les enfants qui rappelaient, ou Doug, mais reconnut la voix de Paul.

— Dormiez-vous ? demanda-t-il dans un murmure.

— Non. J'étais allongée dans le noir, et je pensais à vous.

— Moi aussi. Je voulais juste vous dire que j'admire ce que vous avez fait, India. Et que je suis fier de vous...

— Merci. C'est très important pour moi, dit-elle avec sincérité.

— Vous êtes quelqu'un de formidable. Je... je ne m'en serais jamais sorti, sans vous, ajouta-t-il avec des larmes dans la voix.

— Moi non plus, chuchota-t-elle. C'est exactement ce que j'étais en train de me dire quand vous avez appelé.

— Nous nous verrons, un de ces jours. Quelque part, à un moment ou à un autre. Je reviendrai. J'ignore encore quand, mais je reviendrai.

— Ne vous inquiétez pas. Faites ce que vous avez à faire.

— Bonne nuit, dit-il d'une voix très douce.

Elle raccrocha, ferma les yeux et s'endormit aussitôt en pensant à lui, un sourire aux lèvres.

16

LE MARIAGE, le lendemain, fut grandiose ; et sans même avoir à développer ses photos, India sut qu'elle avait réalisé des clichés extraordinaires. La mariée, en robe de chez Dior, était sublime. C'était une jeune femme petite et d'ossature délicate, très mince ; sa traîne semblait s'étendre à n'en plus finir derrière elle, et sa belle-mère lui avait offert un diadème ravissant. Tout était parfaitement réglé. La cérémonie avait lieu à la cathédrale Saint-Paul, et on ne comptait pas moins de quatorze demoiselles d'honneur. Bref, il s'agissait d'un véritable mariage de conte de fées, et India avait hâte de montrer les photos aux enfants.

La réception, donnée à Buckingham Palace, était interdite à la presse, si bien qu'India put rentrer à son hôtel relativement tôt, ce soir-là. Il était dix heures quinze lorsqu'elle appela Paul, après avoir téléphoné aux enfants. Ces derniers revenaient tout juste de la patinoire et buvaient un chocolat chaud dans la cuisine ; lorsqu'elle avait demandé à parler à leur père, ils avaient répondu qu'il était sorti. Elle n'avait pas su si elle devait les croire ou non : il semblait étrange que les enfants fussent à la maison sans lui. Mais elle avait préféré ne pas insister.

Paul lui dit qu'il se trouvait dans le grand salon du voilier et qu'il lisait en attendant son tour de garde, qu'il prenait à minuit.

— Comment était-ce ? demanda-t-il, toujours curieux de l'entendre parler de son travail.

— Incroyable, une vraie féerie. Ça a dû coûter au moins un million de dollars !

— Probablement, acquiesça-t-il en riant.

Il semblait de bonne humeur, et cela réchauffa le cœur de la jeune femme.

— Serena et moi nous sommes mariés à la mairie, poursuivit-il, et ensuite, je me souviens que nous avons acheté des hot dogs au chili con carne à un marchand ambulant avant d'aller passer la nuit au Plaza. C'était peu orthodoxe, mais très romantique, en fait. Au départ, Serena ne voulait pas m'épouser, alors quand elle a fini par accepter, j'ai préféré ne pas attendre une minute de plus ! Elle a passé notre nuit de noces à m'énumérer toutes les choses qu'elle ne ferait pas pour moi, à répéter qu'elle ne serait jamais une bonne épouse, et que je ne la posséderais jamais.

Encore maintenant, Paul ne pouvait s'empêcher de parler constamment de Serena, mais cela n'avait pas l'air de déranger India, et il lui en savait gré.

— Je regardais la jeune mariée aujourd'hui, dit-elle, et je ne pouvais m'empêcher de me demander si elle serait heureuse. Ce doit être affreux de s'apercevoir qu'on s'est trompé de personne, après un mariage aussi grandiose...

— Serena et moi, en tout cas, avec nos hot dogs et notre nuit au Plaza, je trouve que nous nous en sommes bien sortis.

— Mieux que la plupart des gens, acquiesça India non sans un certain vague à l'âme.

275

— Vous aussi, vous vous êtes plutôt bien débrouillée, affirma Paul.

— Et le bateau, aujourd'hui ? demanda India qui voulait détourner la conversation et savait combien il aimait parler de voile.

— Pas de problème, répondit-il avant de changer de sujet à son tour. Etes-vous allée voir la police comme prévu ?

— Oui. Avant le mariage, j'ai passé deux heures avec les personnes chargées de l'enquête. C'est vraiment une histoire sordide : ils prostituent des enfants de huit ans à peine, semble-t-il. C'est difficile à croire...

— Ça ne va pas être un reportage facile, observa Paul.

— Non, mais c'est davantage dans mes cordes que les mariages royaux !

Malgré tout, son cœur s'était serré lorsque les policiers lui avaient montré des photographies de certaines petites victimes de l'odieux trafic. Les enquêteurs prévoyaient une opération d'envergure deux jours plus tard, et lui avaient proposé de les accompagner.

— Est-ce dangereux, pour vous ? demanda Paul.

— Ça pourrait l'être, reconnut-elle avec honnêteté. C'est la raison pour laquelle j'ai préféré ne rien dire à Doug.

— J'espère qu'il ne vous arrivera rien.

En aucune manière, Paul n'aurait voulu se mêler de sa vie ou de son travail, mais l'idée qu'elle pût être blessée lui était odieuse.

— De toute façon, les policiers seront obligés de faire attention, à cause des enfants. Mais les types qui dirigent le réseau ont l'air d'être des durs. Les policiers pensent que certaines des petites filles ont été vendues à ces proxénètes par leurs parents.

— Seigneur, c'est horrible...

India hocha la tête comme s'il avait pu la voir. Ensuite, la conversation roula sur des sujets plus plaisants. Paul lui parla du livre qu'il lisait et de ses projets, une fois arrivé en Sicile. Il avait hâte de se rendre à Venise ; c'était la première fois qu'il y emmenait l'*Etoile-des-Mers*.

— Ce doit être merveilleux d'être à Venise à bord de votre voilier, observa India d'un ton rêveur.

— C'est vraiment dommage que Sam et vous ne puissiez vous joindre à moi.

— Il adorerait ça, croyez-moi.

— Et ça vous plairait aussi, j'en suis sûr...

Ils bavardèrent encore un moment, puis Paul lui dit qu'il devait aller régler certaines voiles et jeter un coup d'œil au radar ; mais il promit de la rappeler le lendemain.

Pour India, ce jour-là marquait la fin des mondanités. Le temps des cocktails et des robes longues était révolu : désormais, elle travaillerait en jean, dans de petites pièces enfumées, et boirait du café froid dans des gobelets en plastique...

Avant de se coucher, elle lut les documents que les policiers lui avaient remis le matin même, afin de se familiariser avec l'affaire et avec les hommes qui dirigeaient l'odieux réseau. C'étaient de véritables monstres, et à l'idée qu'on pût prostituer des enfants de l'âge d'Aimée ou de Sam, la jeune femme avait l'estomac retourné. Heureusement, ses enfants à elle ne connaîtraient jamais cet univers sordide. Ils n'auraient même pas pu en concevoir l'existence... Elle aussi, en tant qu'adulte, trouvait cela inimaginable, et Paul avait eu la même réaction.

Le lendemain, elle alla rejoindre les policiers à midi, et à huit heures du soir elle était toujours avec eux. Lorsqu'ils eurent terminé de dresser les plans de l'opération du lendemain, deux inspecteurs l'invitèrent à dîner dans un pub voisin, et ils eurent une conversation très intéressante. Les deux hommes buvaient beaucoup, et lui donnèrent une foule de renseignements qu'elle n'aurait jamais pu obtenir dans d'autres circonstances.

A son retour au Claridge, elle trouva un message des enfants : ils étaient tous sortis voir un film au cinéma, et lui envoyaient de gros baisers. Il y avait également un message de Paul mais, quand elle essaya de le rappeler, on lui dit qu'il était occupé.

Elle s'apprêtait à partir, le lendemain matin, lorsqu'il l'appela.

— Désolé pour hier soir. Nous avons essuyé une tempête, avec des vents de cinquante nœuds.

Il était évident, à sa voix, qu'il avait passé un moment extraordinaire à lutter contre les éléments déchaînés.

De son côté, elle lui raconta ce que les policiers lui avaient appris, et lui annonça que l'opération devait avoir lieu ce soir-là à minuit.

— Je penserai à vous. Soyez prudente, dit-il sobrement.

— Promis.

C'était étrange, songea-t-elle. Jamais il n'avait été question d'amour entre eux, et pourtant, il lui parlait parfois comme un mari. Sans doute par habitude, et parce que Serena lui manquait. Rien ne laissait supposer à India qu'il était particulièrement attaché à elle, sinon le fait qu'il l'appelât aussi souvent ; et encore leurs conversations étaient-elles davantage celles de deux amis que de deux amants.

— Je ne sais pas à quelle heure j'aurai terminé. Certainement très tard dans la nuit, ou très tôt demain matin.

— J'espère que non.

278

Il avait de plus en plus conscience du danger qu'elle allait courir. Les proxénètes n'allaient certainement pas se laisser arrêter facilement, et il commençait à craindre qu'ils ne ripostent à l'intervention des policiers à coups de mitraillette... India risquait d'être blessée dans la bataille – ou pire.

— Ne prenez pas de risques inutiles, India. Laissez tomber, s'il le faut. Ça n'en vaut pas la peine.

Pour India, cela en valait toujours la peine... Néanmoins, maintenant qu'elle avait des enfants, elle ne pouvait plus se permettre de prendre autant de risques qu'autrefois. Elle en était consciente, et savait qu'elle devait faire attention.

— Appelez-moi quand ce sera terminé, quelle que soit l'heure, reprit Paul. Je veux être certain que vous êtes saine et sauve. Je vais être mort d'inquiétude.

— Il n'y a pas de raison. Je serai entourée d'une quinzaine de policiers, et je suppose qu'il y aura aussi des tireurs d'élite.

— Dites-leur de vous protéger.

— OK.

Après avoir raccroché, elle courut chez Hamley's acheter des souvenirs pour les enfants, puis elle se rendit chez Harvey Nichols, où elle trouva une superbe paire de chaussures et un chapeau très amusant pour Jessica. A midi, elle était au poste de police, comme prévu.

Durant les heures qui suivirent, elle écouta ce que disaient les policiers, tout en prenant des notes et des photos de l'équipe. A minuit, lorsqu'ils déclenchèrent l'opération, elle était tout aussi prête qu'eux. Elle pénétra chez les proxénètes juste derrière la première équipe, son appareil photo en main, protégée par un gilet pare-balles.

Il n'y avait pas de mots pour décrire ce qu'ils trouvèrent dans la maison en apparence banale de Wilton Crescent, au cœur du West End. Des fillettes et des garçonnets de huit ou neuf ans, drogués pour la plupart, enchaînés aux murs ou attachés sur des lits, fouettés, frappés et violés par des hommes de tous âges et de toutes origines sociales... Chaque porte poussée révélait une nouvelle horreur. Les policiers découvrirent même parmi les clients deux éminents parlementaires britanniques. Ils les firent aussitôt conduire au poste.

L'opération fut un succès : les policiers parvinrent en effet à arrêter les hommes et la femme qui dirigeaient le réseau. De son côté, India put prendre des centaines de photos des tortionnaires et des enfants dont la plupart, originaires du Moyen-Orient ou d'Asie, ne parlaient pas anglais.

Les petits furent envoyés dans des foyers pour enfants et dans les hôpitaux des environs afin d'être examinés et soignés. Ils étaient, en tout, plus de trente. India avait le cœur brisé de les voir ainsi ; cependant, elle savait aussi que son reportage ouvrirait les yeux de beaucoup de gens, et cela la réconfortait d'avoir pu le faire. Elle avait elle-même porté une petite fille hors de la maison, une enfant de l'âge de Sam, au corps couvert de brûlures de cigarette et de marques de fouet, qui pleurait à fendre l'âme tandis qu'India la conduisait jusqu'à l'ambulance. Un gros homme d'une soixantaine d'années achevait tout juste de violer la fillette lorsque India l'avait délivrée. Elle aurait voulu le frapper de toutes ses forces avec son appareil photo, venger l'enfant martyrisée, mais elle s'était retenue, consciente que c'était désormais à la justice de punir les criminels.

— Ça va ? lui demanda Paul d'un ton anxieux lorsque, fidèle à sa promesse, elle l'appela, dès son retour à l'hôtel, à six heures du matin.

Il n'avait pas dormi de la nuit, tant il s'inquiétait pour elle.

— Physiquement, ça va, répondit-elle. Moralement... je ne suis pas sûre de pouvoir en dire autant. Paul, ce que j'ai vu cette nuit était tout simplement indescriptible. Je sais que je ne pourrai jamais l'oublier.

— Et le monde non plus, une fois que vos photos auront été publiées... ça a dû être atroce.

Elle lui raconta certaines des scènes qu'elle avait vues, et il en fut révolté.

— Vous croyez que vous allez pouvoir dormir un peu ? lui demanda-t-il avec sollicitude.

— Honnêtement, ça m'étonnerait, répondit-elle. J'ai envie de marcher, de prendre un bain, je ne sais pas... J'ai l'impression que, si je m'allonge, je vais devenir folle.

— Je suis vraiment désolé.

— Il n'y a pas de raison. Il fallait que quelqu'un fasse ce reportage, et je suis contente que ç'ait été moi.

Elle lui parla de la fillette qu'elle avait portée dans l'ambulance, et des brûlures de cigarette sur son petit corps émacié.

— C'est difficile d'imaginer que quiconque puisse faire des choses pareilles à un enfant, dit Paul dans un soupir. Est-ce que le reportage est fini, à présent ?

Il espérait que c'était le cas, mais India le détrompa. Elle devait retourner sur les lieux les jours suivants pour prendre d'autres clichés. Mais elle aurait fini jeudi, affirma-t-elle, et vendredi, elle reprendrait l'avion pour New York.

Paul faillit lui proposer de descendre passer un jour ou deux avec lui en Sicile à bord de l'*Etoile-des-Mers*, mais il savait qu'elle ne pourrait accepter, et estima qu'il serait cruel de la tenter. Par ailleurs, il n'était pas sûr d'être prêt à la revoir – ou plutôt, il était sûr de ne pas être prêt. Pourtant, il n'aurait pas hésité si cela avait pu aider India à oublier l'épreuve terrible qu'elle venait de vivre.

Ils parlèrent au téléphone un long moment. Le soleil se levait lentement sur Londres ; Paul avait l'impression d'être au côté d'India, et elle était heureuse de discuter avec lui. Jamais Doug n'aurait compris ce qu'elle éprouvait.

Enfin, Paul lui suggéra d'aller prendre un bon bain, d'essayer de dormir, et de le rappeler un peu plus tard. Lui-même, lorsqu'ils eurent raccroché, monta sur le pont du voilier et laissa son regard voguer sur les flots, tout en pensant à elle. Elle était extrêmement différente de Serena, et pourtant, il y avait une force incroyable en elle. D'une certaine façon, cela effrayait Paul. Il ne savait pas ce qu'il allait advenir d'eux, ni ce qu'il faisait. Et il préférait ne pas y penser.

Il n'était sûr que d'une chose : il avait besoin de lui parler. Il ne parvenait plus à imaginer une journée entière sans entendre sa voix...

De son côté, India se faisait exactement la même réflexion, allongée dans son bain, et elle se demandait où cela allait les mener. Que ferait-elle à son retour à Westport ? Elle ne pourrait pas l'appeler constamment. Doug s'en apercevrait en voyant la note de téléphone, et se demanderait ce qu'elle fabriquait.

Elle ne savait pas ce qui se passait réellement entre Paul et elle, ni pourquoi ils s'étaient soudain autant rapprochés. Mais il était comme une drogue dont elle serait devenue dépendante sans s'en apercevoir. Et lui aussi semblait avoir besoin d'elle. Oui, ils étaient indispensables l'un à l'autre, désormais, plus qu'ils n'auraient voulu l'admettre, plus même qu'ils n'en avaient conscience.

Petit à petit, avec le temps, et en dépit de la distance qui les séparait, ils avançaient doucement l'un vers l'autre. Et ensuite ? se demanda India en fermant les yeux. Sur quoi cela déboucherait-il ? C'était là une question à laquelle elle n'avait pas de réponse.

Au même instant, à bord de l'*Etoile-des-Mers*, alors qu'il pensait à elle, soulagé de la savoir saine et sauve, Paul Ward mit les mains dans ses poches d'un air pensif et, lentement, se dirigea vers sa cabine.

à comment

17

CETTE semaine-là, India continua à travailler avec la police et rassembla un maximum de détails sur l'affaire du réseau de prostitution enfantine. Elle prit encore des photos des coupables, ainsi que d'autres, poignantes, des enfants. En fin de compte, ils étaient trente-neuf, et presque tous avaient été placés dans des foyers, des hôpitaux ou des maisons d'accueil. Seule une petite fille, kidnappée deux ans plus tôt, avait été ramenée à ses parents. Les autres avaient tous été abandonnés, vendus ou donnés par leurs familles ; certains avaient même été troqués contre des marchandises. Le cœur serré, India se demandait comment ils feraient pour s'en sortir, après tout ce qu'ils avaient traversé.

Chaque soir, elle racontait à Paul les horreurs qu'elle avait vues et entendues dans la journée, et cela les conduisit à discuter d'autres choses, de leurs valeurs, de leurs peurs, de leurs enfances respectives. Comme elle, Paul avait perdu ses deux parents et était enfant unique. Depuis tout petit, il avait été poussé à réussir par il ne savait quels démons personnels ; c'était un battant-né, et il avait une véritable phobie de l'échec.

De son côté, India lui parla longuement de son père, et Paul comprit que pour elle il était un héros, bien qu'elle admît avoir beaucoup souffert de ses absences répétées. C'était d'ailleurs pour cette raison, disait-elle, qu'elle attachait maintenant une telle importance à sa vie de famille. Cela expliquait aussi le pouvoir que Doug exerçait sur elle, la peur qu'elle avait de le perdre, au point qu'elle avait toujours fait tout ce qu'il exigeait d'elle, obéi à ses ordres et essayé d'être à la hauteur de ses attentes. Elle ne voulait pas que ses enfants aient à vivre sans leur père.

Sa propre mère avait travaillé, mais son métier n'avait jamais semblé très important pour elle. C'était son père qui avait été le personnage central de leur existence à toutes les deux, et son absence, à sa mort, avait failli les détruire. Cela expliquait qu'India eût tant hésité à suivre l'exemple paternel, et qu'elle eût laissé Doug la convaincre d'abandonner sa carrière. Mais de même que son père n'avait jamais été capable de quitter un travail qui, pour lui, était comme une drogue, elle-même, après l'avoir sublimé pendant si longtemps, y était revenue, et elle avait redécouvert, au cours des derniers jours, combien elle l'aimait. De surcroît, elle était sûre, en photographiant ces enfants aux visages et aux corps ravagés par la souffrance, que son talent ferait la différence. En révélant leur douleur au monde entier, à travers son appareil et son propre regard, elle savait qu'une horreur pareille ne pourrait plus se reproduire aussi facilement. Grâce à elle, les gens ressentiraient jusqu'au fond d'eux-mêmes quel avait été le calvaire de ces enfants.

Sa dernière nuit à Londres arriva. Elle avait enfin terminé son reportage, et devait partir le lendemain dans la matinée. Etrangement, bien qu'elle n'eût pas vu Paul durant son

285

séjour en Angleterre, elle avait un peu l'impression d'avoir passé une semaine avec lui. Elle lui avait confié des choses qu'elle n'avait jamais dites à personne, dont elle n'avait même pas conscience jusque-là, et lui, de son côté, s'était ouvert à elle avec une franchise étonnante. Il lui avait parlé sans honte de ses rêves, de ses pensées les plus intimes, et de ses années avec Serena. Le portrait qu'il peignait de cette dernière en apprenait beaucoup à India, non seulement sur la femme qu'elle avait été, mais aussi sur Paul lui-même, et sur ses besoins.

De son vivant, Serena avait eu une personnalité si forte qu'elle poussait Paul à se dépasser, et qu'elle pouvait le soutenir quand, parfois, il doutait de lui-même. En revanche, elle avait toujours évité de s'appuyer sur lui, et fait en sorte de ne pas avoir besoin de lui – elle refusait d'être dépendante de quiconque. Par ailleurs, elle n'avait pas été de nature très affectueuse, si bien que Paul s'émerveillait des trésors de chaleur, de tendresse et de réconfort dont India faisait preuve à son égard, comme à celui de tous ceux qu'elle côtoyait. Il lui faisait entièrement confiance ; depuis quelque temps, seule la gentillesse d'India lui maintenait la tête hors de l'eau. Et elle, de son côté, semblait compter sur la force de son nouvel ami pour l'aider à aller de l'avant.

Il l'appela tard, la veille de son départ pour New York, et elle comprit à sa voix qu'il se sentait plus seul encore qu'à l'ordinaire.

— M'appellerez-vous, une fois de retour chez vous ? demanda-t-il.

Elle ne l'avait jamais fait, jusqu'alors ; c'était toujours Paul qui lui téléphonait.

— Ça risque de m'être difficile, répondit-elle avec sincérité. Je ne crois pas que Doug comprendrait. Je ne suis pas certaine de comprendre moi-même...

Elle espérait qu'il l'aiderait à clarifier les choses, mais il en était incapable. Il était encore bien trop obsédé par ses souvenirs pour savoir ce qu'il attendait d'India, ou même s'il attendait quelque chose d'elle. Pour l'instant, tous deux chérissaient l'amitié qui les unissait. Et si Paul, sur le papier, était libre, India, elle, était toujours une femme mariée.

— Est-ce que je pourrai vous téléphoner souvent ? Je veux dire, comme maintenant ? demanda-t-il.

Ils avaient tous deux pris l'habitude de leurs coups de fil quotidiens. Chaque soir, après avoir parlé aux enfants, India se réjouissait de pouvoir avoir une longue conversation avec Paul. Mais lorsqu'elle serait de retour à Westport, les choses seraient différentes.

— Je pense. A condition de m'appeler dans la journée. (Tant qu'il serait en Europe, le décalage horaire les favoriserait... India réfléchit un instant et poussa un soupir.) Je suppose que je devrais me sentir coupable vis-à-vis de Doug... Après tout, je n'aimerais pas qu'il fasse la même chose, qu'il passe des heures au téléphone avec une autre femme...

— Mais vous, vous ne le traiteriez pas comme il vous a traitée, n'est-ce pas ?

Tous deux connaissaient la réponse à cette question. India s'était toujours montrée aimante, serviable, compréhensive et raisonnable avec son mari. Elle avait rempli plus que sa moitié de ce fameux « contrat » dont Doug parlait constamment... C'était lui qui avait refusé de répondre à ses attentes ou de comprendre ses sentiments.

Malgré tout, India se sentit obligée de le défendre.

— Ce n'est pas un homme méchant, Paul... J'ai été très

heureuse pendant longtemps. Simplement, je crois que j'ai
grandi, et réalisé pas mal de choses. Depuis quelques années,
nous étions si occupés ou, du moins, je l'étais, avec les
enfants, la maison, tout ça, que j'ai fini par ne plus faire
attention à ce qu'il m'offrait ou ne m'offrait plus. Jamais je
n'ai pensé à lui dire : « Hé, attends... J'ai besoin de davantage ! » Je ne lui ai jamais demandé non plus s'il m'aimait. Et
maintenant, il semble qu'il soit trop tard. Il ne comprend
pas que tout à coup je ne me satisfasse plus de ce qu'il me
donne. Il pense que je suis folle.

— Vous n'êtes pas folle, India, loin de là, la rassura Paul.
Pensez-vous qu'il soit possible pour vous de sauver votre
couple, d'obtenir enfin ce que vous attendez de votre mari ?

— Je ne sais pas, répondit-elle. C'est une question que je
ne cesse de me poser, et en vérité je ne connais pas la réponse.
Je ne crois pas qu'il arrive à comprendre ce que j'essaie de
lui expliquer.

— Dans ce cas, il est idiot.

Aucun homme sensé n'accepterait de perdre une femme
comme India. Pour Paul, c'était une évidence.

— Vous arrivait-il d'avoir des problèmes comme ceux-là,
Serena et vous ? s'enquit India.

Il parlait parfois des exigences extrêmes de son épouse et
de son caractère difficile, mais ne donnait pas l'impression
d'en avoir souffert.

— Pas vraiment. Vous savez, Serena ne tolérait pas grand-
chose. Lorsque je lui marchais sur les pieds, elle me le faisait
savoir – et payer ! – sans attendre. Et quand elle avait l'impression que je ne lui donnais pas assez, elle me le disait.
Serena savait exprimer très clairement ses besoins et ses
attentes et elle posait ses limites sans hésiter. Je suppose que

cela rendait les choses plus faciles. Je savais toujours où j'en étais, avec elle. Elle m'a beaucoup appris sur les relations humaines, et j'ai compris grâce à elle pourquoi mon premier mariage avait été une telle catastrophe. J'étais une sorte de Doug, peut-être même pire. J'étais tellement préoccupé par ma réussite professionnelle que j'ai laissé mes rapports avec ma femme s'étioler sans m'en apercevoir. Sans compter que j'étais extrêmement arrogant et désagréable avec elle ! Je vous l'ai dit, elle me hait toujours. Et je ne suis pas sûr de pouvoir le lui reprocher. (En y réfléchissant, il eut un petit rire.) Je pense que Serena m'a éduqué, en quelque sorte. J'étais plutôt nul, avant de la rencontrer.

Même si c'était vrai, il avait bien changé. India le connaissait désormais suffisamment pour savoir qu'il était non seulement sensible, mais aussi extraordinairement perspicace et doué pour exprimer ses sentiments. En outre, quoi qu'elle lui expliquât, il saisissait au quart de tour ce qu'elle voulait dire.

— Le seul problème, continua-t-il, c'est que je ne m'imagine pas pouvoir revivre tout cela avec une autre femme. Si ça marchait, c'était grâce à elle, à sa personnalité, sa force et sa magie... Je ne pense pas que je pourrai jamais aimer de nouveau.

C'étaient des mots difficiles à entendre, mais India savait qu'il était sincère.

— Il n'y aura jamais une autre femme comme elle dans ma vie, conclut-il.

Et il n'en chercherait pas. Il avait décidé cela à bord de l'*Etoile-des-Mers*.

— C'est peut-être vrai aujourd'hui, observa India avec prudence, mais nul ne sait de quoi l'avenir sera fait. Vous n'êtes pas assez âgé pour renoncer à tout cela. Peut-être qu'avec le temps vous changerez d'avis, et que vous rencontrerez quelqu'un qui sera important pour vous.

En disant ces mots, la jeune femme ne défendait pas sa propre cause, mais celle de Paul. Il était difficile de croire qu'à cinquante-sept ans il eût pu faire une croix sur tout cela. Il était trop jeune, trop plein de vie, c'était un homme trop bien... et, en ce moment, un homme bien trop seul.

— Je sais que je n'y arriverai pas, objecta-t-il avec fermeté.

Mais India savait que le temps pourrait le faire changer d'avis.

— Vous n'avez pas à y penser maintenant, lui dit-elle, consciente qu'il était trop tôt pour qu'il envisageât d'aimer à nouveau.

Pourtant, il lui téléphonait tous les jours, et ils étaient très rapidement devenus des amis proches... Et toujours, quelque part, dans leurs conversations, elle sentait quelque chose d'autre, quelque chose de plus. Tout en s'en défendant, ils réagissaient l'un à l'autre comme un homme et une femme.

Néanmoins, lorsqu'il y réfléchissait, Paul se persuadait qu'il n'était pas amoureux d'India, et que ce n'était pas la femme qui l'attirait, chez elle. Ils étaient amis, et il voulait l'aider dans une période difficile de sa vie. Jamais il ne le lui avait dit, mais il estimait que son mariage avec Doug était un désastre, et que Doug lui-même n'était pas quelqu'un de bien. Il l'exploitait, l'ignorait et l'utilisait, et Paul était certain qu'il n'était même pas amoureux d'elle. Dans le cas contraire, il l'aurait laissée s'épanouir dans sa carrière, il l'aurait même aidée. Il l'aurait chérie, soutenue, et il aurait pris la peine de lui dire qu'il l'aimait ! Au lieu de cela, il lui faisait du chantage et la menaçait, il l'enfermait dans une cage étroite, parce que cela l'arrangeait, lui. Paul n'éprouvait que mépris pour cet homme. Pour autant, il ne souhaitait pas mettre India dans une position difficile à son retour, et promit d'être prudent en lui téléphonant.

— Ne pourriez-vous pas lui dire que nous sommes amis ? Que je suis une sorte de grand frère pour vous ?

Elle rit de la naïveté de Paul. Quel homme comprendrait cela ? Doug, de surcroît, la considérait comme sa propriété. Il ne voulait la partager avec personne.

— Je sais qu'il ne comprendrait pas, dit-elle.

D'ailleurs, elle-même avait bien du mal à comprendre. Ce qu'elle sentait chez Paul, lorsqu'ils parlaient ensemble, allait bien au-delà d'une amitié fraternelle. Mais Paul n'était pas encore prêt à l'admettre. Sa loyauté envers Serena l'en empêchait.

Il lui avait dit qu'il avait à plusieurs reprises rêvé de sa femme. Il se voyait avec elle dans l'avion, durant le crash ; lui s'en tirait, mais pas elle. Et dans ses rêves, elle l'accusait de ne pas avoir essayé de l'aider et de lui avoir survécu. Elle lui reprochait, disait-il, de ne pas avoir disparu avec elle. Le sens de ces rêves n'était pas difficile à deviner.

« Est-ce ce que vous ressentez ? lui avait demandé India. Avez-vous l'impression que c'est votre faute si elle est morte ?

— Je m'en veux de ne pas être mort avec elle, avait-il répondu dans un sanglot.

— Ce n'est pas votre faute, Paul. Vous le savez. Cela n'aurait jamais dû se produire. »

Comme beaucoup de gens qui avaient survécu à des catastrophes de ce type, il souffrait d'une culpabilité aiguë. Il s'en voulait de vivre encore, ce qui expliquait son désir de se cacher à bord de l'*Etoile-des-Mers*. India savait – tout comme

291

Paul lui-même – que tôt ou tard il lui faudrait affronter le monde ; mais il était encore trop tôt. Cela ne faisait que trois mois qu'il avait perdu sa femme, et il n'était pas prêt.

« Laissez le temps au temps, lui disait toujours India avec douceur.

— Je ne m'en remettrai jamais, répondait-il, têtu. Je le sais.

— Vous y arriverez, si vous le voulez. Que dirait Serena si elle vous voyait ?

— Elle me donnerait un bon coup de pied aux fesses ! Si les rôles avaient été inversés, à l'heure qu'il est, elle aurait déjà vendu le bateau, acheté un appartement à Londres et une maison à Paris, et elle organiserait des soirées. Elle me répétait toujours que je ne devais pas compter sur elle pour jouer la veuve éplorée, si je mourais, et qu'il était inutile que je me tue au travail... Je sais qu'elle ne pensait pas vraiment tout ce qu'elle disait, mais il est clair qu'elle aurait réussi à surmonter la situation bien mieux que moi. En fait, elle était beaucoup plus forte que moi. »

India savait qu'il était fort, lui aussi. Simplement, il était encore trop amoureux de Serena pour couper les liens avec le passé. D'ailleurs, il n'avait pas à le faire ; elle lui disait souvent d'accepter de penser à son épouse avec sérénité – au bonheur qu'ils avaient partagé, à ses traits d'humour, à tous leurs moments de plaisir. Mais il n'avait pas encore réussi à y parvenir. En attendant, India lui offrait un refuge, une main à tenir. Au cours de la semaine qui venait de s'écouler, il s'était créé entre eux un véritable lien, et l'idée de ne pas pouvoir l'appeler aussi souvent qu'il le souhaitait commençait déjà à le contrarier. De plus, il s'inquiétait de la savoir en territoire ennemi... L'ennemi, malheureusement, était son mari, alors que Paul, lui, n'était rien pour elle. Rien qu'une voix au bout du fil. Un homme qu'elle avait vu une fois ou deux l'été précédent... Il n'était d'ailleurs pas prêt à jouer un plus grand rôle dans sa vie, mais souffrait de devoir renoncer même partiellement à ce qu'ils partageaient, à leur intimité toute neuve.

— Je vous appellerai tous les jours à l'heure du déjeuner, promit-il.

Restait le week-end...

— Et moi, je vous téléphonerai le samedi et le dimanche, déclara India avec un soupçon de culpabilité. Je pourrai certainement trouver une cabine en emmenant Sam au foot.

Il y avait quelque chose de malhonnête dans cette démarche qui la gênait, mais elle ne voulait pas que ses coups de fil à Paul apparaissent sur leur note de téléphone. C'était la première fois qu'elle agissait ainsi ; pour se rassurer, elle se disait que cela n'avait rien de comparable avec les rendez-vous que Gail donnait à ses « amis » dans les motels.

Paul et elle parlèrent plus longtemps qu'à l'accoutumée cette nuit-là, et tous deux se sentaient très seuls lorsqu'ils finirent par raccrocher. India avait l'impression d'avoir passé sa dernière soirée à Londres en compagnie de Paul. Les inspecteurs avec qui elle avait travaillé toute la semaine lui avaient proposé d'aller au pub avec eux, mais elle avait décliné leur invitation ; elle se sentait trop fatiguée pour cela.

Le lendemain matin, elle eut la surprise de recevoir un nouveau coup de fil de Paul juste au moment où elle fermait sa valise et s'apprêtait à quitter sa chambre.

— Je voulais simplement vous dire au revoir et vous souhaiter un bon retour chez vous, dit-il d'une voix un peu penaude. (Parfois, quand il l'appelait, il avait l'impression d'être redevenu adolescent, et c'était un sentiment qui, au fond, ne lui déplaisait pas.) Dites bonjour à Sam de ma part quand vous le verrez.

Alors même qu'il prononçait ces mots, il se demanda si elle pourrait transmettre cette commission à son fils ou si elle aurait peur qu'il ne dise quelque chose à son père. India et lui se trouvaient décidément dans une situation étrange.

— A bientôt, Paul, dit une nouvelle fois la jeune femme. Et merci...

Il l'avait tant soutenue pendant qu'elle effectuait ses reportages ! C'était lui qui l'avait aidée à trouver le courage de retravailler, lui qui l'avait conseillée dans les moments de doute et de souffrance.

— N'oubliez pas de m'envoyer les photos. J'ai hâte de les voir. Je vous donnerai l'adresse où les expédier.

Il avait des contacts un peu partout, où son courrier professionnel lui était régulièrement adressé.

Ils bavardèrent encore quelques minutes, puis il y eut un moment de silence gêné. India laissa son regard se perdre sur les toits de Londres, visibles depuis sa fenêtre.

— Vous me manquerez, dit-elle, si doucement qu'il l'entendit à peine.

C'était agréable d'être dans la même région du monde que lui, même s'ils ne s'étaient pas vus. A Westport, elle avait l'impression d'être sur une autre planète... Mais, au moins, ils avaient promis de s'appeler.

— Vous me manquez déjà, dit Paul, oubliant pour un instant sa réserve habituelle. Ne laissez personne vous faire du mal.

Ils savaient tous deux de qui il voulait parler, et India hocha la tête.

— Ne soyez pas trop dur avec vous-même, lui dit-elle, et tout ira bien.

— Je ferai de mon mieux. Je vous téléphonerai lundi.

On était vendredi, et ils avaient tout un week-end à tenir sans nouvelles l'un de l'autre, à moins qu'elle ne parvînt à l'appeler d'une cabine. Cela paraissait insurmontable, après tout le temps qu'ils avaient passé au téléphone depuis qu'elle était à Londres. Rien qu'à l'idée de rester deux jours sans entendre la voix de Paul, la jeune femme se sentait affreusement seule.

Elle devait se dépêcher pour ne pas rater son vol, et ils raccrochèrent. Durant tout le trajet vers l'aéroport, et même dans l'avion, elle ne cessa de penser à lui. Assise près du hublot, elle laissa son regard se perdre sur l'horizon et se remémora ce qu'il lui avait dit sur lui-même et sur Serena. Il semblait si sûr de ne plus jamais pouvoir aimer... Pourtant, India n'arrivait pas à le croire. Et au fond de son cœur, elle se demandait même si Paul n'était pas en train de tomber amoureux d'elle... Mais c'était idiot. Ils étaient seulement amis.

Elle se répéta cela durant tout le voyage de retour vers les Etats-Unis. Peu importait ce qu'elle éprouvait ; leur relation n'était qu'une relation d'amitié.

Rien de plus.

18

Lorsque India arriva à cinq heures quinze, le vendredi après-midi, les enfants étaient tous dans la cuisine en train de goûter et de se chamailler, et le chien aboyait de toutes ses forces. Aussitôt, elle eut l'impression de ne jamais les avoir quittés. Londres prenait les allures d'un rêve. Les reportages qu'elle avait effectués ne lui semblaient plus réels, son amitié avec Paul non plus ; pour elle, la réalité était là, dans cette maison, auprès de ses enfants qu'elle adorait.

Dès qu'elle vit sa mère, Aimée poussa un cri de joie, et Jason et Sam coururent se jeter dans ses bras ; Jessica, qui était au téléphone, lui fit un geste de la main en souriant. C'est alors, en sentant ses enfants autour d'elle, qu'India réalisa combien ils lui avaient manqué. Pendant une semaine, elle avait vécu une vie indépendante, libre, excitante ; mais ceci était plus merveilleux encore.

— Oh ! Vous m'avez terriblement manqué ! s'exclama-t-elle en les serrant contre elle.

Puis ils se dégagèrent, et entreprirent de lui raconter – tous en même temps – ce qui s'était passé durant la semaine. Sam avait à trois reprises marqué un but décisif au foot, Aimée avait perdu deux nouvelles dents, on avait enlevé son appareil dentaire à Jason, et, selon eux, Jessica avait un nouveau petit ami. Bref, tout allait bien, et lorsqu'ils eurent terminé de la mettre au courant des événements de la semaine, tous se dispersèrent pour faire leurs devoirs, appeler leurs amis ou regarder la télévision.

India monta sa valise à l'étage, s'assit sur le lit et regarda la chambre autour d'elle. Rien n'avait changé. C'était toujours le même petit monde, sûr et immuable ; les enfants avaient survécu à son absence, et elle aussi. D'une manière étrange, cela lui donnait l'impression qu'elle avait rêvé cette absence.

Ce n'est qu'en voyant la mine renfrognée de Doug, lorsqu'il rentra à la maison à sept heures, que la réalité frappa India de plein fouet. Tel un nuage noir d'orage, son mari semblait prêt à éclater ; c'est à peine s'il lui dit bonjour avant de s'asseoir à table pour dîner. La baby-sitter était restée pour aider India à préparer des steaks, de la purée et des haricots verts, et elle n'était partie que juste avant l'arrivée de Doug, si bien que la cuisine était impeccable. India s'approcha de son mari pour l'embrasser ; elle portait toujours sa tenue de voyage, un pantalon en laine noir et un gros pull confortable.

Au moment où elle se penchait pour déposer un baiser sur sa joue, Doug se détourna. Il ne lui avait pas adressé la parole depuis son départ, le jour de Thanksgiving : chaque fois qu'elle avait appelé, les enfants lui avaient dit que leur père était sorti ou occupé, et il ne lui avait jamais téléphoné à Londres.

— Comment s'est passé ton voyage ? demanda-t-il avec raideur.

Les enfants ne purent ignorer la froideur de son ton, et échangèrent des regards inquiets.

— C'était super, répondit India en s'efforçant de sourire, et elle se lança dans le récit du mariage.

Les filles lui posaient quantité de questions : elles voulaient connaître tous les détails, jusqu'aux tenues des invités. Même Jason et Sam parurent impressionnés lorsqu'elle leur parla des rois, des reines et des chefs d'Etat qu'elle avait vus, et de la présence du président des Etats-Unis et de la First Lady.

— Tu lui as dit bonjour de ma part ? demanda Sam en pouffant.

— Bien sûr ! affirma India avec un sourire. Et le président a répondu : « Dites bonjour à mon copain Sam. »

Tous éclatèrent de rire, à l'exception de Doug, qui fit la tête durant tout le dîner.

Il finit par exploser lorsqu'ils montèrent dans leur chambre.

— On dirait que tu t'es bien amusée, observa-t-il d'un ton accusateur.

Il ne décelait pas le moindre remords en elle. Pire, le mécontentement qu'elle lui avait causé ne semblait pas la gêner le moins du monde – on eût dit qu'elle se moquait des conséquences éventuelles de ses actes.

De fait, Doug ne se trompait pas. C'était le cadeau que Paul avait fait à India : grâce à lui, elle se sentait bien dans sa peau, ce qui ne lui était pas arrivé depuis des années. Elle était même fière de ce qu'elle avait accompli.

Un petit frisson la parcourut néanmoins lorsqu'elle vit Doug s'asseoir et la toiser avec fureur.

— J'ai fait du bon travail, là-bas, dit-elle d'une voix

calme, sans chercher à s'excuser. Et les enfants ont l'air en pleine forme.

Ils étaient leur lien, la dernière chose qui les unissait encore. Depuis qu'elle était revenue, Doug ne l'avait pas embrassée, n'avait pas mis son bras autour de ses épaules, il ne lui avait même pas souri. Il était bien trop en colère, de toute évidence.

— S'ils vont bien, ce n'est pas grâce à toi, observa-t-il méchamment. C'est curieux que tu sois prête à reproduire ainsi l'attitude de ton père... Y as-tu seulement songé une seule fois, cette semaine ?

Il essayait de la culpabiliser, mais sans succès.

— Doug, il n'y a rien de comparable entre une semaine à Londres et six mois au Viêt-nam ou un an au Cambodge. C'est très différent.

— Oh, mais à terme, tu y viendras, c'est juste une question de temps, j'en suis certain, déclara-t-il avec hargne.

— Tu te trompes, Doug. Je sais parfaitement ce que j'ai l'intention de faire.

— Vraiment ? Et pourrais-tu me mettre au courant ?

— Je veux seulement effectuer quelques reportages comme celui-ci, une fois de temps en temps, répondit-elle simplement.

— C'est une question de vanité, n'est-ce pas ? Tu fais ça pour satisfaire ton ego. Cela ne te suffit pas d'être là et de t'occuper de tes enfants. Il faut que tu coures le monde, que tu te montres et que tu fasses la star.

A l'entendre, on eût dit qu'elle était strip-teaseuse.

— J'aime ce que je fais, Doug. Et je vous aime, les enfants et toi. L'un n'exclut pas l'autre.

— Peut-être que si. Ce n'est pas encore complètement clair.

Il y avait une indéniable menace dans ses paroles, et cela mit la jeune femme en colère. Son long voyage l'avait fatiguée ; pour elle, il était deux heures du matin, et Doug se montrait désagréable avec elle depuis l'instant où il avait passé la porte.

— Qu'est-ce que ça veut dire ? Est-ce que tu me menaces ? demanda-t-elle.

— Tu savais le risque que tu prenais en nous laissant tomber pour Thanksgiving.

— Je ne vous ai pas laissés tomber, Doug. J'ai préparé le dîner de Thanksgiving la veille de mon départ, et les enfants n'y ont rien trouvé à redire.

— Eh bien, moi, si.

— Le monde entier ne tourne pas autour de ton nombril, Doug. (C'était ce qui avait changé entre eux, depuis quelque temps : désormais, elle se préoccupait également d'elle-même...) Pourquoi ne peux-tu cesser de faire des histoires ? J'ai fait ce reportage. Les enfants sont en pleine forme. Nous avons survécu. Ce n'était qu'une semaine dans nos vies, et elle m'a fait du bien. Tu ne t'en rends pas compte ?

Elle s'efforçait encore de lui faire sentir ce qu'elle éprouvait. Mais c'était peine perdue. Le bonheur de sa femme n'intéressait pas Doug Taylor.

— Je me rends surtout compte que ce style de vie ne me convient pas. Voilà le problème, India.

Il lui en voulait de ce qu'il considérait comme de l'insubordination. Mais elle, de son côté, ne voulait plus laisser à Doug le contrôle de son existence. Elle souhaitait qu'il l'aime ; or, elle commençait à réaliser que ce n'était pas le cas. Cela faisait un moment qu'elle se faisait cette réflexion.

— Je suis désolée que tu fasses une telle histoire pour ça. C'est hors de proportions. Pourquoi ne pas vivre normalement, sans se poser toutes ces questions ? On verra bien ce qui se passe ! Si ça devient trop compliqué, si les enfants en souffrent vraiment, si nous n'arrivons pas à tout concilier, alors nous en parlerons sérieusement.

Doug ne répondit pas. Ce qu'elle proposait était peut-être rationnel, mais il ne se sentait pas d'humeur rationnelle. Sans un mot de plus, il ramassa un magazine et se mit à lire ostensiblement, lui signifiant que la conversation était close. India n'avait plus la parole ; il ne jugeait même pas utile de discuter avec elle.

Découragée, elle défit sa valise et alla se coucher, regrettant de ne pouvoir appeler Paul. Mais c'était impossible, et de toute façon, pour lui, il devait être plus de trois heures du matin, qu'il fût en Sicile, en Corse ou en route pour Venise... Soudain, il semblait appartenir à une autre existence, et leur relation apparaissait comme un rêve inaccessible qui ne deviendrait jamais réalité pour elle. La réalité, c'était Doug. Elle devait s'en accommoder, et vivre avec.

Le lendemain matin, elle emmena Sam à son match de football. Sur le banc de touche, elle retrouva Gail, et elles parlèrent des courses de Noël ; puis, après avoir déposé Sam à la maison, India alla porter ses pellicules à Raoul. Ils déjeunèrent ensemble, et elle lui raconta son voyage en détail. Comme c'était prévisible, Raoul se montra plus intéressé par le reportage sur le réseau de prostitution, qui promettait de faire grand bruit, que par celui sur le mariage royal.

Lorsque India quitta son agent pour rentrer à Westport, il

était près de quatre heures. Elle dut s'arrêter en route afin de faire le plein d'essence, et en profita pour téléphoner à Paul : elle connaissait par cœur le numéro de l'*Etoile-des-Mers*, et avait changé vingt dollars en pièces de vingt-cinq cents à l'aéroport, la veille, au cas où une occasion comme celle-ci se présenterait.

— Bonsoir, *Etoile-des-Mers*, dit une voix à l'accent britannique très prononcé à l'autre bout du fil.

India reconnut sans peine le steward, le salua et demanda à parler à Paul. Il était onze heures du soir pour lui, et elle songea qu'il devait se trouver dans sa cabine, en train de lire.

Il vint lui répondre très rapidement ; il semblait heureux de l'entendre.

— Bonsoir, India. Où êtes-vous ?

Elle regarda autour d'elle et répondit en riant :

— Je gèle dans la cabine téléphonique d'une station-service, quelque part entre New York et Westport. Je suis allée porter mes pellicules à Raoul.

Alors qu'elle parlait, de gros flocons de neige commencèrent à tomber.

— Est-ce que tout va bien ? demanda Paul d'une voix inquiète.

— Plus ou moins. Les enfants sont en pleine forme ; je n'ai même pas l'impression de leur avoir manqué.

Leur vie était si différente de celle qu'elle avait menée, enfant ! Lorsque son père partait en mission, elle se retrouvait toute seule avec sa mère, tandis que ses enfants pouvaient se distraire entre eux, et avaient également toute une bande d'amis avec qui s'amuser, tout près de la maison.

— Doug ne m'a pas adressé la parole depuis mon retour,

si ce n'est pour me dire que j'avais eu tort de partir. Bref, rien de neuf à ce niveau-là.

Et les choses ne changeraient pas, elle s'en rendait compte à présent. Cette triste situation était celle dans laquelle elle était désormais condamnée à vivre.

— Comment sont les photos ?

Paul s'intéressait toujours énormément au travail d'India, et avait suivi de très près les deux reportages qu'elle avait effectués à Londres.

— Je l'ignore encore. Les gros magazines préfèrent se charger eux-mêmes du développement. Maintenant, je n'ai plus qu'à attendre.

— Quand les photos paraîtront-elles ?

— Celles du mariage, dans quelques jours. Quant aux autres, Raoul les a vendues à une agence internationale, il faudra donc attendre la fin du mois. Mais parlez-moi de vous. Comment allez-vous ?

Elle ne sentait plus ses pieds, tant il faisait froid, et elle avait l'impression que ses mains avaient gelé sur le combiné, mais elle n'en avait cure. Elle était heureuse de l'entendre, et sa voix chaleureuse, réconfortante, lui faisait du bien.

— Ça va. Je commençais à penser que vous n'appelleriez pas, et je m'inquiétais.

Il avait imaginé des retrouvailles romantiques et torrides entre India et son mari, et avait réalisé avec un étonnement mêlé de malaise que cette pensée lui déplaisait.

— Il ne fallait pas. Je n'ai pas eu une minute à moi depuis mon retour. Ce matin, j'ai emmené Sam au foot, et ensuite, comme je vous l'ai dit, j'ai dû me rendre en ville. Ce soir, je vais au cinéma avec les enfants.

Elle aurait préféré dîner en tête à tête avec Doug et lui

raconter son voyage à Londres, mais puisqu'il l'ignorait, elle était bien obligée de faire contre mauvaise fortune bon cœur. Et elle se retrouvait comme une malheureuse dans une cabine téléphonique, juste pour avoir le plaisir de parler quelques instants avec un ami.

— Où êtes-vous ? s'enquit-elle.

— Nous venons de quitter la Corse, et nous nous dirigeons vers le sud. Nous allons contourner l'Italie pour remonter vers Venise.

— J'aimerais être avec vous, dit-elle avec sincérité.

A peine les mots lui avaient-ils échappé qu'elle se demanda comment il allait les interpréter, mais elle avait tort de s'inquiéter. Lui aussi aurait aimé l'avoir à son côté. Ils auraient pu parler toute la nuit, écouter de la musique et naviguer durant la journée. C'était pour tous deux un rêve merveilleux, un fantasme qu'ils partageaient.

— Oui, j'aimerais aussi vous avoir près de moi, murmura Paul d'une voix rauque.

— Vous avez bien dormi la nuit dernière ? demanda India, qui n'avait pas oublié les cauchemars dont il lui avait parlé, et savait qu'il avait beaucoup de mal à trouver le sommeil depuis la mort de sa femme.

— Plus ou moins.

— Vous avez de nouveau fait de mauvais rêves ?

— En quelque sorte.

— Vous devriez essayer de boire un verre de lait chaud avant de vous coucher.

— Je crois que j'aurais carrément recours aux somnifères, si j'en avais.

Il commençait à en avoir assez ; ses nuits n'étaient plus

que de longues luttes contre l'insomnie, et c'était encore pire depuis quelque temps.

— Ne faites pas ça. Si vous n'arrivez pas à dormir, prenez un bain très chaud ou montez sur le pont et barrez le bateau un moment.

— Bien, maître ! la taquina-t-il, plus heureux de l'entendre qu'il ne l'aurait voulu. Dites-moi, vous n'êtes pas gelée, India ? demanda-t-il d'une voix douce.

— Si, avoua-t-elle en riant, mais ça en vaut la peine.

Elle s'en voulait d'agir ainsi, en cachette ; elle avait l'impression d'être terriblement malhonnête. Mais elle était heureuse d'entendre la voix de Paul et leurs conversations ne faisaient de mal à personne, se rappela-t-elle.

— Il neige. Je n'arrive pas à me mettre dans la tête que Noël est dans moins d'un mois. Je n'ai absolument rien préparé.

Aussitôt, elle s'en voulut d'avoir dit cela. Elle savait que la période de Noël allait être terrible pour Paul, cette année. Ce serait la première fois qu'il n'irait pas faire son pèlerinage annuel à Saint-Moritz avec Serena...

— Je parie que Sam adore Noël, dit-il d'un ton calme. Croit-il toujours au Père Noël ?

— Plus ou moins. Je pense qu'il n'y croit plus guère, mais qu'il préfère ne pas prendre de risques et faire semblant d'y croire par mesure de précaution.

Ils rirent de bon cœur. Hélas, au même moment, la machine annonça qu'il lui fallait davantage de pièces.

— Je vais devoir vous laisser, je n'ai plus d'argent, annonça India à regret.

— Appelez-moi quand vous voulez. Et de toute façon, je

vous téléphonerai lundi, confirma-t-il. (Il fit une pause, puis reprit :) India...

Il semblait sur le point de dire quelque chose d'important, et le cœur de la jeune femme se mit à battre plus vite. De plus en plus souvent, ils s'approchaient du point de non-retour, et elle se demandait ce qui se passerait lorsqu'ils l'atteindraient ou, pire, le dépasseraient.

— Oui ? demanda-t-elle courageusement.

— Gardez toujours la tête haute.

Elle sourit, à la fois soulagée et déçue. Ils demeuraient en terrain sûr, et elle se demanda s'il en serait toujours ainsi. Parfois, elle avait bien du mal à démêler l'écheveau de ses sentiments... Elle était mariée à un homme qui ne semblait pas se préoccuper d'elle le moins du monde, et elle téléphonait d'une cabine à un autre homme qui se trouvait à des milliers de kilomètres de là, pour s'inquiéter de la qualité de son sommeil. D'une manière étrange, inexplicable, elle avait l'impression d'être mariée à deux hommes, et de n'avoir de véritable relation avec aucun.

— A très bientôt, dit-elle.

Son haleine envoyait un nuage de vapeur dans la cabine gelée.

— Merci d'avoir appelé, répondit-il.

Tous deux raccrochèrent, et Paul resta un moment le combiné à la main, immobile. De son côté, India se demandait ce qui lui arrivait. Jamais elle ne se serait imaginée capable de faire de tels efforts pour parler à un homme... Et alors que tous deux s'éloignaient de leurs téléphones respectifs, ils étaient aussi troublés l'un que l'autre, et aussi heureux d'avoir pu se parler quelques instants.

Lorsque India rentra à Westport, toute la famille l'atten-

306

DOUCE AMÈRE

dait pour dîner, et les enfants se disputaient pour savoir quel film ils iraient voir. Doug, de son côté, étudiait des papiers qu'il avait rapportés de son bureau, et il n'adressa pas la parole à India, même pour lui demander où elle était allée. Tous s'assirent aussitôt à table et, jetant un coup d'œil à son mari, India fut envahie par une vague de culpabilité. Comment aurait-elle réagi, se demanda-t-elle, si elle avait appris que Doug téléphonait à d'autres femmes depuis des cabines téléphoniques ? Mais ce n'était pas si grave, se rassura-t-elle. Paul était son ami, son confident, son mentor. D'ailleurs, le vrai problème n'était pas de savoir ce que Paul lui apportait, mais plutôt ce que Doug ne lui apportait pas...

En fin de compte, après s'être longuement fait prier, Doug accepta d'aller au cinéma avec eux, et ils se rendirent dans un immense complexe commercial des environs, où neuf films différents étaient à l'affiche. Doug et les garçons optèrent pour un film assez violent, tandis qu'India et les filles allèrent voir le dernier Julia Roberts. Lorsqu'ils rentrèrent chez eux, tout le monde était content et de bonne humeur.

En dépit des tensions qui subsistaient entre Doug et India, ce fut plutôt un bon week-end, du moins aussi bon que ceux auxquels ils étaient désormais habitués. Pour survivre à la solitude qui était la sienne à présent, India avait découvert qu'il lui fallait se montrer moins exigeante, et se satisfaire de peu ; à partir du moment où Doug et elle ne se querellaient pas trop et où il ne menaçait pas de la quitter, elle considérait le week-end comme convenable.

Comme promis, Paul l'appela le lundi. Elle lui parla du film qu'elle avait vu, et du coup de fil que lui avait passé Raoul le matin même : apparemment, les magazines ne tarissaient pas d'éloges sur ses photos. Puis elle lui demanda s'il avait de nouveau fait des cauchemars. Il répondit qu'il avait relativement bien dormi la nuit précédente, avant de lui annoncer que le dernier livre de Serena – celui pour la couverture duquel India avait photographié l'écrivain – ne tarderait pas à sortir. Il était évident que cela l'attristait d'y penser ; cela lui donnait l'illusion que Serena était encore là, alors qu'en fait il était seul, désespérément seul.

Ils abordèrent divers sujets avant de raccrocher. Cet après-midi-là, India alla chercher les enfants à l'école, et commença ses courses de Noël. Durant les deux semaines qui suivirent, Paul l'appela régulièrement pour prendre de ses nouvelles et la tenir au courant de son itinéraire et de ses pensées. Il commençait à appréhender la période de Noël, et parlait plus que jamais de Serena.

Lorsqu'ils discutaient, India se concentrait entièrement sur ce qu'il lui disait, et quand elle était avec les enfants, c'étaient eux qui bénéficiaient de toute son attention. Quant à Doug, elle s'efforçait de gérer de son mieux ses relations avec lui, bien qu'il n'eût pas fait un geste vers elle depuis son retour d'Angleterre. La nuit, ils auraient aussi bien pu faire chambre à part ; ils ne se frôlaient même pas, et ne s'adressaient plus la parole dès l'instant où les enfants étaient couchés. En bref, ils vivaient comme deux colocataires.

Malgré cela, India espérait toujours sauver leur couple, mais elle ne savait comment s'y prendre. Elle était prête à faire toutes les concessions nécessaires, dans la limite du raisonnable ; mais il ne lui semblait plus raisonnable, précisément, de refuser toutes les propositions de travail. Elle espérait simplement, pour les enfants, pouvoir passer un Noël paisible en famille, sans drame majeur.

Elle en discuta avec Gail une fois ou deux, et fit part à

son amie de son découragement. Mais Gail n'avait pas de solution à lui proposer, sinon de prendre un amant pour mettre un peu de piment dans sa vie. India n'avait pas parlé à son amie de ses relations avec Paul ; c'était son secret le plus intime, celui qu'elle ne partageait qu'avec Paul. Cela faisait d'eux des alliés, presque des conspirateurs.

Elle venait tout juste de l'avoir au téléphone, un jour, lorsque Doug entra dans la maison comme un ouragan et lui ordonna d'une voix blanche de monter dans leur chambre : il avait à lui parler. India ignorait ce qui avait pu le mettre dans un tel état, mais elle obéit en silence. Aussitôt la porte de la chambre refermée, Doug ouvrit son attaché-case, en tira une dizaine de magazines et les jeta aux pieds de sa femme.

— Tu m'as menti ! tonna-t-il comme elle le regardait sans comprendre.

Elle songea qu'il avait découvert que Paul et elle se téléphonaient, et s'apprêtait à protester qu'elle n'avait pas vraiment menti – elle s'était contentée de ne pas lui en parler. Mais ce n'était pas le problème : Doug ignorait tout de ses coups de fil à Paul.

— Tu as prétendu que tu allais à Londres pour couvrir un mariage ! s'exclama-t-il en pointant un doigt accusateur sur l'un des magazines éparpillés sur le sol.

India vit qu'il tremblait de rage.

— J'ai bel et bien couvert un mariage, dit-elle, un peu effrayée. (Depuis qu'ils étaient mariés, elle n'avait jamais vu Doug dans une telle fureur.) Je t'ai montré les photos dans le journal.

Le reportage avait été publié la semaine précédente, et les photographies qu'elle avait faites étaient superbes. Les enfants avaient pris un grand plaisir à les regarder, même si Doug, lui, avait refusé de s'y intéresser.

— Alors, qu'est-ce que c'est que ça ? demanda-t-il en ramassant un journal et en l'agitant sous le nez d'India.

Enfin, la jeune femme comprit : le second reportage devait être sorti. Elle lui prit le magazine des mains et y jeta un coup d'œil avant de hocher lentement la tête.

— J'ai couvert un autre sujet pendant que j'étais là-bas, reconnut-elle en s'efforçant de paraître calme, même si ses mains tremblaient.

Elle avait eu l'intention d'en parler à Doug, mais n'avait pas réussi à trouver un moment propice ; et visiblement, les photos avaient été publiées plus tôt que prévu. A présent, Doug était fou de rage. Cet article était la goutte d'eau qui faisait déborder le vase, non seulement parce qu'elle avait couvert cette affaire sans lui en parler, mais aussi parce que le sujet le choquait profondément.

— C'est d'une vulgarité sans nom. Je n'ai jamais vu des insanités pareilles. Comment as-tu pu prendre de telles photos et les signer de ton nom ? C'est de la pornographie, rien d'autre. C'est répugnant et tu le sais parfaitement ! Je suis écœuré.

— Oui. C'est répugnant et écœurant, Doug. Mais cela n'a rien à voir avec de la pornographie. C'est un reportage à propos d'enfants maltraités. Je voulais que les gens aient exactement la même réaction que toi ; je voulais qu'ils en soient malades et révoltés. C'est précisément pour ça que j'ai accepté de faire cette enquête.

Et la réaction de Doug prouvait qu'elle avait fait du bon travail. Hélas, il semblait plus furieux contre elle que contre les monstres qu'elle avait photographiés...

— Je pense qu'il faut être pervers pour avoir accepté de se mêler à un truc pareil, India. Pense à tes enfants. Comment réagiront-ils lorsqu'ils verront ça ? Ils vont avoir honte de toi, tout comme moi j'ai honte.

India n'avait jamais réalisé à quel point Doug était étroit d'esprit, limité, archaïque. Sa réaction était à la fois ridicule et déprimante.

— J'espère que tu te trompes, répondit-elle d'une voix posée, et qu'eux au moins comprendront que je voulais me rendre utile, informer les gens de ces choses terribles pour qu'ils se mobilisent et que cela ne se reproduise plus. C'est tout l'intérêt de mon travail ; je ne suis pas là uniquement pour prendre de jolies photos dans les mariages.

— Je pense que tu as vraiment des problèmes psychologiques, répondit Doug, glacial.

— Je pense que mon seul problème c'est notre couple, Doug. Je n'arrive pas à comprendre ta réaction.

— Tu m'as trompé. Jamais je ne t'aurais laissée partir là-bas pour faire ce truc, ce qui explique sans doute que tu ne m'en aies pas parlé. India, tu as été malhonnête.

— Pour l'amour du ciel, Doug, sois un peu adulte ! Tu es complètement déconnecté du monde réel. Il y a des dangers, des tragédies et des horreurs tout autour de nous, et si personne n'en parle, qu'est-ce qui empêchera des gens comme ceux-là (elle montra du doigt le magazine) de nous faire du mal, et de faire du mal à nos enfants ? Tu ne comprends donc pas ça ?

— Tout ce que je comprends, c'est que tu m'as menti pour pouvoir aller prendre des photos de choses dégoûtantes, de prostituées en bas âge et de vieux types immondes. Si c'est

311

ça que tu veux faire de ta vie, India, très bien, fonce. Mais dans ce cas, je ne veux plus rien avoir à faire avec toi.

— J'ai bien compris le message, répondit-elle en le regardant avec une incrédulité mêlée de chagrin.

Elle ne lisait aucune fierté dans le regard de Doug ; il ne lui avait pas fait le moindre compliment sur son travail, sur ce qu'elle avait essayé d'accomplir. Pourtant, elle devinait, à sa réaction, que l'article et les photos étaient aussi forts qu'elle l'avait espéré.

— Je pensais que tu finirais par t'en remettre, et même que tu me pardonnerais d'avoir d'autres ambitions dans la vie que de cuisiner et de faire le chauffeur. Mais je commence à comprendre que ce sera éternellement comme ça !

— Tu n'es plus la femme que j'ai épousée, India, accusa-t-il.

— Oh, si, Doug, rétorqua-t-elle en lui jetant un regard peiné. C'est précisément ce que je suis redevenue, après m'être efforcée de me conformer pendant des années à ce que tu attendais de moi. Dieu sait que j'ai essayé. Aujourd'hui, je suis sûre que je pourrais à la fois être la femme que tu désires et celle que j'ai toujours été au fond de moi. Mais toi, tu t'obstines à vouloir ignorer ou étouffer ma véritable personnalité ; tu veux que je t'obéisse, point final.

— Je te demande de me donner ce que tu me dois, rétorqua-t-il avec hauteur.

Et, pour la première fois en dix-sept ans, India eut l'impression de ne rien lui devoir.

— Nous n'avons pas de dette l'un envers l'autre, Doug. Seulement l'obligation de nous consacrer de notre mieux à nos enfants. Il n'est écrit nulle part que je dois mener une vie triste et ennuyeuse pour te faire plaisir. Ce fameux

« contrat » dont tu me rebats les oreilles ne prévoyait pas que tu me transformes en quelqu'un d'autre, quelqu'un que je ne suis pas au fond de moi et ne veux pas être, ni que tu me prives de ce qui est important pour moi.

Elle secoua la tête, trahissant l'intense découragement qu'elle éprouvait.

— Je m'en vais, déclara Doug en lui décochant un regard furibond.

Il ne digérait pas qu'elle ait pu faire un reportage sans lui en avoir parlé au préalable. Cela faisait six mois qu'elle lui gâchait la vie, et il en avait plus qu'assez. Il estimait qu'elle avait rompu tous les engagements qu'elle avait pris vis-à-vis de lui lorsqu'ils s'étaient mariés.

— J'en ai jusque-là de tes bêtises, explosa-t-il.

Il tira une valise de son placard, la posa sur le lit et entreprit de jeter ses affaires dedans, pêle-mêle. Il ne regardait même pas ce qu'il emportait ; il se contentait de lancer des poignées de cravates, de chaussettes et de sous-vêtements dans le bagage.

— Est-ce que tu as l'intention de demander le divorce ? demanda India d'une voix triste.

Le moment de l'année n'aurait pu être plus mal choisi, mais aucun moment n'était jamais bon pour ce genre de choses...

— Je ne sais pas encore, rétorqua-t-il en refermant la valise avec un claquement sec. Pour l'instant, je vais aller m'installer dans un hôtel en ville. Au moins, je n'aurai pas à prendre ce satané train tous les jours pour rentrer à la maison et t'entendre te plaindre. Pourquoi t'es-tu mariée, si c'est à ce point intolérable ?

En quelques mots, il avait réussi à balayer toutes les années

313

qu'elle avait consacrées sans relâche aux enfants et à lui ; il était prêt à partir sans se retourner. Comment arrêter le processus, à présent ? India l'ignorait. Elle ne pouvait pas abandonner ses rêves, ses projets pour le satisfaire : à terme, cela se révélerait tout aussi néfaste. De surcroît, elle aussi avait vécu les six derniers mois comme un cauchemar.

Il descendit l'escalier au pas de charge et sortit en claquant la porte de toutes ses forces, sans un mot, sans même dire au revoir aux enfants, qui regardaient la télévision dans le salon. India jeta un coup d'œil par la fenêtre et le vit monter en voiture et s'éloigner. La neige s'était remise à tomber.

Des larmes coulèrent lentement sur les joues de la jeune femme tandis qu'elle se penchait pour ramasser les magazines que Doug avait jetés par terre. Elle se laissa tomber lourdement sur une chaise et chercha l'article sur le réseau londonien.

C'était, comprit-elle aussitôt, le meilleur reportage qu'elle eût jamais fait ; en comparaison, celui qu'elle avait effectué sur les enfants maltraités de Harlem semblait presque fade. Tout ce que les petits prostitués du West End avaient vécu se lisait sur leur visage, dans leurs regards, et les images frappaient à la fois le cœur et l'imagination de ceux qui les regardaient... Impossible d'en sortir indemne. Et plus elle le regardait, plus India se disait qu'elle avait eu raison de faire ce reportage, quoi qu'en pensât son mari.

La nuit fut longue et solitaire. Elle pensait à Doug, et se demandait où il était. Il n'avait pas appelé pour lui dire dans quel hôtel il était descendu. Des heures durant, elle resta allongée dans l'obscurité, les yeux grands ouverts, à penser à lui et à tout ce qui s'était passé depuis le mois de juin. Elle avait l'impression qu'une montagne haute comme l'Everest se dressait désormais entre elle et son mari, et elle ne savait comment faire pour la raser.

A trois heures du matin, elle jeta un coup d'œil au réveil, et se rendit compte qu'il était déjà neuf heures, à Venise. Sans hésiter, elle composa le numéro de l'*Etoile-des-Mers* et demanda à parler à Paul. Elle fut soulagée d'entendre sa voix.

— Vous allez bien ? demanda-t-il d'une voix inquiète. Vous avez l'air bizarre. Vous êtes malade, India ?

— En quelque sorte.

A peine avait-elle prononcé ces mots qu'elle éclata en sanglots. Cela lui paraissait étrange d'appeler Paul pour lui parler de Doug, mais elle avait besoin de s'épancher auprès de quelqu'un, et savait qu'il la comprendrait et la soutiendrait.

— Doug m'a quittée, ce soir. Nous a quittés. Il est quelque part dans un hôtel en ville.

— Que s'est-il passé ?

— L'article sur le réseau de prostitution londonien est paru. C'est un excellent reportage, Paul, le meilleur que j'aie jamais fait... Doug l'a trouvé dégoûtant, il a dit que c'était de la pornographie et qu'il fallait que je sois malade pour avoir accepté de couvrir un sujet pareil. En gros, il ne veut plus entendre parler de moi. Il m'a reproché de lui avoir menti à propos du reportage. C'est vrai, reconnut-elle dans un soupir, mais si je lui avais dit la vérité il ne m'aurait pas laissée partir. Paul, je vous assure que c'est très bon... Même après tout ce qui vient de se passer, je ne regrette pas d'avoir fait ces photos.

— J'irai dans l'un des hôtels de Venise aujourd'hui pour acheter un exemplaire du magazine. (C'était une revue internationale, qu'il était sûr de trouver sans problème.) Je veux absolument voir cet article, affirma-t-il avant d'en revenir au

315

problème immédiat d'India. Qu'allez-vous faire, en ce qui concerne votre mari ?

— Je ne sais pas. Attendre. Voir ce que lui va faire. Je ne sais pas quoi dire aux enfants. Cela m'ennuie de les bouleverser s'il doit se calmer ensuite. Dans le cas contraire, en revanche, il faudra leur annoncer la vérité. (De nouvelles larmes se mirent à couler sur ses joues.) Nous ne sommes qu'à neuf jours de Noël...

— Il a fait ça parce que c'est un sale égoïste, dit Paul d'une voix dure qu'elle ne lui avait jamais entendue auparavant. Depuis que je vous connais, il vous a toujours fait du mal. Je ne sais pas comment c'était avant, India. Mais je suis prêt à parier que si votre couple a tenu durant si longtemps, c'est parce que vous avez fait toutes les concessions. Il se comporte avec vous comme une ordure depuis l'été dernier, et si vous voulez mon avis il est grand temps que vous réagissiez. Peu importe que lui veuille revenir ou pas. (Paul était absolument furieux, à présent.) Vous avez fait un travail admirable, à Londres, et vous le savez. Bon sang, India, vous êtes une femme extraordinaire, une mère parfaite, et je suis certain que vous avez toujours été une épouse modèle. Il n'a aucun droit de se conduire ainsi envers vous. Vous êtes quelqu'un de gentil, talentueux et honnête, et il ne vous mérite pas.

India ne disait rien, abasourdie par la violence de la réaction de Paul.

— J'en ai plus qu'assez de vous entendre me raconter qu'il vous a blessée. Il n'a aucun droit de vous traiter de cette façon. Peut-être qu'il a bien fait de s'en aller, aujourd'hui. Peut-être qu'à terme ce sera bien mieux pour les enfants et vous.

Mais India n'en était pas certaine. Elle était encore sous le choc, et souffrait de ce que Doug lui avait dit. Jamais elle n'oublierait l'expression de son visage lorsqu'il était sorti de la chambre.

— India, continua Paul, je veux que vous m'écoutiez. Tout va bien se passer. Vous avez vos enfants, et votre travail. Et il sera obligé de vous aider, financièrement. Vous ne serez pas abandonnée. Cela n'a rien de comparable avec la mort de votre père, c'est très différent ; méfiez-vous : ne faites pas de parallèle.

Elle lui avait raconté que son père ne leur avait pas laissé un sou à sa mort – il n'avait rien – et que sa mère avait dû accepter de travailler le soir et le week-end pour arriver à joindre les deux bouts. Pendant longtemps, elles avaient craint littéralement de mourir de faim.

— Vous n'allez pas être à la rue, et les enfants s'en tireront très bien, ne vous inquiétez pas, assura Paul. Et pour vous aussi, vous verrez, ça ira. Vous aurez toujours les enfants, et c'est le plus important.

Mais si Doug s'en allait, elle n'aurait plus de mari... Depuis plus de vingt ans, l'identité d'India était entièrement liée à celle de Doug ; elle avait l'impression qu'on venait de lui arracher un morceau d'elle-même. Ce ne serait pas facile... Il aurait peut-être été plus aisé d'abandonner son métier, et de se laisser mourir à petit feu en obéissant à Doug, songeait-elle, tout en sachant pertinemment que c'était faux. Elle avait peur, voilà tout. Heureusement, Paul l'aidait ; la colère qu'il exprimait contre Doug permettait à India de remettre les choses en perspective.

— Savez-vous où il est ? demanda Paul tandis qu'elle se mouchait.

— Je n'en ai pas la moindre idée. Il ne m'a pas appelée pour me le dire.

— Il finira bien par le faire. Peut-être que son départ est ce qui pouvait vous arriver de mieux. Je pense que vous devriez appeler un avocat.

Mais elle ne se sentait pas prête à cela. S'il restait encore une petite chance pour que Doug se calme et revienne, elle voulait la saisir.

— Allez-vous pouvoir dormir un peu ? demanda Paul d'une voix compatissante.

Il aurait aimé être auprès d'elle pour la réconforter ; elle était comme une enfant effrayée, et il ne savait comment faire pour la rassurer.

— Je ne pense pas, répondit-elle.

Elle jeta un coup d'œil au réveil : il était déjà plus de quatre heures du matin.

— Essayez de vous reposer un peu avant que les enfants ne se réveillent. Je vous appellerai dans la matinée.

— Merci, Paul, répondit-elle, alors que des larmes lui montaient de nouveau aux yeux.

Elle était encore dépassée par tout ce qui lui arrivait ; cela, Paul le comprenait parfaitement.

— Tout va bien se passer, lui dit-il d'une voix assurée.

La jeune femme observa avec une ironie amère qu'il avait confiance en son avenir à elle, alors qu'il ne parvenait pas à envisager le sien sans angoisse...

Après qu'ils eurent raccroché, elle demeura un moment allongée dans l'obscurité, songeant à lui, à Doug, et à tout ce qui s'était passé durant les six derniers mois. Une pensée ne cessait de lui revenir, obsédante : à présent, elle allait être seule. Toute seule.

318

Sur le bateau, Paul avait le regard perdu dans le vague, et il pensait à elle, à tout ce qu'elle avait souffert à cause de son mari. Il en était malade pour elle, et il aurait aimé pouvoir dire ses quatre vérités à Doug, lui ordonner de ne plus jamais s'approcher d'India. Mais il savait qu'il n'en avait pas le droit.

Au bout d'un moment, il prit le dériveur, et se rendit à l'hôtel Cipriani, où il trouva le magazine dans lequel les photos d'India étaient publiées. Debout dans le hall, il s'empressa de feuilleter le journal pour voir les photos. Elles étaient sensationnelles, et il fallait que Doug fût fou pour y trouver à redire. Paul était incroyablement fier d'India, et il l'appela dès neuf heures, heure de Westport, pour le lui dire.

— Vous les aimez vraiment ? demanda-t-elle, d'un air à la fois heureux et incrédule.

Doug ne lui avait toujours pas téléphoné, et elle était pieds nus, en robe de chambre, dans la cuisine, en train de se préparer une tasse de café. Les enfants dormaient encore.

— Je n'ai jamais rien vu d'aussi fort. J'ai pleuré en lisant cet article, India.

— Moi aussi, admit-elle.

Mais Doug, lui, par un curieux amalgame, avait associé India à la perversité des proxénètes qu'elle avait photographiés.

— Avez-vous réussi à dormir un peu ? s'enquit Paul avec sollicitude.

— Oui, à peu près une heure. Je me suis assoupie vers sept heures.

— Essayez de faire une petite sieste aujourd'hui. Et acceptez encore une fois tous mes compliments pour votre reportage.

— Merci, répondit-elle.

Ils discutèrent encore quelques minutes avant de raccrocher. A peine India avait-elle reposé le combiné que le téléphone sonna de nouveau : c'était Raoul, cette fois, qui l'appelait lui aussi pour la féliciter.

— Honnêtement, s'ils ne te donnent pas le Pulitzer pour ce truc, India, j'inventerai un nouveau prix moi-même. C'est ce que j'ai vu de plus fort, de plus bouleversant depuis des années.

— Merci.

— Qu'a dit ton mari ? demanda-t-il, certain que ce reportage avait dû enfin ouvrir les yeux à Doug et le convaincre du talent d'India.

— Il m'a quittée.

Il y eut une longue pause à l'autre bout du fil.

— Tu... tu plaisantes, n'est-ce pas ? demanda enfin Raoul d'une voix incrédule.

— Non. Il est parti hier soir. Je t'avais dit qu'il était sérieux quand il affirmait qu'il ne tolérerait pas que je recommence à travailler.

— Il est complètement fou ! Il devrait te porter en triomphe, au contraire...

— Crois-moi, c'est loin d'être le cas.

— Je suis désolé, India, dit Raoul avec sincérité.

— Moi aussi, répondit-elle d'une voix triste.

— Peut-être qu'il reviendra une fois qu'il se sera calmé ?

— Je l'espère.

Mais, en vérité, India ne savait plus où elle en était, et ses relations avec Paul ne faisaient que compliquer un tableau déjà fort confus. Elle se demandait si elle souhaitait vraiment sauver son ménage, ou si elle pouvait espérer qu'un jour Paul et elle réussiraient à sortir de leurs chagrins respectifs pour se retrouver. Cet espoir, aussi infime fût-il, l'aidait à tenir le coup, même si à aucun moment Paul ne l'avait encouragée dans cette voie. La plupart du temps, d'ailleurs, elle était certaine que ce n'était qu'un fantasme irréalisable. Pouvait-elle mettre un terme à dix-sept ans de mariage pour un homme qui, lui, jurait ne jamais plus vouloir tomber amoureux et projetait de se cacher sur son voilier jusqu'à ce que la mort ait pitié de lui et l'emporte ? Certes, ce qu'elle partageait avec Paul était très important pour elle, mais ce n'était qu'un fil ténu auquel se raccrocher. Et davantage une amitié qu'une histoire d'amour...

Après son coup de fil avec Raoul, la journée se poursuivit tant bien que mal. Elle dit aux enfants que leur père avait dû partir en ville inopinément pour voir des clients. Il ne lui donna aucunes nouvelles durant le week-end, et Paul ne rappela pas non plus.

Le lundi matin, India se décida à appeler Doug à son bureau.

— Comment vas-tu ? lui demanda-t-elle sombrement.

— Je n'ai pas changé d'avis, si c'est ce que tu veux savoir, répondit-il, laconique. Si tu veux que les choses évoluent, India, c'est à toi de changer.

Il proposait là quelque chose d'impossible, et tous deux commençaient à s'en rendre compte.

— Quelles conclusions devons-nous en tirer ?

— A ton avis ?

— C'est vraiment dur de faire ça aux enfants au moment de Noël. Ne crois-tu pas que nous pourrions au moins mettre nos griefs entre parenthèses jusqu'à la fin des vacances et essayer de nous en occuper ensuite ?

C'était une solution raisonnable, sinon à leur problème fondamental, du moins à la question du Noël des enfants.

— J'y réfléchirai, répondit Doug. Maintenant, excuse-moi, mais j'ai rendez-vous avec des clients.

Il lui indiqua tout de même à quel hôtel il était descendu, mais durant les deux jours qui suivirent, elle n'eut pas de nouvelles de lui. Il l'appela le mercredi, et accepta de revenir au moins pour la période des fêtes, pour les enfants. A aucun moment, il ne lui présenta d'excuses ni ne fit de tentative pour pacifier les choses. Elle devina que son retour à la maison serait tendu, et elle ne se trompait pas.

Cette semaine-là, elle eut chaque jour Paul au téléphone. C'était le plus souvent lui qui lui téléphonait, mais parfois elle l'appelait également, lorsqu'elle avait besoin d'un soutien moral. Le vendredi soir, une semaine jour pour jour après son départ, Doug rentra à Westport. Il ne restait que quatre jours avant Noël, et les enfants commençaient à se demander pourquoi il était parti depuis si longtemps. L'histoire des clients qu'il était censé rencontrer ne tenait plus guère debout, et tous parurent soulagés de le voir revenir.

Mais, pour India, le retour de Doug compliqua plutôt les choses. Paul ne pouvait plus l'appeler ; durant le week-end, elle alla lui téléphoner depuis une cabine, et le lundi, veille de Noël, elle l'appela en PCV d'une cabine du supermarché, après avoir acheté de quoi préparer le dîner de réveillon. Il semblait aussi déprimé qu'elle ; Serena lui manquait plus douloureusement que jamais, en cette période chargée d'émotion. Quant à India, Doug la rendait très malheureuse. Il semblait tout faire pour lui rendre la vie impossible, et ce n'était que pour l'amour des enfants qu'elle tenait le coup.

— Nous faisons peine à voir, n'est-ce pas ? dit Paul avec un petit rire mélancolique.

Même l'*Etoile-des-Mers* ne parvenait plus à lui remonter le moral. Il n'arrêtait pas de ressasser des souvenirs, et pour la première fois, il était même allé dans la cabine qu'il avait partagée avec Serena, afin de se retrouver au milieu des affaires de son épouse.

— Je n'arrive toujours pas à croire qu'elle est partie à jamais, soupira-t-il.

Et India, de son côté, avait du mal à se faire à l'idée que son couple était condamné. Comment sa vie et celle de Paul avaient-elles pu basculer à ce point en si peu de temps ? Paul, bien sûr, n'avait pas de raison de s'en vouloir, de se sentir responsable, mais India, elle, se demandait si elle pouvait en dire autant. Doug lui avait tant répété qu'elle était la cause de tous leurs problèmes que, parfois, elle se surprenait à le croire.

— Allez-vous faire quelque chose de spécial pour les fêtes ? demanda-t-elle à Paul, désolée de ne pas pouvoir lui remonter le moral.

Comme il était en permanence sur le bateau, elle n'avait même pas pu lui envoyer un cadeau. Elle avait écrit un poème idiot à son intention et le lui avait faxé de la poste le matin même – il l'avait adoré, avait-il assuré –, mais ce n'était pas grand-chose...

— Irez-vous à l'église ? Venise doit être un bon endroit, pour ça...

— Dieu et moi ne sommes pas en très bons termes, ces temps-ci. Je ne crois pas en lui, et il ne croit pas en moi. Pour l'instant, nous sommes dans une impasse.

— Mais l'église pourrait être belle, et vous vous y sentiriez peut-être bien, observa India, qui tapait des pieds pour se réchauffer dans la cabine glaciale.

— J'ai bien peur qu'elle ne me mette plutôt de mauvaise humeur, et ne me fasse sentir plus mal encore, répondit-il, têtu. (Il refusait de croire en un Dieu qui avait pu laisser mourir Serena, et India ne jugeait pas nécessaire de discuter de religion avec lui en ce moment.) Et vous ? Irez-vous à l'église la veille de Noël ?

— Oui, tous les ans nous emmenons les enfants à la messe de minuit.

— Doug devrait en profiter pour faire un sérieux examen de conscience et réfléchir à la façon dont il vous a traitée ces six derniers mois, observa Paul, sévère. (Puis, changeant de ton, il ajouta :) Elle me manque tellement, India, je n'arrive pas à le supporter. Parfois, j'ai l'impression que je vais me désintégrer de l'intérieur, tant la douleur est intense.

— N'oubliez surtout pas ce qu'elle vous aurait dit. Ecoutez-la... Elle n'aurait pas voulu que vous demeuriez prostré ainsi à jamais.

Bien sûr, c'était le moment le plus difficile : Serena n'était morte que depuis quatre mois, et la période de Noël réveillait mille souvenirs douloureux. India ne savait comment soulager le désarroi de Paul à distance. S'ils avaient été ensemble, au moins aurait-elle pu le prendre dans ses bras et le serrer contre elle. Mais ses mots seuls semblaient impuissants à le réconforter.

— Serena a toujours été bien plus forte que moi, dit-il d'une voix découragée.

— Non, sur ce plan, vous vous ressembliez beaucoup, affirma India. Vous pouvez assumer n'importe quoi, si vous y êtes obligé ; et là, vous n'avez pas le choix. Il faut vous en sortir, coûte que coûte. Il y a de la lumière au bout du tunnel, et vous finirez par la trouver. En attendant, il faut tenir le coup.

Elle aurait aimé pouvoir lui dire qu'elle serait toujours là pour lui, mais nul ne pouvait savoir ce qui leur arriverait. Rien n'était sûr.

— Et vous ? Quelle lumière voyez-vous au bout de votre tunnel ? demanda Paul, d'une voix plus déprimée que jamais.

— Je ne sais pas encore, il est trop tôt. Pour l'instant, je me contente d'espérer qu'il y en a une.

— Je suis certain que oui. Un jour, vous trouverez ce que vous attendez.

Vraiment ? India n'en était plus si sûre. Et Paul ne semblait pas prêt, lui non plus, à lui promettre qu'il serait là pour elle, le moment venu. Il était encore obsédé par le passé, et par Serena...

India se faisait ces réflexions lorsque Paul déclara, comme s'il lisait dans ses pensées :

— J'aimerais pouvoir vous dire que je serai à votre côté, India. J'aimerais que ce soit vrai. Mais je sais que c'est impossible. Je ne serai pas la lumière au bout de votre tunnel. Je ne suis même plus capable de m'occuper de moi-même, sans parler de quelqu'un d'autre.

Surtout d'une femme de quatorze ans sa cadette, avec toute la vie devant elle et quatre enfants à charge... Il y avait pensé plus d'une fois, et bien qu'il fût extrêmement attaché à elle, et qu'il eût conscience du besoin qu'ils avaient l'un de l'autre en ce moment, il savait qu'à long terme il n'avait rien à lui offrir. C'était la conclusion à laquelle il était arrivé le matin même, alors qu'il admirait Venise depuis le pont de l'*Etoile-des-Mers*.

— Je n'ai plus rien à apporter à quiconque, conclut-il avec tristesse. J'ai tout donné à Serena.

— Je comprends, répondit India d'une voix posée. Ce n'est pas un problème. Je n'attends rien de vous, Paul. Mais, pour le moment, nous pouvons continuer à nous soutenir l'un l'autre, comme des amis. En espérant qu'à terme nous nous sentirons suffisamment mieux pour nous en sortir tout seuls.

Il était encore trop tôt pour cela : tous deux avaient une conscience aiguë du besoin qu'ils avaient de s'appuyer l'un sur l'autre, dans les moments pénibles qu'ils traversaient.

Ils parlèrent encore quelques instants, mais il était temps pour India de rentrer chez elle, d'autant qu'elle était gelée jusqu'aux os, et que cette conversation n'avait pas été facile, ni pour Paul ni pour elle. Des larmes dans la voix, elle lui souhaita un joyeux Noël.

— A vous aussi, India, répondit-il tristement. J'espère que l'année prochaine sera meilleure pour nous deux. Nous le méritons.

A cet instant, sans savoir pourquoi – surtout après ce qu'il lui avait expliqué –, elle eut envie de lui dire qu'elle l'aimait, mais elle se retint. Ç'eût été de la folie. Pourtant, tous deux avaient désespérément besoin d'un peu d'amour...

Après avoir raccroché, India rentra chez elle le cœur lourd. Paul avait répondu aux questions qu'elle se posait depuis des mois, mais cette réponse était douloureuse. Au moins, songea-t-elle tristement, elle ne pouvait plus désormais se leurrer sur l'avenir qui l'attendait : Paul lui avait clairement fait savoir qu'il n'en ferait partie qu'en tant qu'ami, rien de plus. Ce qu'ils partageaient n'était que cela, pour lui : une extraordinaire amitié. Pas question pour India d'espérer se réfugier dans ses bras pour pleurer l'échec de son mariage... Mais, au fond d'elle-même, elle savait qu'il avait raison.

Doug et elle se rendirent à la messe de minuit, comme chaque année, avec les quatre enfants. Et lorsqu'ils rentrèrent à la maison, elle disposa les derniers cadeaux sous l'arbre, pendant que Sam déposait dehors des gâteaux pour le Père Noël ainsi que des carottes et du sel pour ses rennes. Personne n'avait le cœur d'ôter au petit garçon ses dernières illusions.

Le lendemain matin, il y eut des cris de joie quand les enfants ouvrirent leurs présents. India avait passé beaucoup de temps à y penser et les avait choisis avec soin, et même Doug parut heureux de ce qu'elle lui avait offert : un nouveau blazer, dont il avait vraiment besoin, et un bel attaché-case en cuir. Ce n'étaient pas des cadeaux très originaux, mais ils lui correspondaient parfaitement, et lui firent plaisir. De son côté, il lui avait acheté un bracelet très simple, en or, qui lui plut également beaucoup.

En revanche, l'atmosphère entre eux ne s'en trouva guère améliorée. La trêve fut de courte durée, et la tension ne fit que croître au fur et à mesure que la journée avançait. A présent que Noël était passé, India craignait que Doug ne repartît ; néanmoins, lorsqu'elle lui posa la question, non sans une certaine angoisse, il lui répondit qu'il avait décidé de rester jusqu'au Nouvel An. Il avait pris une semaine de vacances, annonça-t-il.

India pensait que cela leur permettrait peut-être de discuter à tête reposée ; hélas, en définitive, la présence de Doug ne fit qu'envenimer les choses, et ils ne cessèrent de se chamailler.

Elle sortait pour appeler Paul aussi souvent que possible,

mais une fois ou deux, on lui répondit qu'il était descendu à terre, et elle ne put lui parler. Lui n'essayait pas de la joindre : elle l'avait prévenu que Doug passerait la période des fêtes à la maison et lui avait demandé de ne pas téléphoner.

Le dernier jour de ses vacances, Doug pénétra au pas de charge dans la cuisine, le courrier à la main. Il était livide.

— Qu'est-ce que c'est que ça ? hurla-t-il en lui lançant une enveloppe au visage.

— On dirait notre note de téléphone, observa India.

Elle se demandait si elle était trop élevée. Soudain, elle se souvint que, durant la semaine où Doug l'avait quittée, elle avait appelé Paul à plusieurs reprises de la maison, trop déprimée pour sortir téléphoner d'une cabine.

— Précisément ! acquiesça Doug, furibond, en arpentant la cuisine comme un lion en cage. Tu m'as bien eu, hein ? Toutes ces idioties, en fait, n'avaient rien à voir avec ta carrière... Dis-moi, India, ça fait combien de temps que tu couches avec lui ? Depuis l'été dernier ?

Elle ramassa la facture et y jeta un coup d'œil. Elle avait appelé l'*Etoile-des-Mers* à cinq reprises.

— Je ne couche pas avec lui, Doug. Nous sommes amis, dit-elle calmement, bien que son cœur battît la chamade.

Comment expliquer cela à son mari ? Elle se rendait parfaitement compte que les apparences étaient contre elle, et elle n'était pas sûre d'en vouloir à Doug de sa réaction. Pourtant, elle disait la vérité : ce qu'elle partageait avec Paul n'était qu'une simple amitié. Même lui l'affirmait.

— Lorsque tu es parti, expliqua-t-elle, j'étais bouleversée. Lui m'avait appelée une fois ou deux pour me parler de sa femme. Il savait que j'aimais bien Serena, et avait besoin de

parler d'elle avec quelqu'un. Il est affreusement malheureux.
C'est tout, ça ne va pas plus loin. Nous étions deux amis
tristes à en mourir, pleurant sur l'épaule l'un de l'autre.

— Je ne te crois pas, rétorqua Doug d'une voix furieuse.
Je pense que tu me trompes avec lui depuis l'été dernier.

— Ce n'est pas vrai, et au fond de toi tu le sais. Si je te
trompais, ce qui se passe entre toi et moi ne me ferait pas
tant de mal, et je n'essaierais pas de toutes mes forces de
recoller les morceaux entre nous.

— Balivernes ! Tout ce que tu veux, c'est reprendre ta
satanée carrière, afin de pouvoir nous laisser tomber, les
enfants et moi, et partir. Tu l'as retrouvé à Londres ?

— Bien sûr que non, répondit-elle avec un calme qu'elle
était loin d'éprouver.

Elle se sentait triste, effrayée, et d'une certaine manière un
peu coupable. C'était comme si les derniers vestiges de son
histoire avec Doug venaient de partir en fumée.

— Est-ce qu'il t'a appelée ?

— Oui, admit-elle.

— Comment ça se passe ? Vous faites l'amour par téléphone ? C'est un de ces trucs immondes comme on en voit
dans les journaux ? Je parie que ça vous excite, tous les deux,
pas vrai ?

L'image qu'il avait d'elle fit frissonner la jeune femme.

— Non. Il pleure sur sa femme, et moi sur toi. Ça n'a
rien de très excitant, crois-moi.

— Vous êtes malades, tous les deux. Ne compte pas sur
moi pour tolérer ça, India. J'en ai par-dessus la tête. Tu ne
me sers à rien ; comme épouse, tu es nulle, et au lit n'en
parlons pas, ajouta-t-il pour faire bonne mesure. Ta carrière

est la seule chose qui t'intéresse, maintenant. Eh bien, puisque c'est comme ça, il faudra t'en contenter.

A cet instant, comme pour mettre un point final à cette horrible tirade, le téléphone sonna. India décrocha, priant pour que ce ne fût pas Paul – cela n'aurait fait qu'envenimer encore la situation. Par chance, ce n'était pas lui mais Raoul. Il paraissait surexcité. Elle eut beau lui dire qu'elle ne pouvait pas lui parler, il insista ; voyant que Doug l'observait, et craignant qu'il ne s'imagine qu'elle s'adressait à Paul, elle accepta d'écouter son agent.

Il avait une mission pour elle, aux Etats-Unis, dans le Montana plus précisément. Il s'agissait d'enquêter sur une secte religieuse qui, apparemment, avait surgi de nulle part, et dont les adeptes avaient été pris de folie. Ils soutenaient un siège, et le FBI s'apprêtait à intervenir pour les neutraliser. Plus de cent personnes étaient concernées, et la moitié au moins étaient des enfants.

— Ça va être un gros truc, India, promit Raoul.

— Je ne peux pas maintenant.

— Quoi ? Mais tu dois accepter ! Le magazine veut que ce soit toi. Tu sais bien que je ne te téléphonerais pas si ce n'était pas important. Je t'en prie, dis oui !

— Est-ce que je peux te rappeler ? J'étais en pleine discussion avec mon mari.

— Oh, merde. Il est revenu ? Bon, OK, mais rappelle-moi dans les deux heures qui viennent, s'il te plaît. Je dois donner une réponse au journal le plus vite possible.

— Dans ce cas, dis-leur que je ne peux pas, et que je suis désolée, répondit-elle d'un ton sans appel.

Elle ne voulait pas ajouter de l'huile sur le feu qui brûlait entre Doug et elle, et dont leur couple était le combustible.

— Rappelle-moi, insista Raoul.

— J'essaierai, promit-elle avant de raccrocher.

— Qui était-ce ? demanda aussitôt Doug d'un air soupçonneux.

— Raoul Lopez.

— Et que voulait-il ?

— Me proposer un reportage dans le Montana. Je lui ai dit que je ne pouvais pas accepter, tu m'as entendue.

— Quelle différence est-ce que ça peut faire, maintenant, India ? Tout est fini. (Il dit cela avec une telle haine qu'elle sut immédiatement qu'il était sincère, cette fois.) J'en ai assez, je baisse les bras. Tu n'es pas la femme que j'ai épousée, ni celle que je veux. Je n'ai plus envie d'être marié avec toi ; c'est aussi simple que ça. Tu peux le dire à Raoul, ou à Paul Ward, ou à qui tu voudras. J'appelle mon avocat dès lundi.

— Tu ne peux pas faire ça ! s'exclama-t-elle, les larmes aux yeux, en lui jetant un regard suppliant.

— Oh si, je peux, et c'est exactement ce que je vais faire. Toi, tu n'as qu'à aller t'occuper de ton fameux reportage.

— Ce n'est pas ce qui est important, et tu le sais.

— Il faut assumer, India. Tu as accepté de sacrifier notre mariage à ta carrière, à présent, c'est comme ça. C'est ce que tu voulais.

— Je n'aurais pas dû avoir à choisir. Je pouvais très bien mener les deux de front.

Mais soudain, elle se rendait compte que, de toute façon, elle non plus n'avait plus envie de rester mariée avec lui. A quoi bon ? Il ne l'aimait pas, c'était évident. Elle ne pouvait se voiler la face plus longtemps.

Comprenant que la lutte était terminée, elle n'ajouta rien et tourna les talons, le laissant seul au milieu de la cuisine.

Elle prit son manteau et sortit ; une fois dehors, elle respira profondément, laissant l'air glacé pénétrer dans ses poumons. Elle avait l'impression que son cœur se brisait, et en même temps elle savait que, aussi terrible et effrayant que cela fût, désormais elle était libre, qu'elle le voulût ou non. Elle n'avait plus à vivre sous la menace, à assumer la culpabilité que Doug essayait de lui faire porter, à subir ses accusations incessantes.

Il ne lui restait plus rien, dorénavant, que ses enfants, son appareil photo, sa vie, sa liberté. Le mariage qu'elle avait chéri pendant si longtemps, auquel elle s'était accrochée et pour lequel elle s'était battue était mort et enterré. Aussi mort que Serena. Et exactement comme elle l'avait conseillé à Paul, elle devait maintenant se battre, être forte, et survivre.

19

EN DÉFINITIVE, India refusa le reportage dans le Montana et resta à Westport pour annoncer aux enfants que Doug et elle se séparaient.

Ce fut la plus horrible journée de son existence. Depuis toujours, elle s'était juré d'éviter de faire du mal à ses enfants, et de ne jamais les priver de leur père, elle qui savait combien la présence d'une figure paternelle pouvait être importante dans la vie d'un enfant ou d'un adolescent. Or la décision que Doug et elle avaient prise allait affecter leur vie à tous, elle en avait conscience. Mais elle n'avait pas le choix, car l'autre solution, un couple bancal, composé de deux personnes incapables de se comprendre, de s'aimer et de dialoguer, eût été pire encore.

— Tu veux dire que papa et toi allez divorcer? demanda Sam avec horreur.

— Ouais, idiot, t'as pas entendu? lui répondit Aimée en ravalant un sanglot et en foudroyant ses parents du regard.

Elle les haïssait tous les deux d'avoir mis un terme brutal à l'existence parfaite, idyllique qui était la sienne. Ils avaient détruit toutes ses illusions en quelques secondes.

Jason, lui, ne dit rien du tout mais courut s'enfermer dans sa chambre en claquant la porte à toute volée. Lorsqu'il revint, longtemps plus tard, il avait les yeux rouges et gonflés, mais faisait comme si rien ne s'était produit.

Quant à Jessica, elle se retourna contre sa mère.

— Je te hais, lui dit-elle, le visage déformé par la rage. C'est ta faute, avec tes magazines et tes photos débiles. Je vous ai entendus vous disputer à ce sujet, papa et toi. Pourquoi fallait-il que tu fasses ça ?

Elle criait et sanglotait comme une enfant, et avait perdu en un instant tous ses airs d'adulte.

— Parce que ça fait partie de moi, Jess, et que j'ai besoin de le faire, essaya d'expliquer India. Bien sûr, vous serez toujours plus importants que tout le reste, dans mon cœur, mais mon travail représente beaucoup pour moi, et j'espérais que papa pourrait le comprendre.

— Je pense que vous êtes nuls, tous les deux ! hurla Jessica avant de courir se réfugier dans sa chambre pour se jeter sur son lit en sanglotant.

India ne savait que faire. Elle aurait tant aimé pouvoir lui expliquer sa position... Mais comment dire à une jeune fille de quatorze ans que l'on n'aime plus son père ? Qu'il vous a brisé le cœur, qu'il a cassé quelque chose au plus profond de vous ? Elle n'était même pas sûre de le comprendre elle-même.

A ce moment-là, Sam s'approcha d'elle, et vint se réfugier sur ses genoux. Il pleura pendant des heures dans les bras d'India, secoué par des sanglots à fendre l'âme.

— Est-ce qu'on verra quand même papa ? demanda-t-il d'une voix entrecoupée de hoquets.

— Bien sûr, mon cœur, le rassura India, ses propres joues baignées de larmes.

Elle aurait aimé pouvoir tout effacer, leur dire que ce n'était pas vrai, faire en sorte que cela ne se fût jamais produit. Mais il était trop tard. Ils ne pouvaient plus revenir en arrière. A présent, ils devaient tous regarder la vérité en face.

Personne n'avait envie de manger après cela, mais elle leur prépara tout de même une soupe de poulet. Tandis qu'elle débarrassait la table, après le dîner, Sam vint la rejoindre dans la cuisine, l'air à la fois abasourdi et choqué.

— Papa dit que tu as un petit ami. C'est vrai ?

India se retourna vers lui d'un air horrifié.

— Bien sûr que non, voyons !

— Il a dit que c'était Paul. C'est vrai, m'man ? insista-t-il.

Il avait besoin de savoir, et cela, India le comprenait parfaitement. Elle en voulait affreusement à Doug d'avoir mis une telle idée dans la tête des enfants ; mais hélas, à présent, plus rien ne la surprenait, venant de lui.

— Non, mon cœur, ce n'est pas vrai.

— Alors, pourquoi est-ce que papa l'a dit ?

— Parce qu'il est en colère, et blessé. Nous le sommes tous les deux. Les adultes disent parfois des choses idiotes quand ils sont contrariés. Je n'ai pas revu Paul depuis la dernière fois où toi et moi sommes allés sur l'*Etoile-des-Mers*, l'été dernier, tu te souviens ?

Elle ne précisa pas qu'elle lui avait parlé au téléphone ; elle ne jugeait pas cela nécessaire. Ce qui importait, c'était de bien faire comprendre à Sam qu'elle n'avait pas d'aventure avec Paul, et que l'enfant n'aurait pas à le fréquenter autrement qu'en tant qu'ami et marin.

335

— Je suis désolée que papa t'ait dit cela, reprit India. Il ne faut pas t'inquiéter.

En revanche, avec Doug, ce soir-là, elle ne mâcha pas ses mots. Elle l'accusa d'utiliser leurs enfants pour la blesser et lui dit que s'il recommençait il le regretterait.

— Je n'ai pourtant fait que dire la vérité, non ? objecta-t-il.

— Non, absolument pas, et tu le sais. Il est beaucoup trop facile de rejeter nos problèmes sur le dos de quelqu'un d'autre. C'est nous qui sommes coupables, qui avons échoué, et personne n'a contribué à cet échec. Tu ne peux pas faire de reproches à un homme à qui j'ai seulement parlé au téléphone. Si tu veux savoir qui est responsable de ce gâchis, Doug, regarde-toi dans le miroir.

Le lendemain matin, Doug quitta la maison avec ses bagages, et déclara qu'il avait l'intention de se trouver un appartement en ville. Il annonça également que, dès qu'il serait installé, il souhaiterait voir les enfants le week-end. Et soudain, India réalisa tous les problèmes qu'il leur faudrait régler : la fréquence des visites, le lieu, le moment, si elle garderait la maison, la pension alimentaire qu'il lui donnerait... Toute leur vie en serait affectée, elle s'en rendait brutalement compte.

Après le départ de Doug, elle resta chez elle et pleura pendant cinq jours, faisant le deuil de ce qu'ils avaient partagé, et de ce qu'elle avait perdu. Conscient de sa détresse, Paul garda une distance polie, et ne l'appela pas.

Ce fut elle qui finit par lui téléphoner, une semaine plus tard. Longtemps, elle lui parla des enfants. Si Jessica lui en voulait toujours, les autres semblaient commencer à se faire une raison. Sam était triste, mais un peu rassuré car Doug

DOUCE AMÈRE

était venu les chercher le dimanche précédent pour les emmener voir un film et déjeuner dehors. Quand il les avait déposés, India lui avait proposé d'entrer pour parler un peu, mais il l'avait regardée comme une étrangère.

— Je n'ai rien à te dire, India. T'es-tu trouvé un avocat ?

Elle lui avait répondu que non ; elle ne s'était pas encore senti la force de faire la démarche. Pourtant, elle comprenait désormais que c'était bel et bien fini. D'une certaine façon, elle en était soulagée. Enfin, peut-être la souffrance allait-elle s'atténuer. Mais une partie d'elle-même continuait à pleurer ce qui avait été, les bonnes années qu'ils avaient passées ensemble. Elle savait qu'il lui faudrait longtemps pour se remettre de cette rupture.

Paul, qui portait toujours le deuil de Serena, comprenait parfaitement ce qu'éprouvait India. Il était en France, au cap d'Antibes, et avait recommencé à l'appeler tous les jours. Et c'est ainsi, petit à petit, que de semaine en semaine elle parvint à passer le mois de janvier, et à recouvrer un peu d'énergie. Gail lui donna le nom d'un avocat spécialisé dans les divorces, et elle lui téléphona, sans vraiment réaliser comment elle en était arrivée là.

— Qu'est-ce qui est la cause de tout ça, à ton avis ? lui demanda Gail devant un cappuccino, un matin, au début du mois de février.

— Tout, répondit India avec honnêteté. Le temps. Le fait que Doug n'ait pas voulu me laisser retourner travailler. Son incapacité à comprendre ce que j'essayais de lui expliquer. Mon refus de faire ce qu'il voulait. A vrai dire, quand je regarde en arrière, je suis surprise que notre couple ait tenu aussi longtemps.

337

— Pourtant, personne n'aurait pu imaginer que vous divorceriez. Vous aviez l'air si stables, si satisfaits...

— J'en suis la première surprise, crois-moi, dit India avec un sourire triste. Mais en fait, les couples « stables et satisfaits », comme tu dis, sont ceux dont il faut se méfier. Il n'existe pas de mariage parfait. En ce qui nous concerne, Doug et moi, cela n'a fonctionné qu'aussi longtemps que j'ai été prête à jouer le jeu selon ses règles à lui. Dès que j'ai commencé à m'exprimer un petit peu, et que j'ai voulu fixer mes propres règles, ça a été terminé.

— Est-ce que tu regrettes ? De t'être exprimée, je veux dire ?

— Parfois. Il aurait été plus facile de me taire, mais je n'en pouvais plus. Il n'était pas capable de me donner ce dont j'avais besoin, et j'étouffais. Je m'en rends compte à présent. Malgré tout, c'est un peu effrayant de se retrouver toute seule.

Elle était responsable des enfants, désormais ; personne ne serait là pour l'aider, ne rentrerait à la maison le soir, ne s'inquiéterait si elle tombait malade, se cassait la jambe ou mourait. Elle n'avait ni parents, ni frères ni sœurs ; ses enfants étaient sa seule famille.

Tandis qu'elle écoutait son amie, Gail, de son côté, se posait mille questions. Son propre couple était bancal depuis des années, mais elle n'avait jamais songé sérieusement à quitter son mari, même si elle aimait se plaindre de lui. Il semblait étrange que ce fût India, pour qui tout avait semblé parfait pendant si longtemps, qui eût sauté le pas la première et se retrouvât seule.

— Que vas-tu faire maintenant ? s'enquit Gail, inquiète pour son amie. Tu comptes vendre la maison ?

— Doug dit que ce n'est pas la peine, qu'il a les moyens de me la laisser. Nous sommes convenus que je la garderai jusqu'à ce que les enfants grandissent et partent à l'université, et que nous la vendrons ensuite. A moins que je ne me remarie, naturellement. (Elle sourit à Gail.) Mais ça ne me semble guère probable. Je doute que Dan Lewison décide de me faire du charme !

Il n'y avait personne à Westport avec qui elle pût s'imaginer avoir une liaison. De plus, tous les hommes qu'elle connaissait étaient mariés.

— Tu es très courageuse, lui dit Gail avec admiration. Ça fait des années que je me plains de Jeff, et je ne suis même pas sûre de l'aimer, mais je ne crois pas que je serais capable de faire ce que tu as fait.

— Si, tu le ferais si tu n'avais pas le choix. Si ta vie te paraissait intolérable. C'est ce qui s'est passé, pour moi. Par ailleurs, tu aimes probablement Jeff plus que tu ne le penses. Simplement, tu n'es pas prête à l'admettre.

— Après t'avoir entendue me parler des enfants, de la pension alimentaire, des vacances et de la maison, je crois que je vais l'embrasser en rentrant à la maison ! s'exclama Gail, feignant la terreur.

India lui sourit.

— Ce serait peut-être une bonne idée, en effet.

Elle, cependant, ne regrettait plus ce qui s'était passé. Elle savait que c'était pour le mieux, même si elle avait toujours peur de l'avenir. Elle avait recouvré sa liberté. Et elle savait que, même avec les enfants, elle pourrait s'organiser pour accepter quelques reportages.

D'ailleurs, dès le mois de février, Raoul l'envoya à Washington pour photographier la First Lady. Ce n'était certes pas aussi excitant que le reportage qu'elle avait effectué à Londres, mais ce n'était pas trop loin de chez elle, et cela lui permettait de ne pas se faire oublier. Ensuite, elle enchaîna avec un article sur une mine de charbon dans le Kentucky.

La vie sociale d'India était réduite à sa plus simple expression. Doug, en revanche, avait un appartement et, à en croire les rumeurs, une petite amie. Il n'avait pas perdu de temps : il avait commencé à la fréquenter un mois seulement après son départ de la maison. Elle vivait à Greenwich, était divorcée et avait deux enfants. Elle n'avait jamais travaillé, parlait trop, avait des jambes superbes et était très jolie. Trois des amies de Gail la connaissaient et le lui avaient dit, estimant normal qu'elle mette India au courant.

Paul continuait à téléphoner chaque jour, et il commençait enfin à avoir une meilleure voix. Il continuait à faire des cauchemars, mais avait recouvré son sens de l'humour, et reparlait de son travail. Bien qu'il refusât de l'admettre, India soupçonnait que celui-ci lui manquait. Cela faisait six mois que Serena était morte, et bien qu'il souffrît encore horriblement de son absence, il n'hésitait plus à raconter certaines anecdotes amusantes à son sujet, sur des choses insensées qu'elle avait faites, des gens illustres dont elle s'était moquée et des procès qu'elle avait engagés. Il cessait en quelque sorte de l'idéaliser, ce qui montrait qu'il n'avait pas perdu toute son objectivité. Mais on sentait tout de même, à la façon dont il parlait d'elle, qu'il en était toujours très amoureux.

Depuis le départ de Doug, il avait été un grand soutien pour India. Il ne cessait de lui répéter qu'elle avait fait le bon choix, et lorsqu'elle était déprimée, il affirmait qu'elle n'avait aucune raison de regretter son goujat de mari. Pour lui, les choses étaient très simples : Doug était un sale type, et donc India était bien mieux sans lui. Il ne se rendait pas compte qu'elle avait perdu non seulement son mari, mais tout un pan de sa vie, exactement comme lui.

Au début du mois de mars, il était toujours à bord de l'*Etoile-des-Mers*, mais il ne tenait plus en place, India le sentait. Elle le connaissait bien, désormais, ses humeurs, ses besoins, ses excentricités, ses terreurs, ses bêtes noires lui étaient familiers. Parfois, elle avait presque l'impression qu'ils étaient mariés, tant ils savaient de choses l'un sur l'autre. Néanmoins, lorsqu'il leur arrivait d'aborder le sujet, il continuait d'affirmer qu'il ne serait jamais « la lumière au bout de son tunnel ». Elle pouvait compter sur son amitié, mais devait trouver quelqu'un d'autre pour partager sa vie.

— Alors, commencez à donner mon numéro de téléphone à tout le monde en France, parce que à Westport je ne vois personne.

— Vous n'essayez pas, la grondait-il.

— Et pour cause : tous les hommes que je rencontre sont soit repoussants, soit idiots, soit mariés. Sans parler des alcooliques. Ils sont légion, ici, et je n'ai vraiment pas besoin de ça.

— Dommage, la taquina-t-il, moi qui allais vous conseiller les réunions des Alcooliques Anonymes, pour rencontrer du monde...

— Ne soyez pas désagréable, sans quoi je vais vous envoyer toutes mes amies divorcées, et croyez-moi, vous ne tarderez pas à crier grâce !

Ils étaient à l'aise l'un avec l'autre, et n'hésitaient pas à plaisanter et à se montrer sous leur vrai jour. Cela faisait si longtemps qu'ils se parlaient quotidiennement qu'ils n'auraient pu imaginer de s'en passer, même si la note de téléphone d'India atteignait des sommets dangereux. Et pourtant, étrangement, la jeune femme ignorait quand elle reverrait Paul, et même si elle le reverrait un jour.

Cette relation téléphonique semblait le satisfaire, lui suffire, et elle-même en avait pris son parti. Ils étaient comme frère et sœur, désormais.

Aussi n'hésita-t-elle pas à lui parler d'un homme qu'elle avait rencontré lors d'un des matches de football de Sam, et qu'elle avait trouvé si ignoble qu'elle l'avait pris en photo. Il était gros, chauve, malpoli, il mâchait du chewing-gum et se curait le nez sans vergogne ; alors qu'il lui parlait, il avait roté, avant de lui demander si elle voulait sortir avec lui le mardi suivant.

— Et que lui avez-vous répondu ? demanda Paul, amusé.

Il adorait l'écouter raconter des histoires ; en dépit de tous ses déboires, elle n'avait jamais perdu son merveilleux sens de l'humour.

— Je lui ai donné rendez-vous au Village Grille, bien sûr. Vous croyez que je veux rester vieille fille éternellement ?

Mais alors même qu'elle prononçait ces mots, elle se rendait compte que c'était précisément ce qu'elle souhaitait. Elle n'avait aucune envie de se lancer dans une nouvelle relation. Ses conversations téléphoniques avec Paul lui apportaient le réconfort dont elle avait besoin, tout en lui évitant de s'investir.

— Vous lui avez donné rendez-vous ? Je suis désolé de l'apprendre, s'exclama Paul d'un air faussement désespéré.

— Pourquoi ? le taquina-t-elle. Vous êtes jaloux ?

— Naturellement. Mais cela mis à part, je compte venir à New York la semaine prochaine, et je me disais que nous

pourrions peut-être déjeuner ou même dîner tous les deux...
Mais maintenant que je sais que vous allez être occupée...

— Vous comptez quoi ? s'exclama-t-elle, abasourdie.
Vous êtes sérieux ?

Elle n'en croyait pas ses oreilles. Avec le temps, elle en
était arrivée à penser qu'il ne quitterait plus jamais l'*Etoile-
des-Mers*.

— Il y a une réunion du conseil d'administration à
laquelle mes partenaires me demandent d'assister. Alors, je
me suis dit que j'en profiterai pour voir comment je trouve
New York, après tout ce temps. Vous savez... même l'*Etoile-
des-Mers* finit par être un peu ennuyeuse !

— Je ne pensais pas que vous diriez ça un jour, dit-elle,
ravie.

— Moi non plus ! Heureusement que Serena ne peut pas
m'entendre.

— Quand comptez-vous arriver ?

— Dimanche soir.

Cela faisait des semaines qu'il y songeait, mais il avait préféré ne pas lui en parler, pour ne pas lui donner de faux
espoirs. Encore maintenant, il se sentait un peu nerveux à
l'idée de la voir. Quoi qu'il prétendît, il y avait quelque chose
chez elle qui le touchait profondément, plus qu'il ne l'aurait
voulu, peut-être.

— Alors ? Vous pensez qu'il y a une chance que vous
puissiez vous libérer ? demanda-t-il, mal à l'aise comme un
adolescent avant son premier rendez-vous.

— Voulez-vous que je vienne vous chercher à l'aéroport ?

— Cela vous serait possible ?

— Je pense que je pourrais m'arranger. (Elle réfléchit

quelques secondes avant de demander :) Quand avez-vous pris cette décision ?

— Il y a une semaine environ. Je n'ai rien dit, parce que je voulais être certain de ne pas changer d'avis. Mais ce matin, j'ai acheté mon billet : les dés sont donc jetés ! Ça me fera plaisir de vous voir, India.

Il avait prononcé ces derniers mots d'un drôle de ton, mais India songea qu'il était simplement ému de rentrer à New York, une ville particulièrement chargée de souvenirs pour lui. Il l'avait quittée le lendemain du service funèbre, et n'y était pas retourné depuis.

— J'ai hâte de vous voir, moi aussi, répondit-elle.

Elle se demandait combien de temps il comptait rester, mais n'osa pas lui poser la question. Elle ignorait s'il rentrait pour de bon, ou faisait seulement une tentative, pour voir... Le savait-il lui-même, d'ailleurs ? Elle en doutait.

— Dans ce cas, je suppose qu'il va me falloir annuler mon rendez-vous, dit-elle avec un soupir exagéré. Ce qu'on ne ferait pas, pour un ami...

— Gardez quand même le numéro de votre Roméo, on ne sait jamais !

Ils bavardèrent encore quelques minutes. Paul promit de la rappeler pour lui donner l'heure de son arrivée et le numéro de son vol.

Longtemps après avoir raccroché, India demeura assise près de la fenêtre, le regard perdu dans le vide. Dans la rue, les arbres étaient toujours nus ; rien n'annonçait le retour prochain du printemps. Mais le fait de savoir que Paul allait revenir faisait germer un peu d'espoir en elle. Tous deux avaient survécu à cet hiver glacial et interminable ; et elle avait l'impression qu'enfin le soleil perçait timidement les nuages accumulés au-dessus de leurs têtes, comme pour les récompenser de leur courage.

Malheureusement, elle le savait, la vie ne décernait pas de récompenses. On ne recevait pas de prix pour avoir survécu à la tragédie, au deuil, au désespoir ; il fallait simplement continuer, subir encore et toujours les coups du destin. Et puis, de temps en temps, une petite fleur fragile pointait son nez dans la neige, pour vous donner un peu d'espoir et vous remettre en mémoire des jours meilleurs. Pour vous rappeler qu'un jour, après l'hiver, viendrait le printemps, et même l'été.

20

LE DIMANCHE soir, India se rendit en voiture à l'aéroport après avoir laissé les enfants à leur baby-sitter habituelle. Une pluie fine tombait sur New York, et il y avait des embouteillages ; elle eut l'impression que le trajet durait une éternité. Par chance, elle était partie tôt pour éviter toute mauvaise surprise, et lorsqu'elle eut garé sa voiture au parking il lui restait encore une demi-heure avant l'arrivée de l'avion de Paul.

Elle se promena dans le terminal, flâna d'une boutique à l'autre et vérifia son apparence dans un miroir. Sous son imperméable, elle avait choisi de porter un tailleur-pantalon gris et des escarpins. Au départ, elle avait songé à mettre quelque chose de plus sexy, comme son tailleur noir, mais elle avait finalement préféré s'abstenir. Ils n'étaient que deux amis, et ils se connaissaient si bien désormais qu'elle se serait sentie ridicule de chercher à le séduire par de tels artifices. Elle s'était donc contentée de relever ses cheveux en chignon et de se maquiller légèrement.

Néanmoins, en cet instant, alors qu'elle se dirigeait vers la zone des arrivées, elle ne pouvait s'empêcher de s'interroger sur ce que Paul attendait d'elle. Pourquoi lui avait-il demandé de venir le chercher ? Avait-il peur de rentrer à New York, d'être confronté à tous ses souvenirs ? C'était probable. Ce ne serait pas facile pour lui, surtout après tout ce temps, en particulier quand il lui faudrait retourner à son appartement. Durant les six derniers mois, il s'était réfugié dans un cocon, cloîtré à bord de l'*Etoile-des-Mers* ; comment réagirait-il à ce retour à la réalité ? India l'ignorait. Cependant, elle se réjouissait d'être là pour l'accueillir.

Bientôt, on annonça que son vol était arrivé. India se sentait fébrile, jamais elle n'avait trouvé le temps aussi long. Il fallait encore qu'il passe la douane... L'attente lui paraissait interminable.

Enfin, une demi-heure plus tard environ, les passagers commencèrent à apparaître : des grand-mères obèses, des hommes en jean, deux mannequins portant leur book, et beaucoup de gens ordinaires, souvent accompagnés d'enfants. Etaient-ils dans le même vol que Paul ? Comment le savoir ? Au bout d'un moment, cependant, elle entendit un groupe de jeunes gens qui discutaient avec un fort accent anglais. Aucun doute, ils venaient de Londres.

Tout à coup, India se mit à paniquer. Avait-elle manqué Paul ? Il y avait une foule très dense dans le terminal, et les gens se bousculaient tout autour d'elle. Cela faisait près d'un an qu'elle ne l'avait pas vu, six mois si l'on comptait l'enterrement, mais alors elle ne l'avait aperçu que de loin. Il pouvait avoir changé, depuis. Et si lui ne la reconnaissait pas ? S'il avait oublié à quoi elle ressemblait ?

Elle regardait autour d'elle en essayant de l'apercevoir lorsqu'une voix familière retentit derrière elle.

347

— Je ne m'attendais pas à ce que vous ayez relevé vos cheveux.

Il pensait qu'elle porterait sa natte habituelle, et avait failli la rater.

Au son de sa voix, India se retourna vivement, et aussitôt, elle se remémora les paroles de Gail lorsqu'elle lui avait parlé de Paul, à son retour de Cape Cod : « indécemment séduisant, sauvagement attirant... ». Cela n'aurait pu être plus vrai qu'en cet instant, alors qu'il lui souriait et l'attirait dans ses bras pour la serrer affectueusement contre lui. Elle avait oublié combien il était grand, et combien ses yeux étaient bleus. Ils ressortaient encore davantage dans son visage hâlé par six mois à bord de l'*Etoile-des-Mers*. Elle remarqua qu'il s'était fait couper les cheveux très court.

— Vous êtes magnifique, lui dit-il en l'embrassant sur la joue, et elle se sentit rougir.

Depuis six mois, elle parlait presque quotidiennement à cet homme. C'était son confident, il savait tout d'elle ; il lui avait tenu la main alors que tout s'effondrait autour d'elle, il l'avait aidée quand elle pensait ne plus pouvoir avancer. Mais soudain, maintenant qu'elle le revoyait en chair et en os, elle était tout intimidée.

Elle réussit néanmoins à lui sourire. Il recula pour mieux la regarder.

— Vous aussi, vous avez l'air en pleine forme, observat-elle.

— Et pour cause ! Je n'ai fait que me reposer sur mon bateau depuis six mois.

Cela dit, pour quelqu'un qui prétendait avoir paressé pendant tout ce temps, il paraissait très athlétique. India ne l'avait jamais vu aussi mince, et il semblait plus jeune que dans son souvenir.

— Vous avez perdu du poids, observa-t-il.

Il reprit ses bagages, et ils se dirigèrent ensemble vers la sortie. Il n'avait apporté qu'un petit sac de voyage et son attaché-case ; tout ce dont il pouvait avoir besoin l'attendait chez lui.

— Cela vous va bien, ajouta-t-il.

Il était si heureux de la voir qu'il souriait toujours. India lui rendit son sourire.

— Je me faisais exactement la même remarque à votre sujet, dit-elle. Comment s'est passé votre vol ?

C'était le type de conversation qu'elle aurait pu avoir avec Doug, dans les mêmes circonstances. D'une certaine manière, ils se connaissaient si bien qu'India avait parfois l'impression d'être mariée avec lui... Cependant, elle ne se faisait aucune illusion : elle savait pertinemment que Paul n'était ni son mari, ni son petit ami. Leur relation était... différente. Malgré tout, c'était merveilleux de ne plus avoir à s'adresser à une voix désincarnée. Paul était réel, tangible, vivant, il lui souriait, et elle était aux anges.

— Je n'arrive pas à croire que vous êtes là ! s'exclama-t-elle.

Souvent, elle s'était dit qu'il demeurerait éternellement sur l'*Etoile-des-Mers* et qu'elle ne le reverrait jamais.

— Moi non plus, avoua-t-il, visiblement ravi. Et le vol a été horrible. Il devait y avoir au moins deux cents bébés qui pleuraient en même temps, et ma voisine m'a parlé de son jardin sans discontinuer du départ de Londres jusqu'à l'atterrissage. De quoi développer une allergie irréversible aux rosiers et aux rhododendrons !

India rit de bon cœur. Ils s'approchaient de la voiture, et dès qu'elle l'eut ouverte Paul jeta son sac sur la banquette arrière.

— Voulez-vous que je conduise ? proposa-t-il.

Devinant qu'il était fatigué, India hésita.

— Me faites-vous confiance ?

Elle savait combien certains hommes – Doug était de ceux-là – détestaient laisser le volant à une femme.

— Oh oui ! Vous avez bien plus de pratique que moi, à force de conduire les enfants à l'école et je ne sais où. Et puis, vous, vous n'avez pas bu trois whiskies !

Au bout de deux heures de vol, en effet, il avait décidé que c'était là le seul antidote aux enfants braillards et aux cours de jardinage. Cependant, lorsqu'elle lui jeta un coup d'œil, India estima qu'il paraissait parfaitement sobre.

Ils montèrent dans la voiture, mais avant de mettre le contact, la jeune femme se tourna vers son passager ; leurs regards se rencontrèrent, sérieux soudain. Leurs yeux étaient presque du même bleu.

— Je voulais juste vous remercier, dit doucement India.

— De quoi ? demanda Paul, surpris.

— De m'avoir aidée à tenir le coup pendant tout ce temps. Je n'y serais pas arrivée, sans vous.

Mais elle en avait fait autant pour lui, et il en avait conscience.

— Comment ça va, à présent ? demanda-t-il avec sollicitude. Doug continue-t-il à vous torturer ?

— Non, son avocat a pris le relais. (Elle sourit en tournant la clé de contact.) Mais je pense que nous avons à peu près réglé tous les problèmes.

Doug lui avait offert une pension alimentaire suffisante

pour lui permettre de vivre confortablement, à condition qu'elle acceptât quelques reportages dans l'année pour arrondir ses fins de mois. Par ailleurs, il lui avait fait une offre généreuse : elle pouvait garder la maison durant neuf ans, jusqu'à ce que Sam entre à l'université, à moins qu'elle ne se remarie avant, auquel cas ils la vendraient. L'avocat de la jeune femme lui avait conseillé d'accepter cet accord. Selon lui, le divorce serait prononcé avant Noël.

Elle avait déjà discuté de la plupart des termes du divorce avec Paul par téléphone, et il lui avait dit qu'elle ne pouvait probablement pas obtenir mieux. Ce n'était pas extraordinaire, mais c'était acceptable, et cela laissait à Doug de quoi vivre, et même se remarier, s'il le souhaitait. Il gagnait bien sa vie ; sa fortune n'avait rien de comparable avec celle de Paul, bien sûr, mais il n'avait pas à se plaindre. Par ailleurs, India et lui avaient décidé de partager leurs économies en deux parts égales. Cela permettrait à la jeune femme de voir venir, en cas d'ennui.

— Je n'arrive pas à croire que je suis de retour, India, dit Paul en voyant les célèbres gratte-ciel de New York se profiler à l'horizon.

India comprenait ce qu'il éprouvait ; il devait être étrange de se retrouver là après avoir passé tant de temps loin de chez lui et avoir visité tant d'endroits différents. La Turquie, l'ex-Yougoslavie, la Corse, la Sicile... Venise... Viareggio... Portofino... le cap d'Antibes... Il avait choisi des endroits magnifiques pour se cacher, mais, durant ces mois de douleur, la beauté de ces lieux enchanteurs ne lui avait guère apporté de réconfort. Et, comme elle s'en était doutée, il était nerveux à l'idée de retourner à son appartement. Il le lui avoua alors qu'ils pénétraient dans la ville, et elle lui sourit gentiment.

— Peut-être devriez-vous prendre une chambre d'hôtel, suggéra-t-elle.

Elle s'inquiétait pour lui ; elle savait qu'il faisait encore souvent des cauchemars et avait du mal à dormir, même si les choses s'étaient un peu améliorées dernièrement.

Après tous ces mois passés à lui parler au téléphone, elle avait du mal à croire qu'il était assis là, à côté d'elle, et lui-même ne cessait de la regarder, comme pour s'assurer qu'il ne rêvait pas.

— J'avoue avoir en effet pensé aller à l'hôtel, reconnut-il. Je verrai comment ça se passe ce soir. De toute façon, j'ai besoin de mettre de l'ordre dans mes papiers.

Ses partenaires lui avaient fait jurer de venir assister au conseil d'administration prévu le lendemain. Il en avait déjà raté deux, et ils avaient eu bien du mal à tenir la barre sans lui, durant les six derniers mois. Cette fois, ils estimaient indispensable qu'il soit présent.

— Est-ce que ça risque d'être une réunion difficile ? s'enquit India en s'engageant le long de l'East River.

— J'espère que non. Ça devrait surtout être ennuyeux. (Il lui jeta un coup d'œil et demanda d'un ton soudain devenu très sérieux :) Accepteriez-vous de dîner avec moi, India ?

— Maintenant ?

Elle paraissait surprise, et il éclata de rire.

— Non, je pensais plutôt à demain, reconnut-il. Pour moi, il est deux heures du matin, et je suis un peu fatigué. Mais nous pourrions nous retrouver dans un endroit sympathique, demain soir. Où aimeriez-vous aller ? Je vous laisse choisir un restaurant. Que diriez-vous de Côte Basque ? Ou Daniel ? Ou « 21 » ?

352

Elle rit de ses propositions. Son compagnon semblait oublier le type de vie qu'elle menait.

— En vérité, je ne connais guère que le Jack in the Box et Denny's. N'oubliez pas que je ne sors plus qu'avec mes enfants, depuis quelque temps.

Et Doug, lorsqu'ils étaient mariés, ne l'emmenait jamais dîner à New York. Deux fois par an environ, ils allaient au théâtre, mais c'était tout. Doug estimait que les restaurants de luxe n'étaient pas faits pour les couples, seulement pour les repas d'affaires.

— Pourquoi ne décideriez-vous pas vous-même ?

— Dans ce cas, je vote pour Daniel.

Ç'avait été un des restaurants préférés de Serena, mais il l'aimait beaucoup lui aussi. Serena trouvait l'endroit moins « m'as-tu-vu » que La Grenouille ou Côte Basque, ce qu'elle regrettait un peu ; lui, au contraire, appréciait justement l'élégance plus subtile de Daniel. Et la cuisine y était exquise.

— Je n'y suis jamais allée, avoua India. Mais j'en ai entendu parler. Et une de mes amies m'a dit que c'était, selon elle, le meilleur restaurant de New York.

— Pourrez-vous trouver une baby-sitter ? s'inquiéta Paul.

Elle lui adressa un sourire empreint de gratitude comme ils s'engageaient dans la 79e Rue.

— Merci de me poser la question. (Elle appréciait d'autant plus sa sollicitude qu'elle savait qu'il ne s'était pas préoccupé de telles choses depuis des années.) Je me débrouillerai. Voudriez-vous venir à la maison voir les enfants, le week-end prochain ? Sam serait vraiment heureux de vous revoir.

— Avec plaisir. Nous pourrions les emmener tous manger une pizza et voir un film.

Il savait que c'était le type de soirée qu'ils affectionnaient, et se réjouissait à l'idée de partager cela avec elle.

De son côté, India était toujours un peu déstabilisée par le retour inattendu de Paul, et elle ne pouvait s'empêcher de se demander ce que cela signifiait, et combien de temps il allait rester. Cependant, elle n'osait lui poser la question. Et puis, de toute façon, elle devinait qu'il aurait quantité de gens à voir, et qu'il ne pourrait guère lui consacrer beaucoup de temps : nul doute qu'ils ne tarderaient pas à en revenir à leurs coups de téléphone quotidiens.

L'appartement de Paul se trouvait sur la Cinquième Avenue, juste au-dessus de la 73e Rue, dans un immeuble élégant. Lorsqu'il reconnut Paul, le portier parut à la fois surpris et ravi.

— Monsieur Ward ! s'exclama-t-il.

— Bonsoir, Rosario, dit Paul en serrant la main qu'il lui tendait. Comment allez-vous ? New York vous traite toujours bien ?

— Je n'ai pas à me plaindre, monsieur Ward, merci. Vous êtes resté sur votre bateau pendant tout ce temps ?

Le portier avait entendu des rumeurs à ce sujet, et s'était chargé de faire suivre le courrier de Paul à son bureau.

— Oui, en effet, acquiesça Paul en pénétrant dans l'immeuble, India à son côté.

Rosario aurait voulu lui dire combien il était désolé, pour son épouse, mais il jugea que le moment était mal choisi. Il se demanda si la jolie blonde qui accompagnait M. Ward était sa petite amie ; il l'espérait, car il estimait que le pauvre homme avait bien besoin de réconfort, après une telle épreuve.

Ils montèrent dans l'ascenseur, et arrivèrent bientôt sur le palier. Comme Paul fouillait dans son attaché-case à la recherche de sa clé, India remarqua que sa main tremblait. Elle effleura doucement sa manche et il se tourna vers elle, croyant qu'elle avait une question à lui poser.

— Ça va aller, Paul, lui dit-elle avec douceur. Tout va bien se passer.

Il lui sourit avec gratitude. Elle semblait toujours lire dans ses pensées, et deviner exactement ce qu'il ressentait. Il en allait de même lorsqu'ils se téléphonaient, et il appréciait beaucoup cela, chez elle. Il savait qu'il pouvait toujours se réfugier auprès d'elle lorsqu'il avait mal, ou qu'il se sentait perdu. Avant de tourner la clé dans la serrure, il posa ses affaires à terre et serra la jeune femme contre lui.

— Merci. En fait, je crois que ça va être plus dur que je ne le pensais.

— Peut-être pas. Essayons.

Elle était là pour le soutenir, tout comme lui l'avait aidée ces derniers mois, dans tous les moments difficiles. Combien de fois, alors qu'elle se sentait déprimée et malheureuse, l'avait-elle appelé à bord de l'*Etoile-des-Mers* en sachant qu'il lui prêterait une oreille attentive ?

Doucement, il tourna la clé dans la serrure, la porte s'ouvrit, et il alluma la lumière. Personne n'avait pénétré dans l'appartement depuis le mois de septembre, la femme de ménage exceptée ; si bien qu'il était immaculé, mais très vide et silencieux. India entra, et découvrit une grande entrée noir et blanc, décorée de lithographies et de sculptures modernes. Elle reconnut aussi un très beau Pollock.

Paul ne lui dit rien, mais se dirigea directement vers le salon, allumant toutes les lumières au passage. C'était une pièce immense, très belle, décorée d'un intéressant mélange de mobilier ancien et moderne. Au mur étaient accrochés un Miró, un Chagall, et deux ou trois autres tableaux d'artistes qu'India ne connaissait pas. L'ensemble était très éclectique, et, sans savoir pourquoi, India trouvait que ce décor exprimait parfaitement la personnalité de Serena. Partout on reconnaissait sa force, son humour, son style. Par ailleurs, il y avait des photos d'elle dans tous les coins, prises pour la plupart pour les couvertures de ses livres, ainsi qu'un grand portrait d'elle au-dessus de la cheminée.

Paul demeurait immobile au côté d'India, fasciné par ce tableau.

— J'avais oublié combien elle était belle, murmura-t-il d'une voix rauque. J'essaie de ne pas y penser.

La jeune femme hocha la tête, sachant combien il était difficile pour lui de se retrouver là, au milieu de tous ces souvenirs. Mais c'était indispensable. Elle se demanda si, à terme, il enlèverait le portrait, ou s'il le laisserait là à jamais. Il dégageait une aura d'une force exceptionnelle, exactement comme son modèle, et India ne put retenir un petit frisson.

S'efforçant de détacher son regard du tableau, Paul se dirigea vers une pièce plus petite, aux murs lambrissés de chêne – son bureau. Il posa son attaché-case sur sa table de travail. India, qui l'avait suivi, se demanda s'il n'était pas temps pour elle de le laisser travailler.

— Je devrais peut-être y aller, suggéra-t-elle.

Elle fut surprise de voir son compagnon lever vers elle un regard déçu et vaguement blessé.

— Déjà ? Ne pourriez-vous rester un petit peu, India ? A moins que vous ne deviez retourner auprès des enfants ?

— Non, non, pas de problème. Je ne veux pas m'imposer, c'est tout.

— J'ai besoin de vous, India, dit-il simplement avec une honnêteté désarmante. Voulez-vous boire quelque chose ?

— Il ne vaut mieux pas. N'oubliez pas que je dois rentrer à Westport en voiture.

Paul se laissa tomber dans un canapé de velours bleu placé devant une petite cheminée de marbre. India remarqua que le tableau qui la surmontait était un Renoir.

— C'est vrai, soupira son hôte. Ça m'ennuie, d'ailleurs, de vous savoir sur les routes en pleine nuit... Je devrais vous trouver un chauffeur, lorsque vous venez en ville. Ou, si vous le préférez, je vous raccompagnerai moi-même, à l'avenir.

— Cela ne me dérange pas de conduire, affirma-t-elle, reconnaissante de cette pensée attentionnée.

Comme il se levait pour se préparer un whisky-soda léger, elle accepta un Coca-Cola.

— Votre appartement est magnifique, ajouta-t-elle avec douceur.

Mais elle n'était pas surprise : l'*Etoile-des-Mers* était tout aussi superbe.

— C'est Serena qui a tout fait elle-même, soupira-t-il en regardant India.

Une nouvelle fois, il songea que cette dernière était vraiment très belle, plus encore que dans son souvenir. Elle était assise sur le canapé, ses longues jambes croisées avec grâce, et il ne pouvait la voir sans se remémorer les moments qu'ils avaient passés à bavarder ensemble sur l'*Etoile-des-Mers*, l'été précédent.

— Serena était une femme si talentueuse..., murmura-t-il, songeant de nouveau à son épouse défunte. Je ne crois pas qu'il y ait eu un seul domaine dans lequel elle n'excellait pas. Parfois, d'ailleurs, c'était dur à vivre.

Ce n'était pas la première fois qu'il faisait cette remarque à India, mais en cet instant, dans l'appartement de Serena, elle comprenait ce qu'il voulait dire. L'endroit avait une élégance décontractée, un charme et une personnalité qui évoquaient irrésistiblement l'écrivain.

— Je ne sais pas ce que je vais faire de cet endroit, murmura Paul d'un air découragé. Parfois, je me dis que je ferais mieux de tout emballer et de le vendre.

— Je vous conseille de bien réfléchir, observa India. C'est un merveilleux appartement. Peut-être, en revanche, serait-il bon que vous changiez légèrement les meubles et les objets de place.

Paul eut un petit rire.

— De son vivant, Serena m'aurait étripé, si j'avais fait ça... Elle avait toujours l'impression, quand elle mettait quelque chose quelque part, qu'elle obéissait à une espèce d'ordre divin. Elle me faisait toute une histoire si je déplaçais un cendrier ! Mais vous avez peut-être raison. Il est sans doute nécessaire que je m'approprie davantage cet appartement, en quelque sorte. Elle y est encore si présente... Avant de revenir ici, j'avais presque oublié combien son style était personnel.

Jamais Serena n'avait cherché à se mêler de la décoration de l'*Étoile-des-Mers*, c'était le domaine réservé de Paul, ce qui expliquait qu'il s'y fût réfugié à sa mort. Là-bas, les souvenirs étaient moins nombreux, plus discrets.

— Et vous ? demanda-t-il. Avez-vous l'intention de redécorer votre maison de Westport ? Est-ce que Doug a emporté beaucoup de ses affaires ?

En vérité, il en avait été question, mais en fin de compte, en dehors de ses vêtements, Doug n'avait pris que son ordinateur et quelques vieux souvenirs datant de l'université. India et lui avaient essayé de ne pas bouleverser les enfants plus que nécessaire.

— Non, il a presque tout laissé, répondit India, et je crains de contrarier les enfants si je commence à faire des changements. Ils ont déjà beaucoup de choses à digérer, en ce moment. (Une pensée la traversa et, sautant du coq à l'âne, elle demanda :) Avez-vous l'intention de ramener le bateau ici, à présent ?

Il réfléchit un instant avant de répondre.

— Je n'ai pas encore pris ma décision. Ça dépend de combien de temps je resterai, et je n'en sais encore rien. J'envisageais de faire venir le bateau dans les Caraïbes pendant quelque temps, peut-être au mois d'avril. C'est une période agréable dans cette région du monde. Y êtes-vous déjà allée ?

— C'est l'un des rares endroits que j'ai ratés, répondit-elle en riant. Ils font rarement la guerre, là-bas.

— Il y a eu Grenade, lui rappela-t-il.

— C'est vrai, mais je n'ai pas couvert le conflit.

— Si je demande à l'équipage d'emmener l'*Etoile-des-Mers* à Antigua, peut-être les enfants et vous pourrez-vous venir passer quelques jours de vacances à bord avec moi ?

— Je suis sûre qu'ils adoreraient ça, affirma-t-elle.

Bien sûr, Aimée risquait d'avoir le mal de mer, mais il existait maintenant de bons médicaments préventifs... India en était là de ses réflexions lorsqu'elle vit Paul jeter un coup d'œil à l'une des photographies de Serena placées sur une petite table près d'eux. Son cœur se serra à la pensée de la douleur qu'il devait éprouver.

— Avez-vous faim ? lui demanda-t-elle afin de le distraire

un peu. Je pourrais vous préparer quelque chose. Je suis la reine des omelettes et des sandwiches au beurre de cacahuète.

— J'adore le beurre de cacahuète, répondit-il en souriant, conscient de ce qu'elle essayait de faire et reconnaissant de cette tentative.

Hélas, c'était sans espoir, il le savait. Se retrouver dans l'appartement que Serena et lui avaient partagé était une torture, comme de respirer son parfum ou d'entendre sa voix.

— J'aime le beurre de cacahuète avec des olives et des bananes, ajouta-t-il.

Il éclata de rire devant la mine dégoûtée de la jeune femme.

— Quelle horreur ! Je vous en prie, n'en parlez pas à Sam, on dirait un de ces mélanges qu'il affectionne et qui me rendent malade. Vous avez ce qu'il faut ici ? Je vais voir ce que je peux faire.

— Je ne crois pas qu'il y ait grand-chose, mais je peux regarder.

Il ignorait ce qu'il pouvait y avoir dans le congélateur. Mais au moins, dans la cuisine, il ne serait pas submergé par les souvenirs : Serena n'y mettait jamais les pieds. Le plus souvent, ils mangeaient au restaurant ou faisaient venir un traiteur ou un cuisinier ; parfois, Paul cuisinait pour eux deux. En onze ans, elle ne lui avait pas fait à manger une seule fois, et elle en était très fière.

India le suivit. Ils traversèrent le salon, une salle à manger au milieu de laquelle trônait une immense table en bois massif, et pénétrèrent dans une cuisine spartiate toute de granit noir. On l'aurait crue tout droit sortie d'un magazine de décoration, et India ne doutait pas qu'en effet elle eût été un jour ou l'autre photographiée pour l'un d'eux.

360

Ils n'y trouvèrent que quelques hors-d'œuvre surgelés laissés par un traiteur et, dans le réfrigérateur, des canettes de soda bien alignées.

— Eh bien, on dirait que vous allez faire un drôle de petit déjeuner, demain matin, ironisa India.

— Je n'ai dit à personne que je venais, et je suppose que ma secrétaire a cru que je n'aurais pas le courage de dormir dans cet appartement. Elle m'a même dit qu'elle me prendrait une chambre au Carlyle, au cas où je n'aurais pas envie de rester ici. D'ailleurs, je me demande si je n'irai pas, demain.

Là-dessus, il regarda India d'un air étrange, et elle lui sourit, heureuse d'être avec lui.

— Je suis désolé de ne rien avoir à vous donner, India.

— Je n'ai pas faim, affirma-t-elle, je craignais juste que vous n'ayez un petit creux, vous. (Elle jeta un coup d'œil à sa montre.) Vous devez être épuisé.

— Je tiens le coup, ne vous inquiétez pas. Ça me fait plaisir d'être avec vous.

Il n'avait aucune hâte de se retrouver seul dans l'appartement avec ses souvenirs et tous les vestiges de son passé avec Serena. Tous les vêtements de sa femme se trouvaient encore dans le dressing, et il appréhendait de les revoir. Or il lui faudrait traverser la pièce pour atteindre ses propres placards... Rien qu'à cette perspective, il frissonnait intérieurement. Il savait ce qu'il verrait : les chaussons de Serena, sa robe d'intérieur, ses sacs à main et ses robes, tous bien rangés, par couleur et créateur. C'était une femme incroyablement organisée et méticuleuse, dans tous les domaines.

— Quand vous devrez repartir à Westport, dites-le-moi.

Il ne voulait pas la savoir sur la route trop tard, mais en

même temps il n'avait aucune envie qu'elle s'en aille. Après tous ces mois passés à lui parler, il voulait être près d'elle, même s'il ne savait comment l'exprimer.

Ils parlèrent un moment des enfants, et de son conseil d'administration du lendemain. Il lui expliqua de quoi il serait question, et lui parla un peu plus en détail de son travail. Puis il lui demanda si elle avait eu des nouvelles de Raoul, dernièrement. Elle lui répondit que non, ce qui était aussi bien car, pour l'instant, elle n'avait pas envie de laisser les enfants. Le départ de leur père était encore trop frais, et elle voulait être là pour les aider à s'accoutumer à l'idée du divorce.

Ils bavardèrent très longuement, comme ils le faisaient toujours, jusqu'au moment où Paul regarda sa montre, et déclara avec un soupir qu'il serait probablement préférable qu'India s'en allât, afin de ne pas être sur la route trop tard. Il était déjà plus de minuit, et elle ne serait pas chez elle avant une heure du matin. Mais, alors qu'elle se dirigeait lentement vers la porte, il lui jeta un regard si douloureux que son cœur se serra.

— Ça va aller ? demanda-t-elle d'un ton protecteur.

— Je l'espère...

— N'ayez pas peur de me réveiller, si vous avez des angoisses ou simplement envie de parler à quelqu'un.

— Merci, répondit-il. (Il parut un instant sur le point de lui dire quelque chose, mais se ravisa.) C'est bon d'être là, murmura-t-il en plongeant son regard dans le sien, et elle comprit aussitôt qu'il ne parlait pas de l'appartement.

— C'est bon de vous avoir, répondit-elle.

Il descendit avec elle et la raccompagna jusqu'à sa voiture pour s'assurer qu'elle était en sécurité. Avant de démarrer, elle baissa sa vitre et le remercia de nouveau ; il promit de l'appeler le lendemain après sa réunion.

— Que diriez-vous de me retrouver à sept heures et demie, demain soir ? demanda-t-il, et elle hocha la tête en souriant.

— Parfait. Est-ce un restaurant très habillé ?

— Pas trop.

« Parfait, songea India : le tailleur noir, des escarpins et des boucles d'oreilles en perles... »

— Je vous appellerai, conclut Paul.

— A demain. Essayez de dormir..., dit-elle en démarrant.

Elle lui fit un petit signe de la main et s'éloigna. Sur le chemin du retour, elle alluma la radio et fredonna doucement, tout en songeant qu'il était merveilleux que Paul fût de retour. Si elle s'était écoutée, elle aurait laissé son imagination s'emballer... Mais elle savait qu'elle n'en avait pas le droit, et elle se contenta de penser à leur dîner du lendemain chez Daniel.

21

PAUL appela India à sept heures du matin ; sa voix était terriblement triste, et il avait l'air épuisé. Il lui avoua qu'il avait passé une nuit horrible, et annonça qu'il comptait s'installer au Carlyle le soir même.

— Oh, Paul, je suis désolée, lui dit India.

Mais elle n'était guère étonnée : la présence de Serena était trop palpable dans l'appartement pour qu'il pût penser à autre chose.

— C'est affreux, avoua-t-il, bien pire que prévu. Je crois que je n'aurais pas dû essayer de dormir ici.

On sentait qu'il avait pleuré.

— Peut-être qu'à terme vous réussirez à faire quelques changements dans l'appartement. Vous verrez, cela vous facilitera un peu les choses, lui dit India d'une voix douce.

Elle se sentait à l'aise au téléphone ; elle retrouvait ses marques, la relation familière qu'elle partageait avec lui depuis des mois. Elle avait encore un peu de mal à faire le lien entre la voix qu'elle connaissait si bien et l'homme qu'elle n'avait vu que si rarement, mais elle aimait cette voix.

— Je ne sais pas quoi faire. J'envisage sérieusement de vendre l'appartement tel quel.

Mais il n'était pas prêt pour cela non plus, et ils le savaient tous les deux.

— Bon, reprit-il, je propose que nous nous retrouvions au Carlyle ce soir, au bar Bemelmans, à sept heures. Ainsi, nous pourrons prendre un verre avant d'aller chez Daniel, qui est à deux pas.

— OK, j'y serai. Mais au fait, comment allez-vous faire pour le petit déjeuner ? demanda-t-elle. Vous ne pouvez pas partir travailler l'estomac vide !

Paul sourit. India pensait toujours à ce genre de choses ; on sentait qu'elle était habituée à s'occuper d'enfants. Cela faisait des années – voire des décennies – que personne ne s'était inquiété pour lui ; Serena l'aurait laissé mourir de faim sans même s'en rendre compte. Elle ne prenait pas de petit déjeuner, et était donc persuadée qu'il n'en avait pas besoin non plus.

— Je verrai au bureau. Il y a une vraie cuisine et deux chefs, là-bas. Je suis certain qu'ils arriveront à me préparer quelque chose, ne serait-ce qu'une tasse de café et un toast. J'ai l'intention d'y aller tôt, de toute façon.

A vrai dire, il serait allé n'importe où pour quitter cet appartement. Traverser le dressing de Serena l'avait achevé, la veille au soir, et il pleurait sans discontinuer depuis quatre heures du matin.

— Je ne suis pas sûr de pouvoir revenir ici un jour, avoua-t-il d'une voix brisée.

— Ce sera plus facile à l'avenir, vous verrez, le rassura India. Souvenez-vous, au début, même l'*Etoile-des-Mers* vous était insupportable.

Revenir à New York et aller d'emblée se replonger dans l'atmosphère de l'appartement avait peut-être été une erreur,

songea-t-elle. C'était une manière trop directe, trop brutale
d'affronter la terrible réalité.

— Merci d'être là, dit-il.

Soudain, il entendit dans l'appareil des bruits étranges, et
les aboiements d'un chien.

— Mais où êtes-vous, au fait ? demanda-t-il. J'entends un
de ces chahuts...

— Et pour cause, répondit-elle en souriant. Je prépare le
petit déjeuner des enfants, et le chien se prend pour une
toupie.

Paul sourit à son tour. Ce bruit était amical, familier ; il
évoquait un foyer paisible.

— Comment va Sam ?

— Bien. Il est affamé, comme toujours !

— Allez vite vous occuper d'eux, je vous rappellerai plus
tard.

Elle demeura tout l'après-midi à l'extérieur, et ne rentra à
la maison qu'après être passée chercher les enfants à l'école.
Elle avait rencontré Gail par hasard, et celle-ci lui avait révélé
que Doug avait passé le week-end avec sa nouvelle petite
amie et les enfants de celle-ci.

India réalisa avec surprise que cela la contrariait profondément. Certes, Doug avait le droit de faire ce qu'il souhaitait,
mais elle lui en voulait de l'avoir si vite remplacée. Cela ne
faisait que deux mois qu'ils étaient séparés ! Et elle, de son
côté, était seule. Elle avait Paul, bien sûr, mais c'était différent. D'ailleurs, elle ne dit rien à Gail. Elle ne parlait jamais
à quiconque de sa relation avec lui ; c'était son secret le plus
cher.

A six heures, fin prête, India descendit dire au revoir aux

enfants. La baby-sitter était arrivée une heure plus tôt, comme prévu, et préparait le dîner dans la cuisine.

— Pourquoi est-ce que tu sors encore ? demanda Sam à sa mère avec une moue boudeuse. Tu n'étais déjà pas là hier soir !

Elle l'embrassa tendrement sur le front.

— J'ai rendez-vous avec des amis en ville. Mais je serai là à ton réveil demain matin, mon grand.

Elle savait qu'il allait lui demander qui étaient ces fameux amis, aussi s'empressa-t-elle de battre en retraite avant qu'il ait eu le temps de poser la question. En effet, elle ne tenait pas à lui dire qu'elle voyait Paul : elle estimait que cela ne regardait pas les enfants, et craignait de les inquiéter. Ils étaient déjà contrariés par la petite amie de Doug et ses deux enfants, et India ne souhaitait pas qu'ils se fassent davantage de souci. Car, même si Paul ne représentait nullement une menace pour eux, ils ne manqueraient pas de faire différentes suppositions sur son compte, s'ils apprenaient qu'elle le voyait.

Les routes étaient encombrées, et elle arriva avec dix minutes de retard au rendez-vous. Comme prévu, elle portait son tailleur noir et des escarpins neufs, et elle avait de nouveau relevé ses cheveux en chignon, révélant des boucles d'oreilles en perles fines. C'était une nouvelle expérience pour elle : jamais elle n'avait eu de rendez-vous galant en ville... Mais il ne s'agissait nullement de cela, se répéta-t-elle avec sévérité en confiant ses clés au voiturier.

Paul lui avait de nouveau proposé de lui envoyer une limousine afin qu'elle n'eût pas à prendre sa voiture, mais elle avait pensé que cela ne manquerait pas d'exciter l'imagination des enfants. Ils se seraient dit qu'elle sortait avec une star de cinéma ou un trafiquant de drogue ! Il était bien plus simple pour elle de conduire, et d'éviter ainsi questions et commentaires.

— Vous êtes superbe, lui dit Paul en souriant lorsqu'elle le rejoignit.

Elle remarqua qu'il avait les traits tirés ; la journée avait visiblement été longue, pour lui. Ce qui n'était guère surprenant : il avait passé une nuit éprouvante, avait dû se replonger dans ses affaires après six mois d'absence, et souffrait encore du décalage horaire.

— Bonne journée ? demanda-t-il en s'asseyant. Moi, je suis sur les rotules. J'avais oublié combien il est épuisant de travailler !

Il sourit, et lui commanda un verre de vin blanc. Elle pouvait le boire sans risques : les effets de l'alcool seraient dissipés bien avant qu'elle reprenne le volant.

— Je me suis contentée de faire quelques courses et de m'occuper des enfants, répondit-elle.

Elle lui révéla tout de même ce que Gail lui avait dit à propos de Doug, et il haussa un sourcil.

— Eh bien, il n'a pas perdu de temps !

En même temps, Paul se réjouissait de cette nouvelle. Cela signifiait qu'à l'avenir Doug laisserait India tranquille.

— Comment s'est passée la réunion du conseil d'administration ? s'enquit India avec intérêt.

— Ma foi, c'était... stimulant. Et j'ai appelé mon fils ; sa femme attend un troisième enfant. C'est bon signe. Cela prouve qu'ils ont foi en l'avenir.

Mais quand India regardait Paul, elle n'arrivait pas à voir un grand-père en lui. Il était trop bel homme pour cela, et il ne faisait absolument pas son âge, même si, ce soir, il affirmait se sentir terriblement vieux. Elle le rassura : ce n'était que l'effet du décalage horaire. Il reconnut cependant que la nuit précédente l'avait bouleversé.

— Je pense que vous avez bien fait de venir vous installer dans cet hôtel, dit-elle.

— Ça paraît un peu idiot, alors que je possède un appartement à quelques centaines de mètres d'ici... Mais je n'aurais pas pu supporter une seconde nuit comme celle-là. Tous les rêves sont revenus... Ceux dans lesquels elle me répète que j'aurais dû mourir avec elle.

— Jamais elle n'aurait dit une chose pareille, et vous le savez parfaitement, déclara India avec fermeté.

Elle se rendait compte qu'elle prenait des libertés avec lui en lui parlant de la sorte, mais c'était exactement ce qu'elle lui aurait répondu s'ils avaient été au téléphone, et elle commençait à s'habituer à le voir en chair et en os.

Paul porta son verre à ses lèvres et lui sourit.

— C'est amusant. Elle aussi employait ce ton réprobateur lorsqu'elle trouvait que je m'apitoyais sur mon sort. Rien ne l'énervait davantage ! Vous avez raison, India, une fois de plus. Sur beaucoup de choses.

Peut-être, songea-t-elle, mais en ce qui concernait son propre couple elle avait fait preuve d'un incroyable manque de jugement... Elle aurait dû s'affirmer des années plus tôt, et laisser Doug la quitter, puisque de toute façon il ne l'aimait pas. Cependant, elle savait que, sans l'aide de Paul, elle n'en aurait jamais été capable.

Dès qu'ils eurent terminé leurs verres, ils partirent chez Daniel. Le maître d'hôtel les salua avec déférence et les installa à une petite table confortable et discrète. India n'eut aucun mal à deviner que Paul était un habitué du restaurant ;

369

le maître d'hôtel se montrait particulièrement cordial avec lui et jetait à India des regards intrigués, comme s'il s'interrogeait sur son identité et sur ses relations avec Paul.

— Tout le monde se pose des questions à votre sujet, confirma ce dernier en souriant. Ils pensent que vous devez être quelqu'un de connu... Vous ressemblez à un mannequin, avec ce tailleur, India. Et j'aime beaucoup votre coiffure, elle vous va très bien.

Cependant, il songeait avec une pointe de nostalgie à sa natte et à sa décontraction, lorsqu'il l'avait rencontrée l'été précédent, à bord de l'*Etoile-des-Mers*. Elle avait semblé si à l'aise avec lui, alors ! Et Sam et lui avaient passé des moments fabuleux. Il avait vraiment hâte de revoir le petit garçon et de lui donner de nouveaux cours de voile.

Ils commandèrent de la bisque de homard pour commencer, puis du pigeonneau pour elle et un steak au poivre pour lui, le tout accompagné d'une salade d'endives et, pour le dessert, un soufflé au Grand-Marnier.

Tandis que le serveur leur versait du vin, Paul invita de nouveau India à venir passer quelques jours sur le voilier avec lui. Après leur conversation de la veille, il avait demandé à l'équipage de ramener l'*Etoile-des-Mers* à Antigua.

— Les vacances de Pâques sont la meilleure période pour visiter les Caraïbes et, de plus, cela permettrait aux enfants de vous accompagner.

— N'y a-t-il personne que vous préféreriez inviter ? demanda-t-elle. Vous savez, quatre enfants, c'est beaucoup. Ils vous rendront fou !

— Pas s'ils sont tous comme Sam. Et puis, nous pourrons les mettre tous les quatre dans deux cabines et recevoir d'autres invités si cela nous chante. Je pensais que ce serait amusant de les avoir à bord. J'aurais volontiers proposé à Sean de se joindre à nous, mais il déteste la voile, et si de surcroît sa femme est enceinte, je doute qu'il accepte de venir. Mais je lui poserai tout de même la question. Et Sam et moi pourrons naviguer pendant que les autres joueront ou regarderont la télé.

Il semblait avoir sincèrement envie qu'ils viennent, et India en fut touchée. C'était une invitation d'autant plus tentante que Doug les avait d'ores et déjà prévenus qu'il avait d'autres projets pour les vacances de Pâques : il comptait aller à Disney World avec sa nouvelle amie et les enfants de celle-ci. Les enfants avaient été blessés de ne pas être invités aussi, mais lorsque India en avait parlé à Gail, cette dernière n'avait pas paru surprise. Apparemment, beaucoup d'hommes divorcés s'intéressaient moins à leurs enfants une fois qu'ils avaient trouvé une petite amie.

— Votre proposition est sérieuse, Paul ? demanda India avec prudence. Vous n'avez pas à faire ça, vous savez.

— Non, mais ça me fait plaisir. Et si cela vous rend nerveuse, India, vous pourrez toujours rester dans votre cabine et me téléphoner dans la timonerie !

Il la taquinait, mais savait qu'il n'était pas facile pour elle de s'habituer à sa présence auprès d'elle en chair et en os. Sa suggestion fit sourire India.

— Bonne idée ! D'ailleurs, je pourrais peut-être essayer tout de suite de sortir vous appeler d'une cabine publique...

— Je ne répondrais pas, dit-il avec sérieux.

— Pourquoi donc ? demanda-t-elle, intriguée par le regard étrange qu'il posait sur elle.

— Parce que je suis en plein rendez-vous galant.

Il y avait quelque chose d'infiniment vulnérable dans ses

yeux alors qu'il prononçait ces mots et, lorsque India lui répondit, sa voix n'était guère plus qu'un murmure.

— S'agit-il d'un rendez-vous galant, Paul ? Je croyais que nous étions deux amis...

— Les deux sont-ils donc incompatibles ? demanda-t-il en plongeant son regard dans le sien.

— Je... je suppose que non, répondit-elle.

Ses mains trituraient nerveusement sa cuillère à soupe ; incapable de soutenir le regard de son compagnon plus long-temps, elle baissa les yeux.

— Vous allez renverser votre soupe, souligna-t-il d'un air taquin, et elle ne put s'empêcher de sourire.

La question de Paul l'avait prise au dépourvu, et elle ne savait trop comment réagir. Doucement, elle reposa sa cuil-lère au bord de son assiette.

— Je ne suis pas sûre de comprendre ce que vous essayez de me dire, déclara-t-elle enfin.

Ou plutôt, elle n'était pas sûre de vouloir comprendre. Elle n'avait pas envie que tout change entre eux. A Noël, juste avant que Doug ne la quitte, il lui avait clairement dit qu'ils n'étaient que des amis. Elle se souvenait parfaitement de leur conversation. Frigorifiée, elle piétinait dans une cabine glaciale du centre commercial, et il lui avait textuelle-ment dit qu'il ne serait pas « la lumière au bout de son tun-nel ». Si c'était vrai, comment pouvait-il parler de rendez-vous galant ? Que voulait-il dire ? Et pourquoi avait-il changé d'avis ?

— En fait, vous me faites abominablement peur, si vous voulez tout savoir, avoua-t-elle.

— Vraiment, India ? demanda-t-il, soudain inquiet. Je ne veux pas vous effrayer. Etes-vous sérieuse ?

372

— Un petit peu. Je pensais que nous étions de simples amis. C'est ce que vous avez dit... à Noël...

— C'était il y a bien longtemps.

Cependant, il se souvenait de leur conversation, à présent. Et il se souvenait d'avoir été sincère, sur le moment... Mais trois mois s'étaient écoulés, depuis. La souffrance avec laquelle il vivait quotidiennement s'était un peu atténuée, et maintenant India était libre.

— Je ne me rappelle pas exactement ce que je vous ai raconté, mais c'était probablement très bête. Je crois avoir dit que je n'étais pas la lumière au bout de votre tunnel, ou une phrase de très mauvais goût comme celle-là... Je vous demande pardon, India.

Le cœur d'India s'était mis à battre la chamade. Elle ne comprenait pas ce qui avait pu le faire changer d'avis.

Poussant un soupir, Paul la regarda et posa sa main sur la sienne.

— J'ai peur, parfois, murmura-t-il. Et je me sens si triste... Serena me manque horriblement, et il m'arrive de dire des choses déplacées.

Parlait-il de maintenant ? Ou de leur conversation du 24 décembre ? India sentait des larmes lui picoter les paupières. Elle ne voulait rien faire qui pût mettre en danger la relation précieuse qu'ils partageaient... Elle ne voulait pas le perdre. Et, s'ils allaient trop loin, Paul risquait de le regretter et de retourner se réfugier sur son bateau, peut-être pour toujours, cette fois.

— Je pense que vous ne savez pas ce que vous faites, dit-elle alors qu'il lui essuyait très tendrement les yeux avec sa serviette.

— Vous avez peut-être raison. Mais pourquoi ne me

laissez-vous pas le découvrir par moi-même ? Cessez de vous inquiéter autant, India. Faites-moi confiance, et découvrons ensemble ce qui se passe réellement entre nous.

Pendant un instant, la jeune femme ferma les yeux, puis elle hocha la tête. Lorsqu'elle regarda de nouveau son compagnon, il lui souriait, heureux de ce qui leur arrivait, et de ce qu'il éprouvait pour elle. Pour la première fois depuis des mois, au lieu de pleurer la fin de quelque chose, il se réjouissait d'un nouveau départ.

Après cela, la conversation prit un tour plus léger, et il lui raconta quelques histoires amusantes à propos de l'*Etoile-des-Mers* : des gens qui s'étaient soûlés ou mal comportés à bord, une femme qui avait eu une liaison avec son capitaine, une autre qui avait laissé les hublots de sa cabine ouverts et failli couler le bateau... India ouvrait de grands yeux, à la fois amusée et horrifiée.

— Je me souviendrai de ne pas faire ça.

— Je vous le rappellerai, ne vous inquiétez pas ! C'est tellement embarrassant de couler, et si mauvais pour les moquettes...

India éclata de rire.

— Vous savez, reprit-il plus sérieusement, c'est extraordinaire. L'*Etoile-des-Mers* est si bien conçue que nous n'avons chaviré qu'une fois.

Devant l'air abasourdi de la jeune femme, il reprit :

— Je ne vous effraie pas, j'espère ? Je pensais que vous seriez impressionnée. En fait, le bateau se débrouille très bien, dans ces cas-là : il se retourne, et se remet presque immédiatement du bon côté. Il n'y a qu'à faire sécher les voiles. Je vous montrerai.

— Oubliez Antigua, déclara-t-elle avec fermeté, tout en

sachant pertinemment qu'il la faisait marcher. Et à l'avenir, allez raconter vos histoires à Sam : lui au moins s'y connaît trop en voile pour les croire.

Une lueur amusée dansait dans les yeux de Paul. Il était heureux ; il appréciait sa compagnie, le dîner, le vin. Cela faisait bien longtemps qu'il n'avait pas passé un aussi bon moment.

— Méfiez-vous, je suis très convaincant, dit-il en levant un sourcil ironique.

— Oui, c'est vrai, acquiesça-t-elle avec un sourire timide.

Elle appréciait son sens de l'humour et sa distinction naturelle, et se sentait désormais aussi à l'aise avec lui qu'au téléphone. Ç'avait été une merveilleuse soirée.

Après le dîner, ils retournèrent lentement au Carlyle à pied. Il était encore tôt, et Paul lui proposa de monter quelques minutes avant de repartir à Westport. India accepta ; elle avait prévenu la baby-sitter qu'elle risquait de rentrer tard, et la jeune fille avait proposé de rester coucher sur place afin qu'elle se sentît tout à fait libre.

— Ma suite n'est pas trop mal, mais ce n'est pas Versailles, la prévint-il.

Il ne lui proposa pas de retourner au bar, et la conduisit directement vers les ascenseurs, sans cesser de lui parler de l'*Etoile-des-Mers* et de ce à quoi elle devait s'attendre, à Antigua. Ils pourraient visiter d'autres îles, si elle le souhaitait ; en fait, ils pourraient faire ce qu'elle voudrait.

L'ascenseur s'immobilisa au neuvième étage, et Paul s'effaça pour la laisser entrer dans une vaste pièce assez joliment décorée, bien que de façon impersonnelle, comme c'était prévisible. L'endroit n'avait rien de comparable avec son appartement, mais il y avait des fleurs partout, et un bar bien garni. Paul proposa un verre de vin à India, mais elle déclina son offre, sachant qu'elle devrait reprendre la route bientôt.

India s'assit sur le canapé, et Paul s'installa à son côté. Il parlait toujours du bateau, mais soudain il s'interrompit et la regarda, et elle ressentit la même décharge électrique que lors de leur première rencontre. Au-delà de son physique très séduisant, il y avait en Paul quelque chose d'infiniment attirant.

— Je n'arrive pas à croire que nous soyons là, tous les deux, dit-il. Je m'attends à me réveiller d'une seconde à l'autre sur le bateau, et à ce que quelqu'un me dise que vous êtes au bout du fil.

— C'est amusant, n'est-ce pas ? acquiesça-t-elle en souriant au souvenir de leurs conversations, de ce qu'ils s'étaient dit au fil des mois, de toutes les fois où elle lui avait téléphoné depuis des cabines glaciales avant le départ de Doug. (Elle rit en les évoquant.) Je pensais que j'allais avoir des gelures, à force ! Sans compter que mon sac pesait des tonnes, à force de trimballer des rouleaux entiers de pièces de vingt-cinq cents...

— Nous avons traversé des moments difficiles, vous et moi, dit Paul d'une voix posée.

En cet instant, il ne pensait pas aux gens qu'ils avaient perdus, mais seulement à eux deux. Il ne voyait que les yeux d'India, leur douceur, et il se laissait submerger par le sentiment qui était né et avait grandi entre eux avec le temps.

Il n'ajouta rien ; se penchant très doucement, il la prit dans ses bras et l'embrassa. Alors, à l'instant où elle sentit ses lèvres sur les siennes, elle eut la réponse à toutes ses questions.

Ils ne dirent rien pendant un long moment, et lorsque

Paul reprit la parole, sa voix était un peu rauque, altérée par l'émotion.

— Je crois que je suis tombé amoureux de vous, India, murmura-t-il.

Jamais ils n'auraient cru en arriver là un jour, et tous deux étaient à la fois émerveillés et un peu désemparés. Cela faisait bien longtemps qu'India elle-même s'était fait une raison, et avait réussi à se convaincre que cela ne pourrait jamais se produire.

— Moi aussi, avoua-t-elle. Pourtant, je... j'ai essayé de ne pas vous le dire, de ne pas même m'autoriser à ressentir quoi que ce soit...

— Moi aussi, confia-t-il en la gardant serrée tout contre lui. Cela fait un long moment que je sais ce que j'éprouve, mais je pensais que vous attendiez autre chose de moi.

— Et moi, je croyais... je craignais...

Elle avait été si sûre de ne pas pouvoir se mesurer à Serena dans l'esprit de Paul qu'elle n'avait pas osé espérer, mais elle préféra ne pas en parler. De nouveau, il l'embrassa, et la serra si fort dans ses bras qu'elle en eut le souffle coupé. Puis, sans un mot, il se leva et la conduisit par la main jusqu'à la porte de la chambre. Il s'immobilisa au moment de la franchir.

— Je ferai ce que vous voudrez, dit-il.

Si India l'acceptait, il était prêt à renoncer à la vie qu'il connaissait pour en commencer une nouvelle. Il l'aimait davantage qu'il ne l'aurait cru possible, et ce sentiment le prenait un peu au dépourvu.

— Si vous voulez retourner à Westport, ce n'est pas un problème. Je comprendrai, affirma-t-il.

Mais elle secoua la tête et plongea son regard dans le sien. Comme lui, elle savait depuis longtemps ce qu'elle éprouvait.

Elle avait lutté vaillamment contre ses sentiments, mais, à présent, tout cela était derrière eux.

— Je t'aime, Paul, dit-elle avec douceur.

Alors, il l'allongea sur le lit, et il s'allongea à son côté, tout contre elle, respirant avec bonheur son parfum, s'émerveillant de sa chaleur, de sa douceur et de sa beauté. Il lui ôta le tailleur noir, et tout ce qu'il découvrit dessous, et ils se jetèrent dans les bras l'un de l'autre avec une passion qui les surprit eux-mêmes. Et lorsqu'il la vit nue près de lui, il posa sur elle un regard empreint de tout l'amour et de toute la tendresse du monde.

— Tu es si belle, India, murmura-t-il tandis qu'elle lui souriait, de ce sourire qu'il avait si souvent vu en rêve, et l'attirait doucement à elle.

Ils se reconnurent, s'étreignirent et dansèrent au milieu des étoiles, découvrant enfin dans les bras l'un de l'autre ce qui leur avait si cruellement manqué, un amour partagé, un amour total. Tous deux avaient l'impression de revivre, de retrouver des rêves et des espoirs depuis longtemps oubliés. Et, tandis qu'elle gémissait doucement contre lui, il l'emmena vers des pays inconnus, lui faisant découvrir des désirs enfouis au plus profond d'elle-même, et dont elle ignorait jusque-là l'existence.

Et, lorsque ce fut terminé, ce ne fut pas une fin, mais un commencement.

Longtemps, ils restèrent allongés côte à côte, puis il l'embrassa de nouveau, et enfin, elle s'endormit à côté de lui. Il la regarda dormir un long moment, avant de fermer les yeux et de plonger à son tour dans le sommeil, un sommeil comme il n'en avait pas connu depuis des mois, porté par l'amour d'India, loin des contrées terrifiantes de la solitude et du deuil.

Le soleil se levait lorsqu'ils s'éveillèrent, et ils firent

l'amour une nouvelle fois ; après, elle se blottit dans ses bras et lui avoua qu'elle n'avait jamais imaginé que l'amour physique pût être aussi merveilleux, aussi magique.

— C'est parce que c'est impossible..., répondit-il en souriant, encore sous le choc de ce qui leur arrivait. Je ne te laisserai jamais repartir, ajouta-t-il avec bonheur. Il faudra que tu m'accompagnes partout : au travail, sur le bateau... Je ne pourrai plus vivre sans toi.

— Il va bien falloir, pourtant, répondit-elle en riant. Je dois retourner à Westport.

Il gémit à la perspective de la perdre de nouveau, ne fût-ce que pour quelques heures.

— Pourras-tu revenir ce soir ? demanda-t-il.

India savait qu'il serait difficile de laisser les enfants pour la troisième fois consécutive, et elle lui jeta un regard plein d'espoir.

— Tu crois que tu pourrais venir à la maison ?

— Et les enfants, comment réagiront-ils ?

— Nous trouverons quelque chose. Tu n'auras qu'à dormir dans la chambre de Sam.

— Voilà qui promet d'être intéressant.

Ils rirent de bon cœur, puis India se dégagea doucement de son étreinte. Il la regarda traverser la pièce, et se retint de lui dire qu'elle était la plus belle femme qu'il eût jamais vue. C'eût été un manque de respect vis-à-vis de Serena, estimait-il. Mais il avait conscience d'avoir trouvé auprès d'India quelque chose qui lui avait manqué, autrefois. Serena ne se donnait jamais complètement à quiconque. C'était d'ailleurs son attrait principal, ce qui faisait sa force. Même vis-à-vis de lui, elle était toujours restée inaccessible, au moins en partie, comme pour lui prouver qu'il ne la posséderait jamais.

India, elle, s'offrait totalement à lui, elle ne craignait pas de dévoiler sa chaleur et sa vulnérabilité, et il avait l'impression de pouvoir passer mille ans à découvrir et savourer tout ce qu'elle avait à donner. Avec elle, il se sentait en sécurité, et ils partageaient un bonheur sensuel qui le comblait.

Ils prirent leur douche ensemble, puis il lui donna ses vêtements et s'habilla à son tour, tandis qu'elle posait sur lui un regard espiègle. Elle songeait que le journaliste que lui avait cité Gail avait parfaitement raison : le charme de Paul Ward était tout simplement indécent.

Il l'accompagna jusqu'à sa voiture, sans cesser de songer à ce qu'elle représentait pour lui et, lorsqu'elle fut installée derrière le volant, il la regarda longuement, comme pour graver à jamais cet instant dans sa mémoire.

— Sois prudente... Je t'aime, India, murmura-t-il tandis qu'elle mettait le contact.

Elle se pencha par la portière pour l'embrasser, ses longs cheveux blonds flottant librement sur ses épaules. Il les effleura du bout des doigts ; ils étaient comme de la soie, de l'or liquide. India leva vers lui son regard limpide, confiant, plein d'innocence, d'espoirs et de rêves. Le souvenir de ce qui s'était passé entre eux faisait briller ses grands yeux bleus d'une lueur comblée. Jamais elle ne lui avait semblé aussi belle, aussi paisible.

— Je t'aime aussi. Appelle-moi, je te dirai comment venir à la maison.

Il la regarda s'éloigner, encore submergé par son amour pour elle. Puis, lentement, il retourna à l'intérieur de l'hôtel.

C'est alors que le remords le transperça, comme une lame de couteau acérée en plein cœur, et que l'image de Serena s'imposa dans sa tête.

22

PAUL se rendit à Westport ce soir-là, et dîna avec eux. C'était la première fois qu'il rencontrait les autres enfants d'India ; il les trouva adorables et très amusants.

Sam fit le pitre durant tout le dîner, leur arrachant des éclats de rire, et Paul eut une conversation très intéressante avec Jason à propos de voile. De son côté, Aimée s'essaya prudemment au flirt sur cet invité inattendu ; elle était très jolie, et ressemblait beaucoup à sa mère. Seule Jessica parut avoir des réserves au sujet de Paul. D'ailleurs, elle monta faire ses devoirs aussitôt le repas terminé, et ne redescendit pas de la soirée.

— Tu sembles avoir réussi l'inspection, observa India avec un sourire lorsque les enfants se furent éclipsés pour appeler leurs amis ou regarder la télévision et que Paul et elle se retrouvèrent seuls au salon, un peu plus tard. Jason a dit que tu étais « cool », ce qui est un énorme compliment de sa part. Aimée te trouve « pas mal » et, comme tu le sais, Sam t'adore.

— Mais Jessica me déteste, observa-t-il.

— Non. Elle n'a rien dit, ce qui signifie précisément qu'elle ne te déteste pas. Sinon, crois-moi, elle l'aurait fait savoir.

— Voilà qui est rassurant, dit-il d'un air amusé.

Les enfants d'India étaient charmants. Nul doute qu'elle avait bien rempli son rôle de mère : ils étaient brillants, heureux, et confiants en l'avenir. La conversation, au dîner, avait été drôle et animée.

Lorsqu'ils furent certains que les enfants étaient couchés, ils montèrent à l'étage sur la pointe des pieds. India ferma la porte de la chambre à clé, et ils firent l'amour aussi silencieusement que possible.

— Tu es sûre qu'il n'y a pas de problème ? chuchota Paul ensuite.

Emporté par la passion, il n'avait pas songé à lui poser la question auparavant, mais il se sentait soudain un peu coupable. India le rassura d'un hochement de tête.

— La porte est fermée, et ce sont tous de bons dormeurs.

— Ah, l'innocence des enfants..., murmura-t-il. Cela dit, nous ne pourrons pas les leurrer longtemps. Il n'est pas question que je reste ici cette nuit, n'est-ce pas ? ajouta-t-il, bien qu'il fût certain de sa réponse.

— Pas encore. Il faut leur donner un peu de temps... Ils sont déjà perturbés par la petite amie de Doug. Apparemment, ils vont passer leurs week-ends avec elle.

Paul songea en silence qu'il n'avait pas de chance d'être arrivé en scène le second. La perspective de reprendre sa voiture pour rentrer à New York à quatre heures du matin ne le réjouissait guère.

En fin de compte, il resta jusqu'à six heures, et dormit mal ; cependant, s'il rêva d'avions, il ne fit pas de cauchemars à propos de Serena. Lorsque l'aube approcha, India descendit avec lui sur la pointe des pieds, et lui promit d'aller le voir ce soir-là. Cependant, alors qu'il reprenait sa voiture et s'éloignait, il commençait à se rendre compte que cela n'allait pas être facile, pour eux. La distance et le manque de sommeil n'allaient pas tarder à l'achever... Mais India le méritait.

Il voyait Sean le jeudi soir. Les enfants devaient ensuite passer le week-end chez leur père, et India lui avait dit qu'elle pourrait rester le vendredi et le samedi avec lui au Carlyle. Tout allait donc bien pour les quelques jours à venir, mais, pour la suite, la perspective de venir à Westport un soir sur deux et de se cacher des enfants ne le réjouissait guère. Dieu avait décidément un sens de l'humour bien pervers... A l'âge de Paul, sortir avec une femme dotée de quatre enfants, d'un chien et d'une maison dans le Connecticut était un véritable défi ! Mais faire l'amour avec India était une expérience si merveilleuse que cela compensait un peu, se disait-il. Au moins le chien...

Cependant, lorsqu'il quitta son bureau à seize heures cet après-midi-là pour aller se faire masser et se reposer un peu, il était épuisé. Et il n'allait guère mieux quand India le retrouva chez Gino, à l'heure du dîner.

— Comment étaient les enfants, ce matin ? demanda-t-il avec inquiétude. Est-ce qu'ils ont dit quelque chose ? M'ont-ils entendu partir ?

— Bien sûr que non !

Elle lui sourit. Quatorze années passées à s'occuper de ses enfants lui avaient conféré une souplesse et un calme remarquables, en toutes circonstances. Mais elle avait également quatorze ans de moins que lui, se rappela-t-il, même s'il leur avait déjà démontré à tous les deux que, sur le plan sexuel au moins, cela n'allait pas créer de problème entre eux.

Néanmoins, ce soir-là, quand ils rentrèrent à l'hôtel, ils étaient tous deux si fatigués qu'ils s'endormirent devant la télévision. Il était sept heures lorsque India s'éveilla, le lendemain matin.

— Oh, mon Dieu ! La baby-sitter va m'étrangler ! Je lui avais promis d'être rentrée à minuit.

La jeune femme se précipita vers le téléphone et composa le numéro de chez elle. Elle raconta à la baby-sitter une histoire compliquée à propos d'une amie à elle qui avait eu un accident de voiture, et avec qui elle avait passé la nuit aux urgences. Puis elle appela Gail, et lui demanda de conduire les enfants à l'école à sa place. En quelques minutes, tous les problèmes furent résolus ; India et Paul retournèrent au lit, et firent l'amour avec une ferveur extraordinaire, qui leur fit rapidement oublier ce réveil mouvementé.

Puis Paul leur commanda un petit déjeuner. India s'assit en face de lui ; elle ne portait qu'une chemise qu'elle lui avait empruntée, et il la trouvait incroyablement sexy.

— As-tu déjà pensé à t'installer à New York ? demandat-il prudemment tandis qu'elle parcourait le *Wall Street Journal.*

C'était une habitude qu'elle avait prise du temps où Doug et elle vivaient ensemble et, après le départ de son mari, elle avait gardé son abonnement et continuait à lire le journal tous les jours.

— Doug disait toujours que nous y retournerions dès que Sam irait à l'université.

— Je risque de ne pas vivre jusque-là, observa-t-il, et elle leva les yeux vers lui au-dessus du journal.

— Cette situation doit être difficile, pour toi, dit-elle, compréhensive.

Cela ne faisait que trois jours qu'il était revenu, et ce

n'était pas encore trop dur, mais il était aisé de deviner que cela finirait par le devenir.

— Pas encore, mais à terme ce sera pénible, confirmat-il. Nous ne pouvons pas continuer à faire des aller-retour incessants entre Westport et New York.

Il n'aimait pas la savoir sur les routes à quatre heures du matin, et n'appréciait guère non plus de conduire en pleine nuit. Et encore, il ne neigeait pas... Du moins, pas encore.

— Il ne reste que trois mois d'école, souligna India, raisonnable.

Leur relation avait évolué à une vitesse extraordinaire, sans laisser le temps à Paul de réfléchir aux problèmes pratiques liés à la situation familiale d'India. Baby-sitters et aller-retour à l'école ne faisaient plus partie de son univers depuis bien longtemps : Sean avait trente et un ans, et Paul ne s'était jamais occupé de ses petits-enfants.

En revanche il se souvenait très bien des difficultés qu'il avait rencontrées avec son fils lorsqu'il s'était séparé de la mère de celui-ci. Chaque fois qu'il lui présentait une femme, Sean la détestait systématiquement... Par chance, Paul avait connu Serena après le départ de Sean à l'université, si bien qu'ils étaient déjà fous l'un de l'autre quand Sean avait fait la connaissance de l'écrivain. Et même alors, le jeune homme n'avait guère apprécié sa nouvelle belle-mère. Il lui avait fallu des années pour avoir une relation à peu près amicale avec elle.

A cette pensée, Paul se souvint qu'il sortait dîner avec Sean, ce soir-là. Cela signifiait qu'il n'aurait pas à aller jusqu'à Westport, et dès le lendemain India le rejoindrait en ville pour le week-end.

Ils terminèrent leur petit déjeuner, s'habillèrent, et lorsque

Paul quitta l'hôtel pour se rendre à son bureau, India sortit avec lui. Il lui sourit tandis que, une fois de plus, elle montait dans sa voiture et levait vers lui un visage radieux.

— Je pense que je suis un peu fou, mais je t'aime, dit-il avec sincérité.

Il la regarda s'éloigner, et s'efforça de ne pas penser à Serena. C'était plus dur, pour lui, dès qu'India n'était plus avec lui. Quand ils étaient ensemble, il ne s'autorisait pas à penser à sa défunte épouse, mais quand il se retrouvait seul, les souvenirs et le remords revenaient le harceler. Il avait encore du mal à admettre sa nouvelle situation. Cependant, il s'était jeté à corps perdu dans son histoire avec India, et ne le regrettait pas.

Ce soir-là, il parla à Sean d'India et de la relation qu'il avait nouée avec elle. Il fut surpris du manque d'enthousiasme de Sean et de sa circonspection.

— N'est-il pas encore un peu tôt, papa ?

— Pour rencontrer quelqu'un ? demanda Paul, étonné.

Même après que leurs relations s'étaient améliorées, Sean n'avait jamais particulièrement aimé Serena, qu'il trouvait excessive. En fait, il préférerait probablement India, plus douce, plus discrète et plus humble. Mais il ne l'avait pas rencontrée, et ne pouvait le savoir.

— Peut-être, oui, acquiesça Sean en réponse à sa question. Ça ne fait que six mois que Serena est morte, et tu étais très amoureux d'elle.

— Je l'étais, et je le suis toujours. Mais crois-tu que je doive porter le deuil et rester seul éternellement ?

C'était une question honnête, qui méritait une réponse franche.

— Pourquoi pas ? A ton âge, tu n'as pas besoin de te remarier.

— Qui a parlé de mariage ? demanda Paul, un peu sur la défensive.

En vérité, il était surpris par la perspicacité de son fils. Il avait en effet pensé au mariage pour la première fois le matin même, lorsqu'il songeait à tous les problèmes posés par les aller-retour à Westport.

— Si tu ne veux pas te remarier, pourquoi voir une autre femme ? En plus, tu as l'*Etoile-des-Mers*.

Sean estimait de toute évidence que cela aurait dû suffire à son père. Celui-ci n'apprécia guère que son fils le considérât, à cinquante-sept ans, trop vieux pour avoir une aventure.

— Depuis quand t'intéresses-tu tant à la voile ? rétorqua-t-il. Ecoute, je voulais juste te tenir au courant de ce qui m'arrive. J'aimerais te présenter India, un de ces jours.

— Si tu n'as pas l'intention de l'épouser, je ne vois pas pourquoi je la rencontrerais.

En disant cela, Sean mettait Paul dans une situation impossible : s'il lui présentait India, cela signifiait qu'il comptait l'épouser... Pour créer une diversion, il se mit à parler du travail d'India, et de son immense talent.

— Très bien, dit Sean sans enthousiasme. Est-ce qu'elle a des enfants ? (Paul hocha la tête.) Combien ?

— Quelques-uns, répondit Paul, qui sentait une panique croissante monter en lui.

— Combien ? répéta Sean, conscient de l'embarras de son père.

— Quatre.

— Jeunes ?

— De neuf à quatorze ans.

Autant dire la vérité. Qu'avait-il à cacher, après tout ?

— Tu plaisantes ?

— Non.

— Alors tu es fou.

— Peut-être, admit-il.

Lui-même commençait à se poser la question.

— Tu n'arrives même pas à supporter mes enfants pendant plus de dix minutes d'affilée !

— Les tiens sont plus jeunes. Et ils pleurent tout le temps. Pas les siens.

— Attends un peu, tu verras. Ils iront en prison, se soûleront, prendront de la drogue, les filles tomberont enceintes... Si ce n'est ton India elle-même ! Crois-moi, tu passeras des moments délicieux.

— Tu n'as pas fait tout ça, toi. Pourquoi te montres-tu aussi désagréable ?

— Tu n'es pas au courant de la moitié des choses que j'ai faites. Et de plus, tu me surveillais... Ecoute, papa, à ton âge, tu n'as vraiment pas besoin d'une femme avec quatre enfants. Pourquoi ne te trouves-tu pas quelqu'un d'un peu plus âgé ?

— Que dirais-tu de Georgia O'Keefe ? Elle est assez vieille à ton goût ? Elle doit avoir quatre-vingt-dix ans bien sonnés...

— Je crois qu'elle est morte, répondit Sean sans sourire. Allons, papa, sois sérieux. Retourne sur ton bateau et détends-toi. Je crois que tu souffres tout simplement de la crise de la cinquantaine.

— Merci de ton optimisme, ironisa Paul, mais, malgré l'assurance qu'il affichait, les paroles de Sean l'avaient un peu déstabilisé. Rassure-toi, je ne suis pas encore sénile. India est une amie merveilleuse, une femme adorable, et je l'aime beaucoup. Je pensais que cela t'intéresserait de le savoir, c'est tout. A présent, oublie ça, et parlons d'autre chose.

— C'est toi qui ferais mieux d'oublier ça, souligna Sean avec sévérité.

Ils changèrent de conversation, mais il était clair, lorsqu'ils quittèrent le « 21 », que Sean s'inquiétait toujours.

— Je t'appellerai ce week-end pour qu'on arrange quelque chose. Les enfants seront contents de te voir, déclara-t-il.

Paul n'eut pas le courage de lui dire qu'il serait occupé ; il se contenta de répondre qu'il lui téléphonerait s'il n'avait pas l'intention de partir en week-end. Mais Sean comprit immédiatement ce que cela signifiait. Et lorsqu'il rentra chez lui, et trouva sa femme debout, tourmentée par ses nausées matinales, il lui annonça que son père avait perdu la tête.

Son épouse, cependant, eut la même réaction que Paul, et lui reprocha d'être trop coincé. Selon elle, Paul avait le droit de mener sa vie comme il l'entendait. Furieux, Sean lui dit de se mêler de ses affaires.

Cette nuit-là, les cauchemars de Paul revinrent en force. Il voyait tour à tour Serena et des avions qui explosaient en plein vol. Deux fois, il s'éveilla en entendant sa femme lui reprocher de l'avoir trompée, et, une troisième fois, ce furent ses propres sanglots qui le réveillèrent. Lorsqu'il se leva le lendemain matin, Paul avait l'impression d'avoir cent ans.

De surcroît, une remarque de Sean ne cessait de le tracasser depuis la veille au soir. Et si India tombait enceinte ? Cette seule pensée le rendait malade. Et quand la jeune femme lui laissa un message à son bureau pour lui dire qu'elle le retrouverait à l'hôtel à cinq heures et demie, il n'eut pas la force de la rappeler, et demanda à sa secrétaire de confirmer le rendez-vous.

Cependant, dès l'instant où il la vit, il oublia ses cauchemars et les mises en garde de Sean. Il posa ses lèvres sur les siennes, et se sentit fondre. Avant même l'heure du dîner, ils se retrouvèrent au lit, et ils finirent par se faire monter un repas léger vers minuit. India était la femme la plus ensorcelante que Paul eût jamais connue, et peu lui importait le nombre d'enfants qu'elle avait : il était amoureux d'elle. Pire que cela : il était fou d'elle. Le week-end fut tout simplement magique.

Ils se promenèrent dans Central Park main dans la main, allèrent au Metropolitan Museum et au cinéma. Le film qu'ils avaient choisi était une histoire d'amour à la fin tragique, et ils pleurèrent tous les deux. Ensemble, ils achetèrent des livres et lurent en écoutant de la musique. Ils aimaient les mêmes choses, et India se réjouissait à l'idée de leur croisière sur l'*Etoile-des-Mers*. Elle partageait avec lui tous ses rêves, toutes ses peurs, comme autrefois, au téléphone, et, lorsque le dimanche après-midi arriva, la perspective de se séparer les rendit malades tous les deux. Cependant, elle devait aller chercher les enfants après le dîner.

Lorsqu'il la vit s'éloigner, Paul sentit son cœur se serrer douloureusement à la pensée de passer la nuit sans elle.

Cette nuit-là fut pire encore que celle du jeudi précédent. Il rêva qu'il était dans les bras de Serena, et qu'elle le suppliait de ne pas la laisser mourir ; elle disait qu'elle voulait rester avec lui pour toujours. Il se réveilla à trois heures du matin et sanglota pendant une heure, rongé par la culpabilité.

Il ne parvint pas à se rendormir et, lorsque le jour se leva, il savait avec certitude qu'il n'aurait jamais dû survivre à son épouse. C'était trop dur, trop intolérable.

Il téléphona à India, le cœur brisé d'entendre sa voix si

390

douce, et de la sentir si inquiète à son sujet. Il avait l'impression d'être un mort vivant, et bien qu'il eût promis d'aller la voir à Westport ce soir-là, il la rappela à six heures pour lui dire qu'il s'en sentait incapable. Il ne pouvait pas se retrouver face à elle. Il avait besoin d'une nuit supplémentaire seul avec lui-même, pour réfléchir à Serena, et à ce qu'il était en train de faire. Sans doute se sentirait-il mieux le lendemain. India avait promis de venir le voir, et avait prévenu les enfants qu'elle rendrait visite à une amie malade et dormirait chez elle ; la baby-sitter avait accepté de rester pour la nuit.

Lorsqu'elle arriva à l'hôtel, ce soir-là, Paul l'attendait. Il avait mauvaise mine, et India s'inquiéta aussitôt. Elle lui demanda ce qu'il avait mangé, et s'il avait de la fièvre ; il lui répondit calmement que non.

— Tu n'as pas l'air bien, mon amour, dit-elle avec douceur.

Paul avait l'impression d'être un assassin sur le point d'achever sa victime. Après les mois qu'India et lui avaient passés à discuter au téléphone, il ne la connaissait que trop bien ; il savait ce qu'elle pensait et ressentait, et ce en quoi elle croyait. India croyait en l'amour, aux rêves, à l'honnêteté et à la loyauté. Elle croyait aussi aux fins heureuses, et il n'en avait pas à lui proposer. Durant les deux derniers jours, il avait compris qu'il était toujours amoureux de Serena, et que cela ne changerait jamais.

Il s'assit à côté d'India sur le canapé et la regarda, et elle sentit un grand froid l'envahir. Lui ne voyait que ses cheveux dorés, ses yeux bleus qui s'agrandissaient de seconde en seconde, et son visage, si pâle qu'il en fut effrayé.

— Je crois que tu devines ce que je vais te dire, dit-il d'une voix brisée.

— Je ne veux pas l'entendre, répondit-elle, paniquée. Que s'est-il passé ?

— Je me suis réveillé, India. J'ai recouvré la raison.

— Non ! s'exclama-t-elle, luttant pour refouler ses larmes. Tu es devenu fou, au contraire !

Elle était si terrifiée qu'elle avait l'impression que son cœur allait exploser. Elle ne voulait pas le perdre. Elle avait attendu cet homme toute sa vie...

— J'étais fou de te dire que je t'aimais. Ce n'était pas vrai. J'avais envie de toi... et je m'efforçais de croire que c'était de l'amour, parce que je voulais absolument que ce soit vrai. Tu es la femme la plus merveilleuse que j'aie jamais rencontrée, India. Mais je suis amoureux de Serena, et je le serai toujours. Je le sais. Je ne peux pas continuer comme ça.

— Tu as peur. Tu es paniqué, c'est tout, dit-elle d'une voix désespérée.

— C'est maintenant que je panique, répondit-il avec honnêteté en la regardant.

Il ne voulait pas assumer la responsabilité d'une nouvelle vie. Il ne s'en sentait pas capable. Sean avait raison : il était beaucoup trop âgé pour ça.

— India, tu as quatre enfants. Tu as une maison à Westport...

— Quel est le rapport ? demanda-t-elle, les yeux pleins de larmes.

Elle se rendait compte qu'il était sérieux, et avait l'impression d'être engloutie par des flots noirs et menaçants.

— Je t'aime, murmura-t-elle.

— Tu ne me connais même pas. Je ne suis qu'une voix au téléphone. Un rêve. Une illusion.

392

— Je te connais ! protesta-t-elle, au désespoir. Et toi, tu me connais. Ce n'est pas juste...

Elle se mit à pleurer franchement, et il la prit dans ses bras pour la serrer contre lui. Il avait le sentiment d'être un criminel, mais il n'avait pas le choix. Il devait se séparer d'elle, pour sa propre survie.

— Mieux vaut faire cela maintenant. Plus tard, ce serait pire, observa-t-il. Nous nous attacherons encore davantage l'un à l'autre, et après ? Je ne peux pas continuer. Serena ne me laisserait pas faire.

— Serena est morte, Paul. (India avait prononcé ces mots d'une voix très douce, ne voulant pas le blesser, alors même qu'il lui faisait horriblement mal.) Et elle n'aurait pas voulu te savoir malheureux.

— Si. Jamais elle n'aurait accepté que je sois avec une autre femme.

— Elle était plus intelligente que ça. Et elle t'aimait. Je n'arrive pas à croire que tu puisses faire une chose pareille...

Cela faisait une semaine qu'ils étaient amants. Sept jours, durant lesquels elle s'était donnée à lui entièrement, et maintenant, il lui disait que c'était fini. Une semaine plus tôt, deux jours plus tôt encore, il lui répétait combien il l'aimait. Il lui avait demandé de venir s'installer à New York, il lui avait même dit qu'il adorait ses enfants.

— Ne peux-tu nous donner une chance ?

— Non, je ne peux pas, et je ne le ferai pas. Pour toi aussi bien que pour moi. Je vais retourner sur le bateau. Mon fils a raison, je suis trop vieux pour ce genre de choses. Tu as besoin d'un homme plus jeune. Je ne peux pas assumer quatre enfants. Impossible. Quand il avait leur âge, Sean me rendait fou... Je l'avais oublié, mais je m'en souviens, à présent. Et c'était il y a vingt ans, je n'avais que trente-sept ans. Maintenant, j'ai l'impression d'en avoir mille. Non, India, répéta-t-il sombrement.

La voir pleurer lui fendait le cœur, mais il faisait cela pour Serena. Il le lui devait ; il l'avait laissée mourir seule dans un avion, entourée de visages inconnus. Cela n'aurait jamais dû se produire ; il aurait dû être à son côté.

— Il faut t'en aller, maintenant.

Il se leva et aida India à faire de même. Elle était toujours en larmes ; jamais elle ne se serait attendue à cela de sa part, et elle n'était pas prête.

— Et Antigua ? demanda-t-elle à travers ses larmes, cherchant à se raccrocher à quelque chose.

— Oublie ça, répondit-il froidement. Pars ailleurs, avec quelqu'un de bien. Je ne suis pas l'homme qu'il te faut, India. La meilleure partie de moi-même est morte avec Serena.

— Non, c'est faux ! J'aime le meilleur et le pire, en toi, affirma-t-elle.

Elle était sincère, mais lui ne voulait plus rien entendre. C'était terminé.

— Que vais-je raconter aux enfants ? demanda-t-elle en plongeant un regard désespéré dans le sien.

— Dis-leur quel moins que rien je suis. Ils te croiront.

— Non, et moi non plus, je ne le crois pas. Tu as peur, c'est tout. Tu as peur d'être heureux.

C'était plus vrai encore qu'elle ne l'imaginait, mais Paul n'était pas prêt à l'admettre.

— Rentre chez toi, India, répéta-t-il en lui ouvrant la porte. Retourne auprès de tes enfants. Ils ont besoin de toi.

— Toi aussi, répondit-elle, et plus qu'eux encore.

Un moment, elle resta dans l'encadrement de la porte, en larmes. Ses derniers mots furent : « Je t'aime. »

Comme elle s'éloignait vers l'ascenseur, il referma doucement le battant derrière elle et retourna dans la chambre, la tête basse. Il s'allongea sur le lit qu'ils avaient partagé, et se mit à pleurer, songeant à elle. Il voulait qu'elle revienne, qu'elle fasse partie de lui, mais il savait que c'était impossible. Il était trop tard. Il était parti ; Serena l'avait emmené avec elle. Et il lui devait cela, pour ne pas être mort avec elle. Pour l'avoir abandonnée. Il l'avait trahie une fois, il ne pouvait pas recommencer. Il n'avait pas le droit d'accepter ce qu'India était prête à lui donner.

Pendant qu'il sanglotait sur son lit, India avait repris la route de Westport, aveuglée par les larmes, folle de douleur. Elle n'arrivait pas à croire ce qui s'était passé, ce qu'il lui avait fait. C'était pire que tout ce que Doug lui avait infligé au cours des derniers mois.

Elle était si désespérée, si ravagée par la souffrance, qu'elle ne vit pas la voiture qui roulait dans la file voisine se déporter et lui barrer la route ; avant même qu'elle ait eu le temps de freiner, elle percuta le pare-chocs du véhicule, et sentit sa propre voiture partir en tête-à-queue. Elle heurta une camionnette, puis la rambarde de sécurité, et elle se cogna violemment la tête contre le montant de sa ceinture de sécurité. Enfin, la voiture s'immobilisa.

La jeune femme avait un goût salé dans la bouche, et il y avait du sang partout autour d'elle. La portière s'ouvrit ; India voulut lever la tête pour voir qui venait à son secours, et elle s'évanouit.

23

IL ÉTAIT plus de minuit lorsque India appela Gail. On lui avait fait quatorze points de suture à la tête, son bras était cassé, elle avait une commotion cérébrale, et son cou la faisait souffrir ; quant à la voiture, elle était bonne pour la casse. Mais elle était vivante, et cela aurait pu être pire. Dans les deux voitures qu'elle avait percutées, personne n'avait été blessé. A présent, elle se trouvait à l'hôpital de Westport.

Elle expliqua en pleurant à Gail ce qui lui était arrivé. Elle avait tout d'abord pensé à appeler Paul, mais elle ne voulait pas qu'il la plaignît ou se sentît coupable. Elle seule était responsable de l'accident.

Lorsqu'elle demanda à son amie si elle pouvait venir la chercher, elle sanglotait et s'exprimait de façon incohérente. Paniquée, Gail arriva aussi vite qu'elle le put, en baskets, un manteau jeté sur sa robe de chambre. Elle avait laissé les enfants à Jeff.

— Mon Dieu, India, que s'est-il passé ?

— Rien. Je vais bien, affirma India. Mais elle pleurait toujours et était visiblement sous le choc.

— Tu as vraiment une sale mine, observa Gail sans

prendre de gants. Tu avais bu ? ajouta-t-elle à voix basse pour que personne ne puisse l'entendre.

Les policiers étaient déjà venus enquêter sur l'accident et ils étaient repartis, mais il y avait des infirmières partout autour d'elles, dans le service de traumatologie.

— Non, répondit India en essayant de se redresser, sans succès.

— Tu es sûre que les médecins ont dit que tu pouvais repartir ? demanda Gail. Ce serait peut-être plus prudent de rester ici un jour ou deux...

— Je ne peux pas, je dois rentrer à la maison, sinon les enfants vont s'inquiéter, répondit India, oubliant dans sa détresse qu'elle avait engagé une baby-sitter pour la nuit.

— Ils s'inquiéteront plus encore s'ils te voient dans cet état, objecta Gail.

Mais India insista. Elle voulait être chez elle pour mourir tranquillement, dans son propre lit, la tête sous les couvertures.

Les deux femmes quittèrent l'hôpital dix minutes plus tard. Les infirmières avaient enveloppé India dans une couverture et lui avaient donné une cuvette au cas où elle aurait la nausée sur le chemin du retour ; de fait, elle vomit à quatre reprises, sans cesser de pleurer doucement.

— Que s'est-il passé ? demanda Gail, qui se rendait bien compte que son amie n'était pas dans son état normal, et que l'accident n'était pas seul en cause. Tu t'es de nouveau querellée avec Doug ?

— Non, ça va, affirma India. Je vais bien. Je suis désolée.

— Cesse de répéter que tu es désolée, pour l'amour du ciel !

Gail était folle d'inquiétude. Une fois arrivée chez India,

elle paya la baby-sitter et la laissa repartir ; puis elle aida son amie à monter l'escalier jusqu'à sa chambre. Ensuite, elle la mit au lit, et resta près d'elle pour pouvoir l'aider si elle avait besoin de quelque chose. Un peu plus tard, elle alla préparer une tasse de thé, mais India affirma ne rien pouvoir avaler. Elle resta immobile, en larmes, jusqu'à six heures du matin ; enfin, elle s'endormit, épuisée.

Lorsque les enfants se levèrent, Gail leur expliqua que leur maman avait eu un petit accident, mais allait bien. Elle s'était cogné la tête, et se reposait.

— Où est la voiture ? demanda Sam, intrigué et surpris de voir Gail, en robe de chambre, leur préparer le petit déjeuner à la place de leur mère.

— La voiture est à la casse, répondit simplement Gail en posant les pancakes qu'elle venait de confectionner sur la table.

Elle avait passé la nuit à veiller India, et avait les traits tirés. Jason siffla doucement entre ses dents.

— Eh ben, ç'a dû être un sale accident.

— Oui, mais elle a eu beaucoup de chance.

— Est-ce que je peux aller la voir ? demanda Aimée, visiblement inquiète.

— Je pense que nous devrions la laisser dormir. Tu pourras monter l'embrasser un peu plus tard, déclara Gail avec fermeté.

Les enfants mangèrent leur petit déjeuner en silence. Ils sentaient que l'accident avait été plus grave que Gail ne voulait l'admettre, mais ne dirent rien. Lorsque la voisine qui devait les conduire à l'école arriva, Gail leur dit au revoir avant de remonter voir India ; celle-ci dormait toujours. Gail

398

lui laissa un petit mot, expliquant qu'elle rentrait se changer et reviendrait très vite.

India s'éveilla à midi, et tout en se répétant de ne pas le faire, composa le numéro de Paul. Elle avait besoin d'entendre sa voix, et n'avait pas l'intention – s'il acceptait de répondre – de lui parler de l'accident. Elle fut surprise qu'on le lui passe immédiatement.

— Tu vas bien ? demanda-t-il d'une voix inquiète.

Il n'avait pas dormi de la nuit, mais préférait encore cela à ses cauchemars. Il s'était fait un sang d'encre au sujet d'India.

— Tu es rentrée sans problème, hier soir ?

— Oui, oui, prétendit-elle alors que des larmes se mettaient à couler sur ses joues.

Il sentait à sa voix qu'elle mentait, et ne cessait de revoir son visage décomposé quand elle l'avait quitté.

— Je craignais que tu ne sois trop bouleversée pour conduire. J'y ai pensé dès que tu as été partie, et j'ai failli appeler chez toi pour m'assurer que tu étais bien rentrée, mais j'ai eu peur de réveiller les enfants.

— Tout va bien, éluda-t-elle. Et toi, comment vas-tu ?

Sa voix était un peu tremblante, mais il songea que c'était sans doute dû au manque de sommeil.

— Pas trop bien, reconnut-il d'une voix sombre. (Il fit une pause avant d'annoncer :) Je pars ce soir rejoindre l'*Etoile-des-Mers* à Gibraltar. Je compte faire la traversée jusqu'à Antigua, ou bien aller ailleurs, je ne sais pas encore.

— Oh, dit-elle seulement, sentant une nouvelle vague de nausée l'envahir.

Elle avait espéré qu'il changerait d'avis, mais apparemment ce n'était pas le cas. Elle allait parler lorsqu'il lui assena le coup de grâce, en plein cœur, sans hésitation :

399

— India... Ne m'appelle pas sur le bateau.

— Pourquoi ?

— Nous ne ferons que nous rendre fous. Il faut faire une croix sur toute cette histoire, à présent. J'ai eu tort, terriblement tort, de t'embarquer là-dedans. Je suis désolé.

— Moi aussi, répondit-elle d'une voix triste.

Son mal de tête n'était rien, comparé à la douleur qui lui étreignait le cœur.

— Je suis plus âgé que toi, j'aurais dû avoir plus de bon sens. Mais crois-moi, tu t'en remettras. Nous nous en remettrons tous les deux. (En revanche, il ne se remettrait jamais de la mort de Serena, il en avait la certitude, désormais.) Sois forte, conclut-il.

India pleurait tant qu'elle ne put répondre sur-le-champ. Enfin, elle prit une profonde inspiration et parvint à articuler :

— Je t'aime. Si un jour tu recouvres la raison, appelle-moi.

— J'ai toute ma raison. Et je n'appellerai pas. Il faut que tu le saches.

Il ne voulait pas lui donner de faux espoirs ; c'eût été plus cruel que tout. Son âme appartenait à Serena à jamais.

— Au revoir, murmura-t-il d'une voix douce avant de raccrocher sans attendre de réponse.

La tonalité du téléphone, froide, impersonnelle, retentit à l'oreille d'India, et elle reposa lentement le combiné, avant de fermer les yeux et d'éclater en sanglots. Que n'était-elle morte dans l'accident de voiture ? C'eût été tellement plus simple...

Gail alla chercher les enfants à sa place avant de monter voir comment elle allait. Fronçant les sourcils, elle s'assit sur le lit de son amie ; celle-ci avait plus mauvaise mine encore que la veille, lui sembla-t-il. Elle n'avait rien mangé de la journée, et lorsque Gail lui proposa de lui préparer quelque chose, elle refusa.

— Il faut que tu avales quelque chose, insista Gail, sinon, tu seras encore plus malade !

Elle lui fit une tasse de thé et la supplia de la boire, mais alors qu'elle la portait à ses lèvres, India repensa à Paul et s'étrangla. Elle n'arrivait même pas à déglutir, tant elle avait la gorge serrée.

Alors Gail, qui l'observait attentivement, comprit. Elle ne savait pas qui était le coupable, mais elle devinait ce qui s'était produit.

— C'est un homme, n'est-ce pas ? demanda-t-elle douce-ment. (Puis, comme India ne répondait pas, elle ajouta :) Ne le laisse pas te faire ça, India. Tu ne mérites pas de souffrir ainsi, pas de nouveau. Ça va aller, je te le promets ; qui que ce soit, il n'en vaut pas la peine.

— Si, murmura India. Oh si, il en vaut la peine, c'est bien le problème.

Et, reposant sa tasse de thé, qu'elle n'avait pas touchée, elle fondit de nouveau en larmes.

Gail n'osa pas lui demander qui était l'homme en ques-tion, mais elle avait un curieux pressentiment. India ne lui avait plus parlé de Paul Ward depuis la rentrée précédente, et elle n'avait aucune raison de penser qu'il s'agissait de lui ; pourtant, elle en était certaine. Gail se souvenait qu'India lui avait dit qu'il se trouvait en Europe, mais cela ne changeait rien : il avait dû rentrer.

Gail n'avait jamais vu India dans un état pareil. En vérité, la seule personne qu'elle eût vue ainsi était sa propre sœur, quand elle avait vingt ans. La jeune fille s'était suicidée après avoir été abandonnée par son petit ami, le fils des voisins, et c'était Gail qui avait trouvé son corps. Ç'avait été le pire moment de sa vie, et elle ne l'avait jamais oublié. A présent, alors qu'elle regardait India, elle était terrifiée, et se demandait si son amie n'avait pas cherché à mettre fin à ses jours, la nuit précédente. Si elle n'avait pas laissé l'accident se produire.

Mais India elle-même ignorait la réponse à cette question. Elle se laissa aller sur ses oreillers et ferma les yeux, incapable de chasser l'image de Paul de son esprit, tandis que Gail, le cœur serré, la veillait et mêlait ses larmes aux siennes.

24

JUSQU'À la fin du mois, India fut convalescente. Ses points de suture à la tête lui laissaient une cicatrice qui courait le long de la naissance de ses cheveux sur plusieurs centimètres. Trois semaines après l'accident, la marque était toujours très rouge, mais les médecins lui promirent qu'elle aurait quasiment disparu avant six mois ; ils lui rappelèrent par ailleurs que ç'aurait pu être bien pire. Elle aurait pu avoir des séquelles irréversibles au cerveau, ou mourir, et tous soulignaient qu'elle avait eu beaucoup de chance.

C'était un spécialiste en chirurgie esthétique, de garde le soir de son accident, qui l'avait recousue, et lorsqu'elle retourna le voir, il se déclara content de son travail. Quant au bras de la jeune femme, il ne mit que quatre semaines à se ressouder ; comme il s'agissait du gauche, elle ne fut pas trop handicapée durant cette période. Ce fut son cou qui la fit le plus souffrir, en définitive, et elle portait toujours une minerve lorsque Raoul l'appela au mois d'avril. Il avait un reportage à lui confier à New York, pour un magazine qui faisait un article sur une affaire de viol. Le procès promettait d'être mouvementé, et le journal voulait des photos de la victime avant le commencement des débats.

India hésita pendant deux jours, puis elle accepta le reportage ; elle avait besoin de se changer les idées.

Lorsqu'elle rencontra la victime, elle s'entendit très bien avec elle. C'était une jeune femme de vingt-cinq ans, mannequin assez connu avant le drame. Hélas, le violeur lui avait lacéré le visage, mettant un terme à sa carrière. Il l'avait attaquée alors qu'elle sortait d'un taxi sur la Cinquième Avenue et l'avait conduite, sous la menace d'un revolver, jusqu'à un coin reculé de Central Park.

Le reportage dura deux jours. India ne regretta qu'une chose : à la demande du magazine, ses rendez-vous avec la jeune femme avaient lieu au Carlyle, où elle avait tant de souvenirs. Mais cela mis à part, tout se passa très bien, et lorsque les photos parurent, une semaine plus tard, elles firent grand bruit.

Cela faisait déjà un mois qu'India n'avait pas eu de nouvelles de Paul, et elle ne l'avait pas appelé. Elle ignorait où il se trouvait, et s'efforçait de ne pas y penser. Elle avait encore l'impression de se déplacer dans un brouillard ; en l'espace de quelques jours, elle avait connu le bonheur le plus extraordinaire qui fût, et il lui avait été arraché. Parfois, elle se comparait au mannequin qu'elle avait photographié, à la différence près que les cicatrices de la jeune femme étaient visibles, alors que les siennes, tout aussi profondes, ne l'étaient pas. Elle seule connaissait leur existence.

Elle avait encore du mal à croire qu'elle n'aurait plus jamais de nouvelles de Paul, mais les semaines passaient ; mai succéda à avril, et elle dut bien se faire une raison. Paul Ward était sorti de sa vie, emportant avec lui ses propres cicatrices, sa douleur, et ses souvenirs de Serena. En partant, il avait brisé quelque chose au fond d'elle qu'elle ne pourrait jamais réparer. Désormais, elle devait vivre avec, de même qu'elle devait vivre avec l'échec de son mariage. Et, d'une certaine manière, la défection de Paul était plus douloureuse que celle de Doug. Jamais de sa vie elle n'avait éprouvé une telle détresse, un tel sentiment d'abandon, sinon peut-être à la mort de son père. C'était la fin d'un espoir, à un moment où elle se sentait déjà infiniment vulnérable.

Le temps réparait toujours les blessures du cœur, elle le savait, mais combien de temps faudrait-il pour guérir celle-ci ? Elle l'ignorait. Toute une vie, probablement... Mais elle n'avait pas le choix, il lui fallait survivre, aller de l'avant. Le rêve s'était envolé ; Paul l'avait emporté avec lui, ainsi que le cœur d'India et tout l'amour qu'elle lui avait donné. Que lui restait-il ? Rien, sinon la certitude qu'il l'aimait aussi. Quoi qu'il lui eût dit le dernier soir, elle savait que c'était vrai.

Chaque année, India emmenait Gail déjeuner dehors le jour de son anniversaire, au début du mois de mai, et elle ne dérogea pas à la règle ; c'était une tradition entre elles. Lorsqu'elles se retrouvèrent, elles passèrent un moment à admirer le nouveau break d'India, qu'elle avait enfin reçu la veille, puis Gail se tourna vers son amie et posa sur elle un regard étrange. Il y avait une question qui la tarabustait depuis deux mois, mais elle n'avait pas encore osé la poser à India. A présent que cette dernière semblait aller un peu mieux, le moment était venu, estimait-elle.

Gail savait que les affaires de cœur de son amie ne la regardaient nullement, mais elle était dévorée de curiosité. Aussi, après qu'elles se furent installées au restaurant, se jeta-t-elle à l'eau.

India mit un long moment avant de répondre, puis elle soupira et détourna le regard. Enfin, le visage décomposé par le chagrin, elle hocha la tête. A quoi bon garder le secret plus longtemps ? Cela n'avait plus aucune importance, à présent.

— Oui, c'était bien Paul. Nous avions de longues conversations depuis un bon moment, presque depuis l'été dernier. En fait, nous avons commencé à nous appeler régulièrement après la mort de Serena, et, petit à petit, nous nous sommes mis à nous téléphoner tous les jours. Pendant un certain temps, il a été à la fois mon meilleur ami, mon frère, mon confident... tout. La lumière au bout de mon tunnel, même s'il affirmait qu'il ne pourrait jamais remplir ce rôle. Là-dessus, il est rentré à New York, et il m'a dit qu'il était amoureux de moi. Moi, je l'aimais depuis longtemps, depuis le premier instant... D'ailleurs, il ne l'aurait jamais admis, mais lui aussi avait craqué bien plus tôt que cela, du vivant même de Serena. Il se passait quelque chose de très fort entre nous, et lorsque nous nous sommes retrouvés, ça lui a fait peur, terriblement peur. Tout a été fini en une semaine. Il a raconté que c'était à cause de mes enfants, de son âge, et un tas d'autres sottises de ce genre, mais, en fait, c'était tout simplement à cause de lui. Il se sentait trop coupable vis-à-vis de Serena ; il disait être encore amoureux d'elle. Bref, il m'a annoncé que tout était fini entre nous le soir où j'ai eu mon accident.

Le seul fait d'en parler la bouleversait encore, et lorsqu'elle releva la tête vers Gail, de grosses larmes coulaient sur ses joues.

— As-tu cherché à te tuer, cette nuit-là ?

C'était une question qui hantait Gail depuis le mois de mars, et elle savait qu'elle ne connaîtrait pas le repos tant qu'elle ne l'aurait pas posée à son amie. Trop de souvenirs lui étaient revenus en mémoire, cette fameuse nuit.

— Je crois que j'avais envie de mourir, répondit India avec honnêteté. Mais je n'aurais pas eu le courage de me suicider. Pour ce qui est de l'accident, je ne me souviens toujours pas de ce qui s'est passé exactement. Tout ce que je sais, c'est que je pleurais, et que j'avais l'impression que ma vie était terminée. Ensuite, je me suis réveillée à l'hôpital. Après ça, je me rappelle seulement être rentrée à la maison avec toi. J'avais horriblement mal à la tête, mais ce n'était rien, comparé à ce que j'éprouvais au fond de mon cœur...

— As-tu eu de ses nouvelles ? demanda Gail avec compassion.

— Non. Et je ne pense pas en avoir jamais. C'est réellement terminé, même s'il m'a fallu longtemps pour l'admettre. Je ne l'ai pas appelé, et je n'ai pas l'intention de le faire. A quoi bon le torturer davantage ? Nous avons trop souffert, l'un comme l'autre, et je pense qu'il est temps de laisser tomber.

Gail hocha la tête, espérant que son amie disait vrai, et qu'elle s'était réellement fait une raison.

D'un commun accord, elles décidèrent de changer de conversation, et la suite du déjeuner se déroula agréablement. Elles parlèrent de quantité de choses, de leurs enfants, du reportage d'India sur le mannequin... Finalement, elles en vinrent à la nouvelle petite amie de Doug. L'existence de celle-ci contrariait India, mais pas outre mesure ; même si elle éprouvait encore quelque chose pour Doug, elle se réjouissait de ne plus être sa femme. Sa vie était bien plus simple et plus paisible, depuis leur séparation.

Elle n'avait envie de sortir avec personne, et pensait qu'il lui faudrait longtemps avant de se sentir de nouveau capable de nouer une relation amoureuse. Et Gail, qui d'ordinaire

407

était si prompte à lui conseiller de voir du monde, ne dit rien, consciente qu'India ne retrouverait sans doute jamais ce qu'elle avait partagé avec Paul. Il y aurait tôt ou tard d'autres hommes dans sa vie, Gail n'en doutait pas ; mais Paul Ward resterait sans doute son plus grand amour.

Le jour où l'on ôta son plâtre à India, Raoul lui téléphona et annonça qu'il avait un travail à lui proposer. Elle s'attendait à ce qu'il lui offre un reportage dans les environs ; il savait qu'elle avait eu un accident, et qu'il fallait la ménager.

— Comment te sens-tu ? demanda-t-il avec précaution.

— Pourquoi ? Tu as l'intention de m'emmener danser ? s'enquit-elle en souriant. Ça ne va pas trop mal, j'imagine, même si je ne suis pas encore prête pour les claquettes. Une samba, à la limite... Qu'est-ce que tu avais en tête ?

— Que penses-tu des rythmes africains ?

Le cœur d'India bondit dans sa poitrine, comme autrefois, lorsqu'on lui proposait les reportages extrêmes qui l'avaient rendue célèbre.

— Si je te dis « Rwanda », que me réponds-tu ? continua Raoul.

— Que c'est très loin.

— C'est vrai, reconnut-il. Et ce ne sera pas un reportage facile. Il y a un hôpital dans la brousse qui s'occupe d'orphelins depuis quelques années. Certains d'entre eux sont très mal en point ; ils souffrent de terribles maladies, sans compter tous les traumatismes imaginables. L'orphelinat a été en quelque sorte adopté par un groupe d'Américains aidés par des missionnaires français, belges et néo-zélandais. Une sorte de melting-pot de volontaires, si tu veux. Ça pourrait faire un très beau papier, si ça t'intéresse. Je ne veux pas te pousser. Je sais que tu as été malade, et que tu dois penser à tes enfants. C'est à toi de prendre la décision, India.

— Combien de temps faudrait-il que je m'absente ? demanda-t-elle, réfléchissant à sa proposition.

— Honnêtement ? Environ trois semaines, peut-être quatre. Toi, je pense que tu pourrais arriver à boucler le papier en trois semaines.

Dans ce cas, il lui faudrait trouver quelqu'un pour s'occuper des enfants pendant tout ce temps...

— Je serais ravie de le faire, dit-elle sans vraiment réfléchir.

C'était exactement le type de sujet qu'elle avait rêvé de traiter lorsqu'elle avait décidé de recommencer à travailler. Et bien que le Rwanda fût un pays difficile, elle ne courrait aucun danger direct, là-bas, excepté les risques communs à tous les pays tropicaux. Ce qui lui rappela que tous ses vaccins pour cette partie du monde étaient à refaire...

— Est-ce que tu peux me donner un jour ou deux pour réfléchir ?

— Il me faut une réponse demain.

— Je vais voir ce que je peux faire.

Après avoir raccroché, elle resta un moment assise près du téléphone, puis elle décida de prendre le taureau par les cornes. Après tout, elle n'avait rien à perdre.

Elle appela Doug à son bureau, et lui parla du reportage, lui demandant s'il lui serait possible de s'occuper des enfants en son absence. Il y eut un long silence à l'autre bout du fil, puis il demanda :

— Est-ce que je pourrai m'installer avec eux à Westport ?

India, qui s'attendait à des insultes, des menaces, des accusations, fut surprise de cette question. De toute évidence,

Doug se moquait totalement de ce qu'elle pouvait faire, désormais, du moment qu'elle se montrait responsable en ce qui concernait les enfants.

— Euh... Oui, bien sûr. Ce sera même probablement mieux pour eux.

— Tanya peut venir avec moi ?

India savait que l'intéressée s'était installée chez Doug depuis quelques semaines avec ses deux enfants, mais la question ne la surprit pas moins. Bien qu'il y eût suffisamment de place à Westport pour loger tout le monde, la perspective de savoir Tanya et sa progéniture sous son toit ne lui plaisait guère, d'autant qu'elle savait que les enfants détestaient la petite amie de Doug. Elle y réfléchit un moment, mais comprit vite que, si elle refusait, elle pouvait dire adieu à son reportage en Afrique. La mort dans l'âme, elle acquiesça donc.

— Dans ce cas, marché conclu, dit Doug.

India ne put s'empêcher de sourire à cette formulation, si typique de son ex-mari.

— Je te remercie du fond du cœur, lui dit-elle. Ce sera vraiment un reportage très intéressant.

Elle avait hâte d'appeler Raoul pour lui annoncer la bonne nouvelle.

— Quand dois-tu partir ? s'enquit Doug.

— Je te le dirai dès que je le saurai. Mais bientôt, a priori.

— Plus tôt que ça encore, confirma Raoul quelques minutes plus tard.

Elle devait se faire vacciner sans tarder : elle partait dans une semaine, annonça-t-il. En apprenant cela, elle se mordit la lèvre ; cela ne lui laissait guère de temps pour s'organiser. Mais elle savait ce qu'elle avait à faire.

Elle rappela Doug aussitôt pour le lui dire. Il ne vit pas de problème à venir s'installer à Westport à la fin de la semaine, et elle le remercia une nouvelle fois. C'était étrange ; elle avait l'impression de parler à un étranger. Elle avait du mal à croire qu'ils avaient été mariés pendant dix-sept ans, tant la séparation avait été brutale et complète. Quand elle y réfléchissait, elle se demandait si Doug l'avait jamais vraiment aimée, et si elle avait été importante pour lui. Sans doute Tanya se montrait-elle plus obéissante et soumise qu'elle... India savait que la compagne de Doug n'avait jamais eu besoin de travailler : d'abord femme au foyer, elle avait touché une très grosse somme d'argent lorsque son médecin de mari l'avait quittée pour épouser son infirmière, si bien qu'elle était indépendante financièrement.

Ce soir-là, India annonça aux enfants qu'elle allait partir faire un reportage en Afrique, et que leur père viendrait s'occuper d'eux. Ils se montrèrent tous ravis, mais grognèrent lorsqu'elle leur apprit que Tanya et ses enfants seraient là aussi.

— C'est vraiment obligé ? demanda Aimée pendant que Jason esquissait une grimace horrifiée.

— Je ne resterai pas ici, annonça Jessica avec hauteur.

Elle avait quinze ans, à présent, et se sentait adulte ; mais India ne s'inquiétait guère, sachant qu'elle n'avait nulle part où aller.

— Maman, est-ce que je peux m'installer chez Gail ? demanda Sam d'un ton suppliant.

— Non, rétorqua India avec fermeté. Tout le monde reste ici, et fait contre mauvaise fortune bon cœur. Papa me fait une faveur en acceptant de venir habiter ici pendant mon absence, et je ne veux pas que vous fassiez d'histoire. Trois semaines, ce n'est pas le bout du monde.

— Trois semaines ! crièrent-ils tous à l'unisson. Pourquoi si longtemps ?

— Parce que c'est loin, et que c'est le temps qu'il faudra pour réaliser le reportage.

Durant la semaine qui suivit, chacun des enfants se vengea d'elle à sa manière : Jason en cessant de lui parler, Jessica en la contredisant pour un oui ou pour un non, Aimée et Sam en critiquant chacun des repas qu'elle confectionnait... Cela lui était d'autant plus pénible qu'elle était malade : les vaccins lui donnaient de la fièvre et des maux de ventre. Mais elle était prête à tout pour pouvoir partir.

La veille de son départ, elle emmena les enfants au restaurant, et ils promirent à contrecœur d'être aimables avec Tanya, puisqu'ils y étaient vraiment obligés. Néanmoins, ils jurèrent de ne pas adresser la parole à ses enfants.

— Vous devez être gentils pour papa, leur rappela-t-elle.

Ce soir-là, au milieu de la nuit, Sam se glissa dans le lit d'India. Il venait d'avoir dix ans, Jason treize, et Aimée douze ; des quatre enfants, il était le seul à venir encore de temps en temps rejoindre sa maman la nuit. Elle allait lui manquer, mais India savait qu'avec Doug à la maison le petit garçon n'aurait pas de problème. Tanya avait même appelé pour dire à India de ne pas s'inquiéter, qu'elle emmènerait les enfants à l'école, et India avait alors réalisé que la relation de Doug avec Tanya risquait de durer. Cela lui faisait un drôle d'effet de voir à quel point la vie de Doug avait changé, depuis leur séparation. Pourtant, elle n'était pas aussi hostile à Tanya que les enfants : ceux-ci la trouvaient « affreuse », lui reprochaient de leur parler comme à des bébés et disaient qu'elle se maquillait et se parfumait trop. India, elle, estimait que ç'aurait pu être bien pire. Doug aurait pu sortir avec une starlette de vingt ans détestant les enfants – au moins, Tanya semblait bien les aimer.

Doug et Tanya devaient arriver le jour de son départ, et elle avait tout préparé : listes diverses, instructions, nourriture pour une semaine dans le réfrigérateur et le congélateur. Elle avait proposé à Doug de leur cuisiner quelques dîners d'avance à mettre au micro-ondes, mais il lui avait répondu que Tanya était un vrai cordon-bleu, et qu'elle serait heureuse de faire à manger pour tout le monde.

Lorsque la mère d'élève qui, ce jour-là, devait conduire les enfants à l'école passa les chercher, India les embrassa tendrement, et leur rappela d'être sages en son absence. Elle leur laissait quelques numéros d'urgence, en cas de problème grave, mais les prévint qu'elle serait difficile à joindre. L'hôpital de brousse avait une sorte de radio, par laquelle devaient passer tous les messages. Elle savait que ce serait cela le plus dur : ne pas pouvoir recevoir de nouvelles. Mais, au moins, elle était sûre que les enfants étaient en de bonnes mains, et grâce à Doug et Tanya, ils pourraient rester à la maison, ce qui ne les perturberait pas trop.

Elle appela Gail avant de partir, et lui demanda de garder un œil sur la maison ; son amie lui souhaita bonne chance. Même si elle savait qu'India allait lui manquer, elle était consciente que ce voyage lui ferait du bien ; d'ailleurs, depuis qu'elle avait accepté de partir, la jeune femme semblait redevenir un peu elle-même, et Gail s'en réjouissait. Cela faisait deux mois que Paul était parti et, depuis, India s'était comportée comme un zombie. Gail espérait que ce voyage lui permettrait de se retrouver. Au Rwanda, elle serait si occupée, si loin de tout, que rien ne lui rappellerait Paul.

Le voyage d'India commençait par un vol New York-Londres. Elle devait passer la nuit dans un hôtel à l'aéroport d'Heathrow, puis s'envoler pour Kampala, en Ouganda, le lendemain. De là, elle prendrait un petit avion jusqu'à Kigali, capitale du Rwanda, après quoi une Jeep la conduirait à travers la brousse jusqu'à Cyangugu, à la pointe sud du lac Kivu.

Elle partit en jean et grosses chaussures, son matériel photo sur l'épaule, et mit toutes ses affaires dans un petit sac en toile. Au moment de quitter la maison, elle se retourna un instant, caressa le chien, et pria pour que tout se passe bien jusqu'à son retour.

— Occupe-toi d'eux pour moi, dit-elle à Crockett, qui la regardait en agitant frénétiquement la queue.

Puis, avec un petit sourire, elle se dirigea vers la navette qui devait la conduire à l'aéroport.

Le voyage lui parut sans fin, et les deux dernières étapes se révélèrent pires encore que Raoul ne l'avait annoncé. L'avion de Kigali à Cyangugu était un minuscule coucou ne pouvant transporter que deux passagers, et elle eut à peine la place de poser son sac par terre à côté d'elle ; l'appareil volait juste au-dessus des arbres, avec des changements d'altitude aussi brusques que terrifiants, et finit par atterrir dans une clairière à peine digne de ce nom entre des buissons d'épineux. Mais le paysage était extraordinaire, et India commença à le mitrailler avant même d'avoir touché le sol.

La Jeep qu'on lui avait promise était en fait un vieux camion russe. Dieu seul savait où on l'avait déniché, en tout cas, où que ce fût, il y avait très certainement été abandonné par son précédent propriétaire, las de lutter contre ses sautes d'humeur... Le trajet, qui devait durer une demi-heure, prit en définitive plus de deux heures et demie : ils devaient s'arrêter tous les quarts d'heure environ pour réparer le camion, ou venir en aide à d'autres véhicules en panne. Ils n'étaient qu'à mi-chemin que déjà India commençait à être experte dans le maniement des bougies et des jerricans.

On lui avait envoyé un chauffeur sud-africain, accompagné d'un jeune Néo-Zélandais qui vivait là depuis trois ans environ. Il adorait l'endroit, et parla longuement à India des tribus locales et des différentes origines des enfants recueillis à l'hôpital.

— Ça va faire un reportage dément, lui assura-t-il.

Il était souriant, assez beau, et India songea avec un brin de découragement qu'il devait avoir la moitié de son âge. Dans cette région du monde, il fallait être jeune pour tenir le coup. A quarante-quatre ans, elle faisait figure de vieille dame, comparée aux membres de l'équipe. Mais elle ne devait rester que trois semaines, se rassura-t-elle.

— Qui vous fournit votre matériel, votre nourriture et vos médicaments ? s'enquit-elle entre deux cahots du camion.

Il faisait nuit depuis longtemps, mais ses deux compagnons lui avaient assuré qu'ils ne couraient aucun danger. Le seul risque, selon eux, était de tomber nez à nez avec un éléphant ou un lion ; mais c'était rare, et tous deux avaient des fusils et étaient de bons tireurs, affirmèrent-ils.

— Nous nous fournissons là où nous pouvons, dit le jeune Néo-Zélandais en réponse à sa question.

— Pas là où vous avez trouvé ce camion, j'espère, plaisanta India.

Il rit et lui expliqua qu'une grande partie de leur matériel leur était envoyée de l'étranger par avions spéciaux, et qu'ils recevaient également de l'aide de la Croix-Rouge.

Lorsqu'ils arrivèrent à destination, il était plus de deux heures du matin, et ils conduisirent India directement à sa tente. Celle-ci était minuscule et sans aération, visiblement héritée des surplus de l'armée, mais la jeune femme s'en moquait. Ses deux guides lui donnèrent un sac de couchage et un lit de camp, et lui conseillèrent de dormir avec ses chaussures, afin de pouvoir se déplacer rapidement si un éléphant ou un rhinocéros venait à traverser le camp pendant la nuit. Ils la prévinrent aussi de se méfier des serpents, nombreux dans les parages.

— Formidable ! dit-elle.

Mais elle était en Afrique, pas à Londres, et savait à quoi s'attendre avant de venir. Et de toute façon, fatiguée comme elle l'était, elle se serait endormie n'importe où.

Le lendemain matin, elle fut éveillée par des bruits dans le camp, et sortit de sa tente, toujours vêtue de ses habits de la veille et les cheveux en désordre. Elle regarda autour d'elle, et découvrit l'hôpital de brousse, sur une petite colline tout près du campement.

C'était un immense baraquement construit par un groupe d'Australiens deux ans plus tôt. De nombreuses personnes s'affairaient autour, et India se sentit terriblement oisive et inutile, tout à coup.

— Bon voyage ? lui demanda en souriant une jeune femme, anglaise à en croire son accent.

Puis elle lui indiqua où se trouvaient les toilettes. Il y avait également une tente qui faisait office de cantine derrière l'hôpital, et, après s'être brossé les dents et débarbouillée, India s'y rendit. Il faisait un temps magnifique, et le soleil était déjà chaud en dépit de l'heure matinale.

India était affamée. Dans la cantine, on servait un mélange fort peu appétissant de nourriture africaine et de surgelés ; la plupart des gens optaient pour un fruit, et India fit de même. En réalité, elle avait surtout envie d'une tasse de café. Elle s'assit et consulta la liste des personnes qu'elle devait voir avant de commencer à travailler.

Elle terminait sa seconde tasse de café lorsqu'un groupe d'hommes pénétra dans la tente, accompagné par Ian, le Néo-Zélandais dont elle avait fait la connaissance la veille. Quelqu'un lui expliqua que c'étaient des pilotes. L'un d'eux, de dos, attira son attention ; il lui semblait vaguement familier. Mais il portait un blouson et une casquette de base-ball, et elle ne parvenait pas à voir son visage. Quelle importance de toute façon ? Elle ne connaissait personne, ici. Peut-être s'agissait-il d'un homme qu'elle avait croisé autrefois, lorsqu'elle parcourait le monde pour faire des photos, mais cela lui parut peu probable. La plupart des gens qu'elle avait connus avaient pris leur retraite ou changé d'orientation. Certains étaient morts dans l'exercice de leur métier. Il n'y avait guère d'autres solutions : rares étaient en effet ceux qui continuaient bien longtemps. Les risques étaient trop nombreux, et, passé un certain âge, la plupart des journalistes étaient heureux d'accepter un poste fixe, dans un bureau.

Elle regardait toujours les pilotes d'un air absent lorsque, l'apercevant, Ian lui fit un petit signe amical et se dirigea vers elle, suivi par les trois pilotes. Le premier était petit et trapu, le second noir et très grand. Quant au troisième... Lorsqu'il se retourna, India ne put retenir un hoquet de surprise. C'était Paul.

Ils se regardèrent un moment, avec un mélange d'horreur et d'incrédulité. Le petit groupe était arrivé à hauteur de la table d'India ; Ian fit les présentations. Mais la jeune femme ne parvenait pas à détacher son regard du visage de Paul. Déjà pâle de nature, elle était livide, tout à coup.

— Vous vous connaissez ? demanda Ian d'une voix incertaine, sentant immédiatement que quelque chose n'allait pas.

— Nous nous sommes déjà rencontrés, oui, répondit India avant de se ressaisir et de serrer la main des nouveaux venus.

Elle se souvint aussitôt de ce que Paul lui avait raconté, lors de leur première rencontre : il lui avait expliqué qu'il organisait des transports aériens de vivres et de médicaments vers des lieux reculés comme celui-ci, avant son mariage avec Serena, et qu'ensuite il avait cessé de piloter lui-même les avions pour se contenter d'une participation financière. De toute évidence, il avait décidé de reprendre un rôle plus actif...

Lorsque ses compagnons quittèrent la tente, il s'arrangea pour s'attarder un moment auprès d'India.

Il la regarda en silence, visiblement aussi bouleversé qu'elle par cette rencontre fortuite. Nul n'aurait pu deviner qu'ils se retrouveraient dans un tel endroit ; seule une malchance extraordinaire pouvait expliquer cette malencontreuse coïncidence.

— Je suis désolé, India, dit-il avec sincérité, conscient de la détresse de la jeune femme.

Il devinait sans peine qu'elle avait accepté de venir dans ce coin perdu de la brousse africaine dans l'espoir de se changer les idées et de l'oublier, et se doutait que sa soudaine apparition était pour elle un cauchemar.

— Je t'assure que je ne savais pas...

— Je suis sûre que si, coupa-t-elle en esquissant un pâle sourire. Avoue que tu as organisé tout ça uniquement pour me torturer !

Il lui rendit son sourire, soulagé de la voir réagir avec humour.

— Jamais je ne te ferais une chose pareille, j'espère que tu le sais.

— Avec toi, on ne peut jamais jurer de rien, plaisanta-t-elle. En tout cas, on dirait une scène tirée d'un film de troisième catégorie...

— Je suis d'accord. Quand es-tu arrivée ici ? demanda-t-il.

— Hier soir.

— Nous avons atterri à Cyangugu il y a une heure.

— Et combien de temps vas-tu rester ? s'enquit-elle, priant pour qu'il lui annonçât qu'il repartait l'après-midi même.

Mais, décidément, les dieux n'étaient pas avec elle, ce jour-là.

— Deux mois, répondit-il. Je dois rester ici pour superviser les opérations de ravitaillement en attendant que l'équipe soit bien rodée.

— Oh, génial, gémit-elle.

— Et toi ? demanda Paul avec prudence, combien de temps dois-tu passer ici ?

— Trois ou quatre semaines. J'imagine que nous devons en prendre notre parti, n'est-ce pas ? conclut-elle d'une voix lasse.

Le seul fait de le regarder lui faisait mal ; c'était comme de saupoudrer de sel une plaie à vif. Il était plus beau que

419

jamais : un peu plus mince que dans son souvenir, mais toujours aussi séduisant et jeune d'aspect.

— J'essaierai de t'éviter au maximum, promit-il.

— Merci, dit-elle avant de poser sa tasse de café sur un plateau.

Lorsqu'elle leva les yeux vers Paul, elle vit qu'il la regardait avec une expression douloureuse. Elle n'eut pas la cruauté de lui demander s'il continuait à faire des cauchemars. De son côté, elle n'avait cessé de rêver de lui, depuis leur séparation, des rêves affreux, qui la laissaient épuisée et souvent en larmes.

— Comment vas-tu ? demanda-t-il d'une voix douce comme elle s'éloignait de la table.

— A ton avis ?

Il hocha la tête et ne répondit pas. La jeune femme s'en alla, et pendant un moment il demeura immobile, perplexe. Il y avait quelque chose de différent, chez elle, mais quoi ? Soudain, il comprit. Cette fine cicatrice qu'il avait aperçue le long de son visage, à la naissance des cheveux, ne s'y trouvait pas quand ils s'étaient vus pour la dernière fois. Il voulut lui demander ce qui lui était arrivé, mais elle était déjà loin.

Poussant un soupir, il alla rejoindre les deux autres pilotes, mais il ne parvint pas à se mêler à leur conversation. Une douleur familière l'envahissait, une douleur que jusque-là il n'avait associée qu'à Serena et qui le prenait de court, la douleur d'avoir perdu un être cher, une femme aimée.

25

DURANT les deux jours qui suivirent, India et Paul firent de leur mieux pour s'éviter, mais tous deux avaient conscience que c'était impossible, dans un environnement aussi petit ; cela créait en définitive plus de problèmes que cela n'en résolvait.

Au soir du deuxième jour, Paul vint s'asseoir à la table où dînait India et lui jeta un regard plein de tristesse.

— C'est sans espoir, n'est-ce pas ? dit-il à voix basse afin que nul ne l'entendît.

Il serait parti s'il en avait eu la possibilité, mais le travail que son équipe et lui effectuaient était important. Tout comme l'était le reportage d'India, qui permettrait d'attirer l'attention de nombreux donateurs occidentaux sur l'hôpital et son œuvre. Ni l'un ni l'autre ne pouvaient partir, et les semaines à venir promettaient d'être dures pour tous les deux. Dès qu'il voyait India, Paul avait l'impression que son cœur s'arrêtait de battre, et il la voyait des dizaines de fois par jour. Chaque fois, leurs regards se croisaient, et la douleur qu'il lisait dans celui d'India était une torture, pour lui. Elle lui donnait envie de pleurer, ou de la prendre dans ses bras.

— Ne t'inquiète pas, lui dit-elle avec son calme habituel.
Mais comment aurait-il pu ne pas s'inquiéter ? Il ne pouvait ignorer le mal qu'il lui avait fait. Il lui suffisait de voir sa lèvre inférieure trembler légèrement tandis qu'elle détournait le regard...

Les autres personnes assises à leur table ne tardèrent pas à s'en aller, et ils se retrouvèrent seuls tous les deux. Paul plongea son regard dans le sien, et lui demanda avec inquiétude :

— Que t'est-il arrivé ?

La cicatrice qui marquait son front était longue, et visiblement récente. De plus, la veille, quand elle était allée se coucher, il l'avait vue mettre une minerve. (Le cou d'India la faisait encore souffrir de temps en temps, et il lui arrivait de la mettre pour dormir afin de soulager ses muscles douloureux.)

Doucement, il tendit la main vers la cicatrice et voulut l'effleurer ; mais la jeune femme recula pour éviter ce contact.

— Je me suis battue en duel, ironisa-t-elle. (Devant la mine sévère de son compagnon, elle soupira et dit plus sérieusement :) J'ai eu un accident de voiture.

— Quand ?

Il voulait connaître tous les détails, savoir exactement ce qui lui était arrivé depuis qu'il l'avait quittée.

— Il y a un certain temps, répondit-elle vaguement.

Mais Paul n'avait qu'à la regarder pour comprendre. Une vague de nausée l'envahit.

— Etait-ce... juste après ? voulut-il savoir, tourmenté par un sentiment de culpabilité intolérable.

— Cette nuit-là.

— Cette... cette nuit-là ? répéta-t-il, horrifié. Quand tu es rentrée chez toi ? (De nouveau, elle hocha la tête.) Je savais

DOUCE AMÈRE

que je n'aurais pas dû te laisser conduire. J'avais un pressentiment à ce sujet.

— Moi aussi, répondit-elle en songeant à cette nuit de cauchemar.

Elle aurait pu mourir ; en fait, elle avait failli mourir. Et pendant un moment, elle avait même regretté de ne pas être morte.

— C'était un accident grave ?

— Assez.

— Pourquoi ne m'en as-tu pas parlé quand tu m'as appelé le lendemain ?

— Ce n'était plus ton problème. Cela ne concernait que moi.

Il se souvenait encore de leur coup de téléphone. Elle lui avait paru étrange, un peu incohérente même par moments. Dire qu'il s'était imaginé qu'elle était seulement bouleversée par leur rupture !

— J'en suis malade, murmura-t-il. Que te dire ?

— Ne t'inquiète pas. Je vais bien, maintenant.

Mais elle mentait en prononçant ces mots. En réalité, elle souffrait affreusement d'être en permanence si près de lui, et ce qu'elle lisait dans ses yeux ne faisait que rendre les choses plus difficiles encore. Elle le connaissait très bien, et avait conscience de sa douleur, comme lui de la sienne. De même, elle savait qu'il partageait ses sentiments, comme autrefois, comme toujours. En dépit de tout ce qu'il lui avait dit, de tout ce qu'il avait prétendu, il n'avait jamais cessé de l'aimer. Elle s'en rendait compte, et au lieu de la soulager, cette constatation l'achevait. C'était un tel gâchis...

Elle se demanda si cela expliquait la présence de Paul dans ce coin de brousse reculé. Cherchait-il à oublier, à échapper à ses souvenirs, lui aussi ? Hélas, le destin, avec une ironie douce-amère, avait voulu que leurs fuites respectives les conduisent au même endroit...

Finalement, India secoua la tête avec lassitude et demanda :

— Comment allons-nous faire, Paul ?

Il était évident qu'ils ne parviendraient pas à s'éviter, dans un endroit comme celui-là.

— Je suppose que nous devons serrer les dents et nous accommoder de la situation, répondit-il, fataliste. Je suis vraiment désolé, India. Je n'aurais jamais cru te retrouver ici.

— Moi non plus. On ne m'a proposé de faire ce reportage qu'il y a une semaine. Ça m'a paru une bonne idée, et comme Doug et son amie voulaient bien se charger des enfants, j'ai accepté.

— Ils s'en occupent ensemble ? s'étonna Paul.

India hocha la tête, avant de demander :

— Et toi ? Depuis combien de temps organises-tu ces ravitaillements ?

Tout le monde dans le camp lui avait dit quel travail extraordinaire Paul et ses amis avaient accompli. Il était l'organisateur et le pilote en chef, et c'était lui également qui finançait en très grande partie l'opération.

— Depuis le mois de mars, répondit-il. Lorsque je me suis retrouvé à bord de l'*Etoile-des-Mers*, j'ai tout de suite compris que je ne pourrais pas rester à ne rien faire jusqu'à la fin de mes jours.

— Où est le bateau, en ce moment ?

— A Antibes. Si je parviens à bien lancer l'opération et à trouver quelqu'un pour la superviser, j'irai faire un tour à bord l'été prochain. Sinon, je pourrai toujours rester ici. (Il haussa les épaules.) Ecoute, j'essaierai de ne pas trop te déranger durant ton séjour. A part ça, je ne peux pas faire grand-chose. Ils ont besoin de moi, ici. Et ils ont également besoin de toi.

L'attention que leur procurerait son reportage était essentielle pour la survie même du projet.

— Je sais. Ça va aller, affirma la jeune femme.

Il devait exister un moyen de rendre la situation plus supportable...

Elle leva vers lui un regard empreint de chagrin. Pendant six mois, il lui avait donné tant d'espoir, et puis, d'un coup, il lui avait tout repris. Maintenant, tous deux devaient retrouver leur force, leur optimisme, afin de tenir le coup et d'aller de l'avant.

— Cela va peut-être te sembler fou, moi-même, je trouve ça un peu bizarre, déclara-t-elle. Je sais que ce n'est pas ce que tu voulais, tu me l'as clairement dit. Mais peut-être pourrions-nous être amis ? N'oublie pas que c'est ainsi que tout a commencé, entre nous ; c'est peut-être ainsi que cela doit se terminer également. Si ça se trouve, c'est pour cette raison que nous nous sommes retrouvés là, tous les deux. Comme si une puissance supérieure avait voulu que nous soyons confrontés l'un à l'autre pour nous permettre de réparer nos erreurs.

— Tu n'as rien à réparer, India. Toi, tu ne m'as jamais fait de mal, dit-il.

— Je t'ai fait peur. J'ai essayé de te pousser dans une direction qui n'était pas celle que tu souhaitais, au fond de toi.

Ce n'était pas vrai, Paul le savait. C'était lui qui, le premier, lui avait dit qu'il l'aimait. Il avait ouvert la porte, et l'avait invitée à entrer. Et puis, quelques jours plus tard, il l'avait jetée dehors et avait refermé le battant sur elle à jamais.

— C'est moi qui me suis fait peur, pas toi, déclara-t-il avec franchise. Et c'est moi qui t'ai fait mal, ne l'oublie pas. Si quelqu'un doit se sentir coupable, ici, c'est bien moi.

Elle n'en estimait pas moins qu'il serait plus simple pour eux de tourner une fois pour toutes la page sur cet épisode de leur vie. Quoi qu'elle éprouvât encore pour lui, et quelle qu'eût été la souffrance qu'il lui avait causée, il n'y avait pas de place pour le ressentiment et les remords, ici.

— Bien avant de rentrer aux Etats-Unis, tu m'avais prévenue que tu ne voulais pas être la lumière au bout de mon tunnel. Tu avais été très clair.

Une nouvelle fois, elle se revit dans la cabine téléphonique glaciale, et se souvint des paroles de Paul, qui à l'époque lui avaient semblé plus froides encore que l'air ambiant. Certes, trois mois plus tard, il avait affirmé avoir changé d'avis, mais seulement pendant quelques jours, quelques jours d'aberration, de rêve inaccessible. Cela ne se reproduirait plus jamais. A présent, elle devait se reprendre en main seule, sans compter sur lui. Lui, de son côté, n'attendait rien d'elle : seuls lui importaient ses souvenirs de Serena, son passé, et les terreurs familières qui l'entouraient.

— Nous devons faire une croix sur ce qui s'est passé, reprit India. Ce qui nous arrive est une sorte de test ; il faut que nous relevions le défi.

Elle lui sourit tristement, se leva, et lui toucha la main.

— Pouvons-nous être amis ?

— Je ne suis pas sûr d'en être capable, répondit-il avec franchise.

426

La seule présence physique de la jeune femme était une torture, pour lui.

— C'est nécessaire, fit-elle valoir. Au moins pendant trois semaines.

C'était lui qui, au moment de leur séparation, avait posé les règles : pas de coups de fil, pas de contacts. Mais tant qu'ils seraient contraints de se côtoyer, India était prête à faire un effort pour être son amie. Afin de lui montrer sa bonne volonté, elle lui tendit sa main à serrer, mais il garda les poings dans ses poches.

— Je verrai ce que je peux faire, répondit-il seulement, avant de se lever à son tour et de s'éloigner.

Il n'était pas en colère contre elle, mais il se sentait encore très mal, et le fait de devoir la voir chaque jour ne faisait qu'empirer les choses. Toutes ses blessures s'étaient rouvertes ; mais il appartenait toujours à Serena.

Il savait néanmoins qu'India avait fait preuve de beaucoup de sagesse et de générosité en lui proposant d'être son amie. Il voulait y penser à tête reposée, et prendre sa décision en toute connaissance de cause.

— Etiez-vous des ennemis jurés dans une vie antérieure ? demanda Ian à India un peu plus tard ce soir-là, alors qu'ils se dirigeaient vers leurs tentes pour la nuit.

— En quelque sorte, répondit-elle. (A quoi bon lui expliquer qu'ils avaient été amants pendant quelques jours ?) Mais nous surmonterons tout ça, ajouta-t-elle en se forçant à sourire. C'est l'endroit rêvé pour enterrer de vieilles querelles, n'est-ce pas ?

Pourtant, quelques minutes plus tard, allongée sur son étroit lit de camp, immobile de peur qu'il ne s'effondrât sous elle au moindre mouvement, elle ne réussit pas à chasser Paul de son esprit. Elle avait pris de nombreuses photos ce jour-là, et avait rassemblé des informations de première importance, mais cela ne suffisait pas à lui remonter le moral. Une pensée l'obsédait, douloureuse, lancinante : Paul ne voulait même pas être son ami. Il ne se sentait même pas capable de lui offrir cela... C'était un nouvel affront, à ajouter à une liste déjà longue.

Pourquoi ? Elle lui avait pourtant tendu la main, bien que le seul fait de le regarder lui donnât envie de fondre en larmes...

Et en définitive, c'est ce qu'elle fit, dans le secret de sa tente. Elle pleurait encore lorsque le sommeil vint la délivrer.

Le lendemain, Paul partit à Kinshasa pour deux jours, et India put se concentrer sur son travail sans risquer constamment de le croiser dans le camp. Elle alla rendre visite aux enfants malades et les prit en photo, et elle bavarda longuement avec des orphelins. Elle regarda également les médecins soigner des lépreux grâce aux médicaments que Paul leur avait fournis. Tous dans le camp semblaient à l'aise avec elle ; ils appréciaient sa gentillesse et sa douceur, et acceptaient volontiers de la laisser les photographier. Elle, de son côté, avait l'impression de découvrir leurs âmes à travers son objectif, et lorsque Paul rentra, elle s'était fait de nombreux amis, et se sentait un peu mieux.

Le vendredi soir suivant, les infirmières organisèrent une fête, et encouragèrent tout le monde à venir y assister. Cependant, India préféra décliner l'invitation, ne sachant si Paul serait présent. Elle lui avait promis son amitié, mais il l'avait refusée ; après cette rebuffade, elle ne se sentait plus la force de lui faire face. Par ailleurs, elle estimait normal que ce fût lui qui profitât de la fête, dans la mesure où il allait rester plus longtemps qu'elle. Elle n'était là que pour trois semaines, et cela ne la gênait pas de rester sous sa tente.

Elle lisait tranquillement sur son lit de camp à la lumière de sa lampe de poche, appuyée sur un coude, les cheveux relevés pour avoir moins chaud, lorsqu'elle entendit un bruit à l'extérieur qui la fit sursauter. Elle était sûre qu'il s'agissait d'un animal, un serpent peut-être. Prête à crier pour appeler à l'aide, elle dirigea le faisceau de sa lampe vers l'entrée de la tente, et éclaira le visage de Paul.

— Oh ! dit-elle, soulagée, mais le cœur battant toujours à se rompre.

— Je t'ai fait peur ? demanda-t-il en levant le bras pour se protéger de la lumière.

India baissa la lampe de poche.

— Oui. Je t'ai pris pour un serpent.

— Tu avais raison, répondit-il sans sourire. Pourquoi n'es-tu pas allée à la fête ?

— J'étais fatiguée, mentit-elle.

— C'est faux. Tu n'es jamais fatiguée.

Il la connaissait bien, beaucoup trop bien, et India craignait qu'il ne pût lire dans son cœur comme dans un livre ouvert ; pendant longtemps, elle lui avait confié tous ses secrets, tous ses désirs, tous ses rêves et toutes ses déceptions, et il savait parfaitement ce qu'elle éprouvait, ce qu'elle pensait, et comment elle réagissait.

— Eh bien, ce soir, je suis fatiguée, affirma-t-elle. Et j'avais de la lecture en retard.

— Tu as dit que nous pouvions être amis, dit-il d'un ton presque timide, et je voudrais essayer.

— Nous sommes amis, affirma-t-elle.

— Non. Nous nous affrontons comme deux lions blessés.

Les amis ne se conduisent pas ainsi, observa-t-il en posant sur la jeune femme un regard tourmenté.

— Parfois, si. Parfois, même les amis se font du mal ou se mettent en colère.

— Je suis désolé de t'avoir blessée, India, dit-il, à l'agonie. (India s'efforçait de le garder à distance, de se protéger de lui, et même s'il le comprenait, il en souffrait cruellement.) Je n'avais pas l'intention de... Je ne voulais pas..., reprit-il. Mais je n'ai pas pu m'en empêcher. J'étais comme possédé.

— Je sais. Je le comprends, affirma-t-elle en posant son livre et en s'asseyant au bord du lit. Ça va, ajouta-t-elle.

— Non, ça ne va pas, objecta-t-il avec force. Nous sommes encore mortellement blessés tous les deux, ou du moins moi, je le suis. Rien n'y fait, et crois-moi, à part un exorciste ou un sorcier vaudou, j'ai tout essayé. Je lui appartiens encore, India. Et je lui appartiendrai toujours.

Il parlait de Serena, bien sûr, et le cœur d'India se serra.

— Tu ne l'as jamais possédée, Paul. Elle ne t'aurait pas laissé faire. Et, de même, tu ne lui appartiens pas. Laisse faire le temps, et tu verras que ça ira mieux.

— Viens à la soirée avec moi. En amie, si tu veux. J'ai envie de te parler. Ça me manque terriblement, avoua-t-il.

India vit briller des larmes dans ses yeux. Cette invitation était sa manière à lui de lui tendre la main, de faire un geste de paix.

— Ça me manque aussi, reconnut-elle.

Pendant les six mois où ils s'étaient appelés quotidiennement, ils s'étaient tant donné qu'elle avait eu un mal fou à s'en passer, lorsqu'ils s'étaient séparés. Mais elle avait fini par se faire une raison, et ne souhaitait pas revivre ce déchirement de nouveau.

430

— Je pense qu'il vaut mieux ne pas se laisser entraîner trop loin, dit-elle.

— Entraîner où ? demanda-t-il avec une ironie amère. J'ai déjà tout cassé.

Il ne pouvait s'empêcher de la regarder, et de se souvenir de leur premier baiser. En cet instant, il aurait donné n'importe quoi pour la serrer dans ses bras, mais c'eût été criminel. Il n'avait rien à lui offrir, et ne pouvait lui donner à nouveau de faux espoirs.

— Allez, viens, habille-toi. Nous n'avons que trois semaines à passer ici ensemble. Nous sommes perdus au milieu de nulle part. Pourquoi rester seule dans ta tente à lire à la lumière d'une lampe de poche ?

— Ça endurcit, affirma-t-elle.

Elle lui sourit, en s'efforçant de ne pas songer à son physique ravageur, à son charme, au désir qu'il lui inspirait. Même à la lumière de la lampe de poche, il était d'une beauté à couper le souffle.

— Tu vas finir par t'abîmer les yeux, la prévint-il. Allons-y.

Il semblait décidé à rester là jusqu'à ce qu'elle eût accepté de le suivre, mais India ne l'entendait pas de cette oreille.

— Je n'ai pas envie d'y aller, décréta-t-elle.

— Je m'en moque, rétorqua-t-il, encore plus buté qu'elle. Lève-toi immédiatement, India, ou je te tire de ce lit de force.

Incapable de se contenir plus longtemps, la jeune femme éclata de rire. Paul était fou, mais elle l'aimerait toujours. A son retour aux Etats-Unis, elle allait devoir recommencer à zéro son processus de deuil, mais pourquoi y penser maintenant ? Pendant trois semaines, elle n'avait qu'à profiter de sa présence. Ce n'était pas une rechute, se promit-elle, juste quelques moments de plaisir volés au temps.

Lentement, elle sortit de son sac de couchage, dans lequel elle s'était glissée, et Paul constata qu'elle était en jean et en T-shirt. Après avoir secoué ses chaussures pour s'assurer qu'aucun serpent ou insecte ne s'y était introduit, elle les enfila, puis elle se redressa et regarda Paul droit dans les yeux.

— OK. Nous sommes amis pour les trois semaines à venir. Mais, après ça, tu sors de ma vie à jamais.

— Je pensais que c'était déjà fait, observa-t-il comme ils se dirigeaient d'un même pas vers l'hôpital, où les infirmières avaient organisé la soirée.

— Il faut dire que ça y ressemblait beaucoup, reconnut India. Crois-moi, je garde un souvenir très vif de cette scène d'adieu au Carlyle...

— Moi aussi.

Et la cicatrice qu'India portait au front était bien réelle, songea-t-il, rongé par la culpabilité, en lui tendant la main pour l'aider à grimper un petit monticule de pierre, à l'approche de l'hôpital. La nuit était magnifique, peuplée des mille bruits caractéristiques de l'Afrique. Partout, des buissons et des arbres étaient en fleurs, et l'air tiède de la nuit embaumait. India savait qu'elle n'oublierait jamais cet instant, la fragrance sensuelle et capiteuse des fleurs mêlée à l'odeur familière de charbon de bois que dégageaient les divers feux allumés dans le camp.

En arrivant à l'hôpital, ils saluèrent tout le monde. Bientôt, Paul s'éloigna pour aller rejoindre ses deux pilotes. Il était heureux d'avoir poussé India à venir ; elle aussi avait le droit de s'amuser. Mais il ne voulait pas qu'elle se sentît harcelée, et préférait la laisser tranquille. Il avait l'impression de lui devoir quelque chose, et même s'il avait conscience de ne pas pouvoir s'acquitter de sa dette, il souhaitait au moins se montrer aussi amical que possible.

India bavarda un long moment avec les infirmières, et apprit ainsi beaucoup de choses utiles pour son article ; elle fut l'une des dernières à quitter la soirée. Paul la regarda s'éloigner, mais n'essaya pas de la suivre. Il était heureux qu'elle ait eu l'air de passer un bon moment. Lui, de son côté, ne tarda pas à rejoindre la tente qu'il partageait avec ses deux pilotes. Dans le campement, personne ne vivait dans le luxe ; les conditions de vie étaient plus précaires encore qu'à l'époque où India travaillait dans le Peace Corps. Mais la jeune femme ne s'en plaignait pas, au contraire. Elle trouvait cela réconfortant, apaisant, familier.

Le lendemain, elle photographia un groupe d'orphelins qui venaient d'arriver. Lorsqu'elle essaya de leur parler, utilisant les quelques rudiments de kinyarwanda qu'elle avait appris depuis son arrivée, ils éclatèrent de rire, et elle rit avec eux ; petit à petit, elle commençait à recouvrer son sens de l'humour.

Toute la semaine, elle fut très occupée ; son reportage avançait vite, et elle était satisfaite de ses photos.

Le dimanche, des services religieux avaient lieu dans une église construite non loin de l'hôpital par des missionnaires belges, et India s'y rendit avec quelques autres. Puis, cet après-midi-là, Ian, le jeune Néo-Zélandais, l'invita à faire un tour dans sa Jeep et lui montra les environs du campement, afin qu'elle puisse prendre davantage de photos. Elle n'avait pas vu Paul de la journée ; Ian lui expliqua qu'il était allé au marché de Cyangugu.

Le lendemain, India s'habillait lorsque quelqu'un frappa

433

un coup sur l'un des piquets extérieurs de sa tente. Sans prendre le temps de mettre des chaussures, elle sortit pour voir ce qui se passait, et se trouva nez à nez avec Paul.

— Mets tes chaussures, lui dit-il d'un ton sévère.

— C'est ce que j'étais en train de faire.

— Dépêche-toi, sinon tu vas te faire piquer par une bestiole.

— Merci de ta sollicitude, rétorqua-t-elle d'un ton rogue.

Il était encore tôt, et elle n'était pas d'humeur à le voir. Paul ne se démonta pas pour autant.

— Je me demandais si ça t'intéresserait de passer une heure ou deux à Bujumbura. Je dois aller chercher du ravitaillement là-bas. C'est une bonne occasion pour toi de faire de belles photos.

India hésita quelques instants. Paul avait raison : cela lui permettrait d'étoffer son reportage. Mais cela l'obligeait également à passer beaucoup de temps avec lui... Finalement, cependant, sa conscience professionnelle prit le dessus, et elle hocha la tête.

— D'accord. Merci de me le proposer. Quand pars-tu ?

— Dans dix minutes, répondit-il en souriant.

Il ne lui en voulait pas de sa froideur ; en vérité, cela lui rappelait Serena, qui avait toujours été de nature bagarreuse. India, elle, s'étonnait de se découvrir capable d'agressivité, elle qui d'ordinaire s'efforçait toujours d'arrondir les angles. Mais le fait de vivre si près de Paul était une dure épreuve pour elle, et depuis son arrivée dans le camp elle avait les nerfs à fleur de peau.

— Je vais me dépêcher, promit-elle. Ai-je le temps de prendre un café ?

— Nous ne sommes pas à deux minutes près, la rassura-
t-il. Ce n'est pas British Airways !

— Merci. Je te rejoins à la Jeep dès que je suis prête.

— A tout de suite, dit-il avant de s'éloigner, la tête
baissée.

A quoi pensait-il ? Probablement à la mission qui l'attendait, se dit India en prenant son appareil photo et en se
hâtant en direction de la cantine.

Elle prit quelques crackers mous et une tasse de café qu'elle
but très vite, avant de courir rejoindre Paul. Il l'attendait en
compagnie de Randy, le pilote noir. C'était un Américain
originaire de Los Angeles, et India l'aimait beaucoup.

Il avait commencé sa carrière dans l'US Air Force, puis
avait quitté l'armée pour suivre des cours de mise en scène à
l'école de cinéma de l'UCLA ; il avait même réalisé quelques
petits films. Mais après une longue période de chômage, il
en avait eu assez, et avait rassemblé toutes ses économies pour
partir au Rwanda se rendre utile. Il était là depuis deux ans,
et India savait qu'il fréquentait l'une des infirmières. Il était
impossible de garder un secret, dans le campement ; à bien
des égards, cela lui rappelait le Peace Corps.

Ils volaient à bord d'un vieil avion militaire que Paul et
ses amis avaient acheté. Ils n'eurent aucun mal à le faire
décoller tandis qu'India, assise sur un strapontin derrière eux,
photographiait sans relâche le paysage qui défilait sous l'appareil. Il y avait des troupeaux de rhinocéros dans les collines,
et des plantations de bananiers à perte de vue. India était
fascinée par ce qu'elle voyait, et regrettait seulement de ne
pas pouvoir être suspendue au-dessous de l'avion pour
prendre davantage de clichés. Sans qu'elle ait eu besoin de
le lui demander, Paul volait aussi bas que possible. Il avait

également décidé de faire un petit détour afin de survoler des paysages plus impressionnants, et India le remercia chaleureusement lorsqu'ils eurent atterri à Bujumbura.

Une foule de gens se pressait au marché, et elle put faire des photographies formidables. Puis, lorsque Paul et Randy eurent rassemblé tout ce qu'ils désiraient emporter, elle les photographia en train de monter le chargement dans l'avion, avec l'aide de plusieurs Hutu en tenue traditionnelle.

Ils furent bientôt prêts à partir, mais prirent le temps de s'asseoir quelques minutes au bord de la piste pour savourer des fruits achetés au marché.

— Cet endroit est incroyable, n'est-ce pas ? demanda Randy avec un large sourire.

Il était beau, et ressemblait davantage à une star de cinéma qu'à un réalisateur, mais il n'y avait rien d'arrogant en lui. Il aimait beaucoup India ; il était tombé par hasard sur son article à propos des enfants battus de Harlem, ainsi que sur le reportage concernant le réseau de prostitution enfantine du West End. Lorsqu'il le lui dit, elle ne put s'empêcher de se remémorer toutes ses conversations téléphoniques avec Paul, à cette époque. A ce souvenir, son cœur se serra douloureusement.

— Vous faites un travail extraordinaire, India, la complimenta Randy.

— Merci. Vous aussi, répondit-elle en souriant.

Depuis leur départ, ce matin-là, Paul ne lui avait quasiment pas adressé la parole. Mais au moins, il l'avait conviée à venir, et elle ne regrettait pas un instant d'avoir accepté son offre : c'était une expérience passionnante.

Lorsqu'ils eurent terminé de manger, ils repartirent en direction du camp. Le vol de retour ne dura pas longtemps, et, cette fois, India ne prit pas de photos ; elle se contenta d'admirer le paysage. Paul était aux commandes, et ne parlait ni à Randy ni à elle, à tel point que son silence devenait pesant. Néanmoins, après l'atterrissage, elle le remercia de nouveau de lui avoir donné l'occasion de l'accompagner, et les aida à décharger l'appareil jusqu'au moment où des hommes arrivèrent avec le camion du campement et purent la relayer. Une fois le camion chargé, Paul et India montèrent à bord, laissant à Randy le soin de ramener la Jeep au camp.

Paul demeura silencieux un long moment, puis montra du doigt la cicatrice qui courait le long du front de sa compagne.

— Est-ce que ça te fait mal ? demanda-t-il.

Il ne pouvait s'empêcher de s'interroger sur cet accident. La cicatrice disparaissait peu à peu, mais on sentait qu'elle avait été très douloureuse.

— Pas vraiment, répondit India en haussant les épaules. Elle guérit encore, si bien qu'elle me démange un peu, parfois ; mais c'est normal, d'après les médecins. Ils ont dit qu'il faudrait longtemps pour qu'elle disparaisse, mais qu'à terme on ne la verrait plus. J'avoue que je n'y attache guère d'importance.

Malgré tout, elle était pleine de gratitude envers le chirurgien qui l'avait recousue. Elle savait que ç'aurait été bien pire s'il n'avait pas été là.

Paul aurait aimé lui répéter une nouvelle fois combien il était désolé, mais il se retint. Ils s'étaient fait trop souvent des excuses.

Ils pénétrèrent dans le camp. India s'apprêtait à aller prendre une douche et à se rafraîchir pendant que les hommes déchargeaient le camion lorsqu'une infirmière passa la tête par l'une des fenêtres de l'hôpital et l'appela.

— Nous avons reçu un message par radio peu après votre départ, lui dit-elle. (Elle s'interrompit une fraction de seconde, et India eut l'impression que son cœur s'arrêtait de battre.) Votre fils est blessé. Il a eu un accident à l'école et s'est cassé quelque chose. Mais je n'ai aucun détail. La connexion radio était très mauvaise, et nous avons dû l'interrompre.

— Savez-vous qui a appelé ? demanda India avec inquiétude.

— Non, désolée, répondit la jeune infirmière en secouant la tête.

A cet instant, India fronça les sourcils.

— Duquel de mes fils s'agit-il ? s'enquit-elle.

— Je l'ignore également. Il y avait beaucoup de friture, et j'entendais très mal. Je crois que le nom qu'on m'a dit était Cam, ou quelque chose comme ça. Vous avez un fils qui s'appelle Cam ?

— Ce doit être Sam. Merci !

Sam s'était cassé quelque chose, et elle ignorait si c'était grave... Folle d'angoisse et rongée par la culpabilité, elle ne savait que faire. A cet instant, elle se retourna, et vit que Paul était debout non loin de là, et avait tout entendu. Elle leva vers lui un regard apeuré.

— Comment fait-on pour passer un coup de fil, d'ici ? lui demanda-t-elle.

— Il faut utiliser la radio mais, comme le disait l'infirmière, on n'entend quasiment rien. Moi, j'ai renoncé à téléphoner à mon bureau depuis des semaines. Je me dis que si quelque chose de grave se produit, ils arriveront toujours à me trouver... Au pire, ils peuvent appeler la Croix-Rouge à

Cyangugu. C'est à deux heures de route d'ici, mais ils ont une vraie ligne de téléphone.

India n'hésita qu'un instant.

— Accepterais-tu de m'y conduire ? demanda-t-elle d'une voix tremblante.

Paul hocha aussitôt la tête. Il ne voyait pas d'autre solution ; lui aussi voulait savoir ce qui était arrivé à Sam. Il n'avait pas oublié les moments passés avec lui à bord de l'*Etoile-des-Mers*.

— Pas de problème. Je vais prévenir les autres que nous prenons de nouveau la Jeep. Attends-moi, j'arrive dans une minute.

Il revint très rapidement, en effet, au volant du 4 x 4, et India s'empressa de monter à côté de lui. Cinq minutes à peine après leur retour au camp, ils étaient en route pour Cyangugu. Pendant un long moment, ils ne dirent rien ; ce fut Paul qui, le premier, brisa le silence.

— Ce n'est probablement rien, affirma-t-il pour la rassurer.

Mais, en réalité, il était inquiet.

— J'espère que tu as raison, répondit sombrement India, le regard perdu sur le paysage qu'ils traversaient. (Lorsqu'elle reprit la parole, sa voix était étranglée, pleine d'angoisse et de culpabilité.) Peut-être que Doug avait raison. Peut-être que je n'ai aucun droit de faire ça. Je suis à l'autre bout du monde pendant que mes enfants ont besoin de moi... Si quelque chose de grave arrive à l'un d'eux, il me faudra au minimum deux jours pour rentrer. Avec de la chance. Ils ne peuvent même pas me contacter ! Je leur dois davantage que ça, Paul.

— Ils sont avec leur père, lui rappela Paul, conscient de

sa détresse. Si c'est important, il peut gérer la situation en attendant ton retour.

Puis, tant pour la distraire que pour satisfaire sa propre curiosité, il demanda :

— Parle-moi un peu de sa petite amie. C'est sérieux, entre eux ?

— Je suppose. Elle s'est installée avec lui. Mes enfants la trouvent idiote, et ils détestent ses enfants.

— C'est assez normal. Ils réagiraient probablement de la même façon si c'était toi qui leur présentais quelqu'un, observa-t-il, se remémorant son dîner avec eux à Westport.

Sur le moment, il s'était bien amusé, mais ensuite, avec le recul, il s'était persuadé que les enfants d'India l'avaient détesté, et qu'il n'en irait jamais autrement. En réalité, seule Jessica s'était montrée froide avec lui, alors que les autres l'avaient beaucoup apprécié, mais il avait choisi de l'ignorer. En revanche, il se remémorait souvent les paroles de Sean. La perspective de devoir aider India à élever quatre jeunes délinquants potentiels, sans doute promis à la prison, l'avait terrifié.

Pour l'instant, cependant, il ne pouvait penser qu'à Sam. Sam, debout sur le pont de l'*Étoile-des-Mers*. Sam, à son côté dans la timonerie, apprenant par cœur les noms des instruments de navigation... Sam, endormi dans le cockpit, la tête sur les genoux de sa mère, un petit sourire aux lèvres, pendant qu'elle lui caressait doucement les cheveux en parlant à Paul de ses problèmes de couple...

Et maintenant, ils se retrouvaient là tous les deux, en Afrique, et Sam était blessé. Presque inconsciemment, Paul accéléra. Il avait autant hâte qu'India d'arriver au bureau de la Croix-Rouge de Cyangugu, et de pouvoir téléphoner à Westport.

En fin de compte, il leur fallut plus de trois heures pour parvenir à destination. Ils furent d'abord bloqués par un troupeau de bétail, puis par un cheval mort gisant en travers de la route ; enfin, ils durent passer un barrage militaire avant d'entrer en ville. Le bureau de la Croix-Rouge fermait lorsqu'ils l'atteignirent.

India sauta à bas de la Jeep avant même que Paul l'eût immobilisée, et courut vers la femme qui verrouillait la porte. Elle lui expliqua précipitamment ce qui se passait. La femme l'écouta posément puis hocha la tête. Elle rouvrit la porte et s'effaça pour laisser entrer India.

— Vous risquez de ne pas obtenir la communication tout de suite, la prévint-elle. Parfois, les lignes sont déconnectées, et il faut attendre des heures. Mais vous pouvez essayer.

India décrocha le précieux téléphone avec des mains tremblantes, sous le regard de Paul, qui ne disait rien. La femme qui leur avait ouvert retourna dans son bureau pour y prendre des papiers. Elle s'était montrée très compréhensive avec India, et ne semblait pas pressée.

Par chance, la ligne fonctionnait, et quelques instants plus tard, avec l'impression de vivre un véritable miracle, India entendit le téléphone sonner à Westport. Ne sachant où s'adresser pour avoir des nouvelles de son fils, elle avait décidé d'essayer à la maison, en priant pour que quelqu'un s'y trouvât.

Elle poussa un soupir de soulagement lorsque Doug décrocha à la troisième sonnerie. Au son de sa voix familière, la jeune femme sentit des larmes lui monter aux yeux, en même temps qu'une nouvelle vague de panique déferlait en elle.

— C'est moi, India, dit-elle très vite. Comment va Sam ? Que s'est-il passé ?

— Il s'est cassé le poignet à l'école, en jouant au base-ball, répondit Doug.

— Le poignet ? répéta-t-elle, abasourdie. C'est tout ?

— Tu espérais que c'était pire ? rétorqua-t-il, mordant.

— Bien sûr que non, mais je pensais que ce devait être grave, pour que tu aies appelé ici. Comme je n'avais pas la moindre idée de ce qu'il s'était cassé, j'imaginais le pire, une fracture du crâne, un coma, je ne sais quoi.

Elle avait conscience du regard de Paul qui ne la quittait pas.

— Je trouve ça suffisamment grave, moi, déclara Doug d'un ton sentencieux. Il souffre beaucoup. Tanya s'est occupée de lui toute la journée, et il ne pourra plus faire de match pendant tout le reste de la saison.

Prenant une profonde inspiration, India réussit à garder son calme.

— Dis-lui que je l'aime, et remercie Tanya pour moi, parvint-elle à articuler.

Elle allait demander si elle pouvait parler à son fils lorsque Doug reprit la parole. De toute évidence, il était de fort méchante humeur.

— Tanya mériterait une médaille. Après tout, ce n'est pas son fils, et elle a été formidable avec lui. Si tu étais là pour t'occuper de tes enfants, India, tu pourrais assumer tes responsabilités sans te décharger sur nous.

Fidèle à son habitude, Doug cherchait à la culpabiliser par tous les moyens. Mais elle n'était plus aussi sensible à ses reproches qu'autrefois. Elle avait mûri au cours de l'année qui venait de s'écouler, et bien qu'elle s'inquiétât toujours pour ses enfants, elle ne faisait plus attention aux critiques de Doug. Elle savait qu'elle aurait été désespérée si l'accident de Sam avait été grave mais, par bonheur, ce n'était pas le cas.

— Ce sont tes enfants à toi aussi, Doug, déclara-t-elle avec fermeté. Tu devrais te réjouir de pouvoir passer trois semaines avec eux.

— Je suis content de voir que tu prends les choses aussi légèrement.

Paul n'entendait pas ce que disait Doug, mais il vit les yeux d'India lancer des éclairs.

— Ecoute-moi bien, je viens de faire trois heures de route pour trouver un téléphone afin de pouvoir t'appeler, et il va encore me falloir au minimum trois heures pour rentrer au campement. Je n'appelle pas ça prendre les choses à la légère.

Elle en avait assez de l'attitude agressive et condescendante de Doug. De surcroît, elle avait conscience de monopoliser le téléphone de la Croix-Rouge et d'empêcher la responsable du centre de rentrer chez elle, tout cela pour rien. Sam allait bien, et par chance il n'avait presque rien.

— Est-ce que je peux lui parler, maintenant ? demanda-t-elle.

— Il dort, répondit Doug, et je préfère ne pas le réveiller. La douleur l'a gardé éveillé toute la nuit, et Tanya vient juste de lui donner quelque chose pour le soulager.

Sam avait souffert, et elle n'avait pas été là pour le soutenir... A cette pensée, India sentit son estomac se serrer.

— Quand il se réveillera, dis-lui que je l'aime de tout mon cœur, murmura-t-elle, les larmes aux yeux.

Tout à coup, ses enfants lui manquaient de façon intolérable. Mais elle savait qu'elle ne pouvait pas parler aux autres non plus : avec six heures de décalage horaire, ils devaient être à l'école.

— Tu aurais tout de même pu l'appeler hier, quand ça s'est passé, observa Doug.

Le ton de sa voix énerva tellement India qu'elle en oublia momentanément son chagrin.

— Je n'ai eu ton message qu'il y a trois heures. Je t'avais prévenu que je serais difficile à joindre. Dis à Sam que j'écrirai quelque chose sur son plâtre dès mon retour à la maison, et de me garder une petite place, conclut-elle, s'efforçant de conserver son calme et d'ignorer les remarques mesquines de Doug.

— La prochaine fois, essaie quand même de rappeler un peu plus vite, déclara-t-il avant de raccrocher, visiblement satisfait de cette dernière pique.

India réprima un gros mot, ne voulant pas choquer la dame de la Croix-Rouge. Elle reposa le combiné et se tourna vers Paul en soupirant.

— Ça va. Ce n'est que son poignet. Ç'aurait pu être bien pire.

— C'est ce que j'avais cru comprendre, acquiesça-t-il.

Il paraissait sombre, et la jeune femme songea qu'il lui en voulait certainement de l'avoir obligé à faire tout ce trajet pour rien. Elle le comprenait, d'ailleurs. Une fois de plus, Doug avait profité de la situation pour essayer de lui faire du mal.

— Je suis vraiment désolée que tu aies dû conduire jusqu'ici pour rien, dit-elle, à la fois embarrassée et soulagée que Sam ne fût pas gravement blessé. Mais je te remercie du fond du cœur.

— Il se conduit toujours aussi mal, n'est-ce pas ? demanda Paul.

— Oui, reconnut-elle dans un soupir. Et ça ne changera jamais. Il est comme ça, c'est tout. Au moins, maintenant, c'est le problème de Tanya, plus le mien... Mais il ne rate pas une occasion de me faire de la peine.

— Autrefois, je le haïssais, avoua Paul.

A présent, il était plus détaché, naturellement, même s'il se sentait désolé pour India, et réprouvait la façon dont Doug la traitait. Il avait d'ailleurs été heureux de constater que la jeune femme ne se laissait plus marcher sur les pieds, et n'hésitait pas à répondre vertement à son ex-mari lorsqu'il dépassait les bornes. De toute évidence, Doug ne parvenait plus à la culpabiliser, et ne faisait que se rendre ridicule, avec ses petits jeux cruels et méchants.

— Autrefois, je l'aimais, répondit India avec un petit sourire désabusé. C'est dire combien j'étais naïve.

Elle remercia chaleureusement la dame de la Croix-Rouge et lui donna cinquante dollars américains, de quoi rembourser largement son coup de téléphone et même aider un petit peu le centre. Puis Paul et elle remontèrent dans la Jeep et reprirent le chemin du campement. En raison des routes en très mauvais état et de l'obscurité, le retour leur prit plus longtemps encore que l'aller, et il était près de neuf heures du soir lorsqu'ils arrivèrent en vue du camp. Ils avaient raté le dîner et étaient affamés tous les deux.

— Je te proposerais bien de t'emmener à La Grenouille, mais c'est un petit peu loin, dit Paul en souriant lorsqu'ils trouvèrent la tente-cantine plongée dans l'obscurité et les réserves de nourriture sous clé.

— Pas de problème. N'importe quelle vieille grenouille

fera l'affaire, plaisanta India. Je suis si affamée que j'avalerais n'importe quoi.

— Je vais voir ce que je peux attraper.

Paul avait l'air épuisé, tandis qu'ils se dirigeaient vers les tentes. La journée avait été longue pour lui, entre le vol de ravitaillement et les sept heures de route pour apprendre que Sam s'était brisé le poignet en jouant au base-ball.

— Je suis vraiment désolée pour cette fausse alerte, lui répéta India.

Elle lui avait déjà présenté des excuses à plusieurs reprises sur le chemin du retour, mais ne pouvait s'empêcher de recommencer.

— Moi aussi, j'étais inquiet pour Sam, reconnut Paul.

Ils s'immobilisèrent au milieu du camp, se demandant où trouver de quoi se sustenter. Il n'y avait nulle part où aller ; ils étaient à des kilomètres du campement le plus proche. C'est alors qu'India eut une idée, et jeta à son compagnon un regard malicieux.

— Ils doivent avoir de la nourriture pour les patients, à l'hôpital. Nous pourrions peut-être leur piquer quelque chose.

— Qui ne tente rien n'a rien, répondit Paul en souriant, et tous deux firent demi-tour pour se diriger vers l'hôpital.

En cherchant bien, ils trouvèrent plusieurs boîtes de crackers ramollis par l'humidité, un paquet de biscuits à moitié moisis, un carton plein de pamplemousses, des corn flakes, une demi-douzaine d'énormes bouteilles de lait et une quantité industrielle de gelée rouge. Paul expliqua à India qu'un groupe religieux de Denver leur envoyait celle-ci par containers entiers.

— Eh bien, Scarlett... Voilà qui ressemble bien à un

446

dîner, observa-t-il, imitant Rhett Butler, tout en versant des corn flakes dans un bol avec du lait.

Puis il mit de la gelée dans deux bols, et coupa deux pamplemousses. Ce n'était pas Daniel, loin s'en fallait, mais tous deux avaient si faim que cela leur paraissait appétissant ; ils auraient été capables de dévorer les boîtes en carton des corn flakes. Ils n'avaient rien avalé ni l'un ni l'autre depuis leur pique-nique improvisé sur la piste, à Bujumbura.

— Crackers mous ou biscuits moisis ? demanda India en présentant les deux boîtes à son compagnon avec cérémonie.

— Choix difficile, ironisa-t-il avant de pointer du doigt les crackers.

Ils mangèrent avec appétit, plus à l'aise l'un avec l'autre qu'ils ne l'avaient été depuis bien longtemps. Ils parlèrent de Sam et des autres enfants d'India, et Paul raconta à la jeune femme la conversation qu'il avait eue avec son fils Sean deux mois plus tôt. Cette fois, il parvint à en rire.

— Il a dit qu'à mon âge je ne devrais pas avoir besoin d'entretenir des relations avec des femmes, et qu'il trouverait normal que je reste célibataire jusqu'à la fin de mes jours ! Les enfants se font toujours de drôles d'idées sur leurs parents, n'est-ce pas ?

Mais lui-même, ne nourrissait-il pas d'étranges idées ? se demanda India, songeant à la promesse qu'il s'était faite de demeurer toujours fidèle à la mémoire de Serena. Elle préféra cependant ne pas le lui rappeler, ne voulant pas gâcher cet instant de détente.

C'était tellement agréable de se sentir de nouveau à l'aise avec lui ! Ils avaient eu si peur pour Sam que cela avait brisé la glace entre eux, et même si India n'attendait plus rien de Paul, elle se réjouissait qu'ils puissent enfin se conduire comme deux vrais amis. C'était ainsi que tout avait commencé, et elle chérissait ce souvenir. Les confidences qu'ils avaient partagées les avaient rapprochés plus qu'il n'était possible de le dire, et tous deux avaient beaucoup souffert en perdant leur complicité.

— Parle-moi un peu de toi, reprit Paul en coupant un autre pamplemousse. Tu es sortie avec quelqu'un ?

C'était une question qu'il brûlait de lui poser depuis qu'il l'avait retrouvée. India, qui ne s'y attendait pas du tout, lui jeta un regard surpris.

— Non, répondit-elle avec honnêteté. J'étais trop occupée à panser mes plaies et à « me retrouver », comme on dit. J'aurais été bien incapable de rencontrer quelqu'un ! Et puis, je t'avouerai que je n'en ai pas eu envie.

— C'est idiot, dit-il sans prendre de gants.

— Vraiment ? Qui es-tu pour me donner des leçons ? Je ne t'ai guère vu dans les magazines people au bras de mannequins et de riches divorcées new-yorkaises, dernièrement. Je te rappelle que tu es au fin fond de la brousse en train de manger des pamplemousses et de la gelée rouge fluo dans un hôpital !

Cette image le fit sourire.

— A t'entendre, on dirait que je suis moitié homme, moitié singe.

— Est-ce que je me trompe ? Est-ce que tu fréquentes quelqu'un ? demanda-t-elle, réalisant tout à coup qu'en vérité elle n'en savait rien.

Il aurait très bien pu avoir une liaison avec la moitié des infirmières sans qu'elle fût au courant... Cependant, elle en doutait. Beaucoup de gens dans le campement lui avaient dit que Paul était un homme adorable, mais très solitaire.

— Non, je ne vois personne, répondit-il.

Il buvait le jus de son pamplemousse à la petite cuillère, et, en cet instant, il avait l'air d'un petit garçon gourmand. Il lui rappelait le Paul qu'elle avait connu au début, à l'aise, content d'être en sa compagnie.

De son côté, Paul se faisait la même réflexion : il aimait être avec India. C'était vraiment quelqu'un de drôle et de facile à vivre. Malheureusement, c'était loin d'être son cas...

Presque avec fierté, il déclara :

— Je suis fidèle à Serena.

— Tu fais toujours des cauchemars ? demanda India.

C'était une question qu'elle n'avait pas pu lui poser depuis bien longtemps.

— Non, ça va mieux. En fait, je suis trop épuisé, le soir quand je me couche, pour rêver de quoi que ce soit. C'est quand je retourne à la civilisation que les choses se gâtent.

— Oui, je me souviens, répondit India.

La dernière fois, il avait tenu exactement neuf jours. Et elle s'était retrouvée avec un cœur en miettes, un bras cassé et une commotion cérébrale.

— Pourquoi n'es-tu sortie avec personne ? insista-t-il.

Elle poussa un soupir.

— Je pense que la réponse à cette question est évidente, Paul. Ou, du moins, elle devrait l'être. J'avais besoin de temps pour me remettre de notre histoire... et de Doug. Pour moi, ç'a été une sorte de doublé, un désastre après l'autre.

En réalité cependant, elle n'avait vraiment souffert que de sa rupture avec Paul. Elle avait perdu Doug bien plus tôt que cela... Mais quand Paul l'avait chassée de sa vie, elle avait dû tirer un trait sur tous ses espoirs, tous ses rêves, sur ses dernières illusions.

— Il est possible que ça m'ait fait du bien, continua-t-elle. D'une certaine manière, je suis plus forte maintenant, et je sais davantage ce que je veux, ce dont j'ai besoin. En revanche, je me demande si j'aurai un jour le courage de me lancer de nouveau dans une histoire d'amour. J'en doute, pour l'instant, mais on ne sait jamais. Peut-être qu'un jour je verrai les choses autrement.

— Tu es trop jeune pour renoncer à tout ça, dit-il, les sourcils froncés.

Elle avait l'air d'avoir abandonné tout espoir ; en fait, elle paraissait plus désespérée que lui. Mais plus forte, aussi, et il comprenait ce qu'elle voulait dire lorsqu'elle affirmait avoir mûri depuis leur rupture. Il en avait eu conscience quand il l'avait entendue parler à Doug, dans le bureau de la Croix-Rouge. Elle ne se laissait plus écraser maintenant, ni par Doug, ni d'ailleurs par lui-même. Elle avait enfin commencé à poser ses limites, sans plus craindre de perdre les gens qu'elle aimait. Mais ne les avait-elle pas déjà perdus, de toute façon ?

— Jusqu'ici, je n'ai vu personne dont j'aie eu envie, reprit-elle honnêtement.

Après tout, puisqu'ils étaient redevenus amis, elle pouvait se permettre de lui parler avec franchise.

— Et de quoi as-tu envie, exactement ? demanda Paul avec curiosité.

La jeune femme réfléchit un long moment avant de répondre.

— Je veux vivre tranquillement, seule, paisible, dit-elle enfin. Et si, un jour, j'accepte de nouveau de m'exposer, je veux que ce soit pour la bonne personne.

— Comment décrirais-tu cette personne ? voulut-il savoir.

Il retrouvait son rôle d'autrefois, celui de confesseur et de confident, et il aimait cela. De nouveau, India prit son temps avant de répondre.

— Je ne suis pas sûre que le physique m'importe vraiment, dit-elle enfin. Bien sûr, c'est toujours agréable de fréquenter quelqu'un de beau, mais si je devais faire une liste des qualités les plus importantes, cela arriverait loin derrière gentil, intelligent, attentionné, ouvert... Mais ça, tu t'en doutes. (Elle le regarda droit dans les yeux, et décida de se montrer parfaitement honnête avec lui.) Je veux qu'il soit fou de moi, qu'il m'adore, qu'il s'émerveille de m'avoir rencontrée... Jusqu'ici, c'est toujours moi qui ai été aimante, qui ai fait toutes les concessions. Peut-être qu'il est temps que les choses changent, et que je découvre à mon tour ce que c'est d'être vraiment aimée.

Elle avait été follement amoureuse de Paul, et prête à tout lui donner, son cœur, sa vie, ses enfants... Et lui, de son côté, avait été fou de Serena. A posteriori, elle souffrait de savoir qu'il lui avait préféré une femme morte, qui ne reviendrait jamais. Il avait choisi de vivre dans le souvenir plutôt que de tendre la main vers India et d'accepter ce qu'elle lui offrait.

— Ça va peut-être te sembler un peu fou, dit-elle, mais je veux un homme capable de faire le tour du monde par amour pour moi, d'affronter tous les dangers... de traverser un ouragan. Bref, la « bonne personne » serait un homme vraiment amoureux de moi. Pas un petit peu, pas à moitié, pas peut-être, ni par dépit ni parce qu'il a fait un « marché » avec moi. Je veux pouvoir aimer un homme de tout mon cœur et savoir qu'il m'aime autant. Et tant que je n'aurai pas trouvé cet homme, je préfère prendre des photos au Rwanda ou être à la maison, toute seule avec mes enfants. Il n'est plus question que je me contente de pis-aller, que je présente des excuses, que je supplie.

Paul savait que ce n'était pas à Doug qu'elle faisait allusion, mais à lui, qui lui avait expliqué qu'il ne l'aimait pas réellement. Il était heureux de voir qu'elle avait encore des rêves, même s'il se demandait si elle les verrait un jour se réaliser. Au moins, elle savait ce qu'elle voulait, et, dans ce sens, elle s'en tirait bien mieux que lui.

Elle décida alors de reporter l'attention sur lui, et lui posa la même question.

— Que cherches-tu, toi, Paul ? Qui est la femme parfaite dont tu rêves ?

Contrairement à elle, Paul n'hésita pas une seconde. Il aurait voulu lui dire qu'elle était cette femme, et faillit le faire, car il aimait quantité de choses en elle... Mais au lieu de cela, il articula un seul mot :

— Serena.

Pendant une minute, India ne dit rien. Ce nom lui faisait encore l'effet d'une gifle ; si elle s'était attendue à cette réponse, en effet, elle avait inconsciemment espéré que Paul se montrât moins direct, moins catégorique.

— Avec le recul, je me rends compte qu'elle était à peu près parfaite, pour moi du moins, continua-t-il.

— Mais peut-être cela laisse-t-il de la place pour quelqu'un, ou quelque chose de différent, observa India. (Elle décida alors de se montrer, une fois encore, franche avec lui. Il avait peut-être besoin d'entendre certaines choses. Même s'il était trop tard pour elle, cela lui servirait au moins lorsqu'il rencontrerait sa prochaine amie.) J'ai toujours eu l'impression que je ne pourrais jamais me mesurer à elle, que je serais toujours une sorte de second choix, et encore... Sauf pendant cette fameuse semaine. Ç'a été le seul moment où j'ai eu la certitude que tu m'aimais.

Et elle savait qu'il l'avait bel et bien aimée, à l'époque, quoi qu'il eût prétendu par la suite. C'était sa peur qui avait parlé par sa bouche lorsqu'il avait affirmé le contraire.

— Je t'aimais, India, répondit-il sans ambages. Ou du moins, je le pensais... pendant cette semaine. Et après j'ai eu peur, peur de ce que Sean avait dit, de toi, des enfants, des aller-retour à Westport... de mes cauchemars et des souvenirs de Serena qui me hantaient. Je me sentais affreusement coupable de ce que j'éprouvais.

— Tu aurais fini par arrêter de faire ces cauchemars, remarqua-t-elle d'une voix calme. C'est ce qui arrive à la plupart des gens.

Mais il secoua la tête sans la quitter des yeux. Il était aisé pour lui de se souvenir de ce qu'il avait aimé en elle. Elle était si douce, si aimante, si jolie...

— Je n'aurais jamais pu me remettre de la mort de Serena. Je ne pourrai jamais. Je le sais.

— Tu n'en as pas envie.

C'étaient des mots durs, difficiles à entendre, mais elle les avait prononcés d'une voix très douce, presque triste.

— C'est certainement vrai, reconnut-il.

India était également certaine que Serena avait semblé moins « parfaite » à Paul de son vivant, mais elle n'osa pas le lui dire. La magie du temps, du deuil et de la distance avait beau avoir teinté de rose ses souvenirs de son épouse, India savait que la vie quotidienne avec elle avait été difficile à gérer pour lui et elle le soupçonnait de le savoir aussi, tout au fond de son cœur.

— Et tant que nous en parlons, Paul, laisse-moi te donner un conseil : ne laisse pas Sean se mêler de ce qui ne le regarde pas. Il n'a pas le droit de t'empêcher de refaire ta vie. Il a sa propre existence, sa propre famille, et ce n'est pas lui qui s'occupera de toi au quotidien, qui te tiendra la main et te fera rire, ou qui s'inquiétera si tu fais des cauchemars. Je crois qu'il est jaloux de toi, et qu'il veut te garder enfermé dans un placard, tout seul, pour s'assurer que tu n'es pas trop heureux. Ne le laisse pas te faire ça.

— En fait, j'ai pas mal réfléchi à tout ça depuis mon arrivée ici. A l'égoïsme des enfants vis-à-vis de leurs parents. Quel que soit leur âge, ils attendent de vous que vous vous consacriez à eux, toujours, sans relâche, que vous soyez là pour eux lorsqu'ils le souhaitent. Mais lorsque vous leur demandez d'être un peu compréhensifs avec vous, ils vous donnent un coup de pied aux fesses et vous interdisent formellement de faire les mêmes bêtises qu'eux. Si ma belle-fille mourait, Dieu nous en préserve, et que je conseillais à Sean de rester célibataire jusqu'à la fin de ses jours, il me ferait interner sur-le-champ !

India hocha la tête. Il avait raison : les enfants pouvaient se montrer très durs et terriblement égoïstes vis-à-vis de leurs parents. Ce n'était pas toujours le cas, mais Sean semblait un exemple typique.

— Je m'attendais à ce qu'il réprouve notre relation, dit India, et je me demandais comment tu le prendrais.

— La réponse, India, est « très mal ». J'ai mal pris toute cette histoire, en fait, et ça a été un vrai massacre.

Chaque fois qu'il voyait la cicatrice d'India, il se souvenait de la fin de leur liaison, et sentait une vague de remords l'envahir.

— Peut-être n'étais-tu pas prêt, tout simplement, dit-elle, charitable. C'était très peu de temps après...

— C'est vrai que je n'étais pas prêt, coupa-t-il en secouant la tête, mais je sais que je ne le serai jamais.

Il leva les yeux vers elle et sourit tristement. Ils avaient traversé bien des épreuves, tous les deux, il s'en rendait compte ; mais, en définitive, ils avaient perdu le combat.

— J'espère vraiment que tu rencontreras un jour cet homme prêt à traverser un ouragan pour toi, India. Tu le mérites... Plus que quiconque que je connaisse. Oui, je te souhaite vraiment de le trouver.

Il était sincère : il voulait qu'elle soit heureuse, à l'avenir, qu'elle parvienne à oublier toute la souffrance qu'il lui avait causée.

— Moi aussi, j'espère que ça arrivera, dit-elle dans un soupir.

Au fond d'elle cependant, elle n'y croyait guère. Où pourrait-elle rencontrer quelqu'un ? Quand, comment ? Si cela se produisait, ce ne serait pas avant bien longtemps... Elle avait encore tant de problèmes à régler, dans sa tête et dans son cœur ! Paul était l'un d'eux, bien sûr. Mais elle se réjouissait de pouvoir de nouveau discuter avec lui comme avec un ami.

— Fais en sorte d'être prête lorsqu'il viendra, lui dit Paul avec gravité. Si tu es dans ton lit, blottie sous les couvertures les yeux fermés, ou si tu fuis le monde dans un endroit comme celui-ci, loin de toute civilisation, tu ne trouveras jamais celui que tu cherches, India. Il faut sortir, rencontrer des gens.

Mais elle n'en avait pas envie, pas plus que lui.

— Peut-être que c'est lui qui me trouvera.

— N'y compte pas trop. Il faut que tu fasses au moins un petit effort, que tu lui ouvres la porte. Ce n'est pas facile de traverser un ouragan, tu sais ; il y a le vent, le mauvais temps, c'est dangereux, un peu effrayant même. Si tu veux qu'il arrive jusqu'à toi, il faut sortir et lui faire signe.

Ils échangèrent un long sourire, et se souhaitèrent en silence de trouver la paix, et ce qu'ils cherchaient.

Puis, jetant un coup d'œil à sa montre, Paul vit qu'il était près de minuit, et il se leva. Ensemble, ils nettoyèrent tout ce qu'ils avaient utilisé. Ils étaient satisfaits ; ils avaient abordé bon nombre de sujets très importants, et en dépit de la tension qui subsistait entre eux, ils avaient passé un bon moment.

— Je suis content que Sam n'ait rien eu de grave, dit Paul en rangeant les paquets de corn flakes. (Il eut un petit rire.) Au fait, lorsque tu auras trouvé cet homme capable de traverser un ouragan pour toi, pense à cacher tes enfants, sans quoi il risque de repartir dans la tempête sans demander son reste. Une femme avec quatre enfants, même merveilleuse, fait toujours un peu peur.

Mais cette remarque ne troubla pas India. Certes, ses enfants lui avaient peut-être fait peur, à lui, mais ils n'effraieraient pas tout le monde.

— Ce sont des enfants gentils, Paul, déclara-t-elle avec fermeté. Bien sûr, ils ont les mêmes défauts que tous les autres, mais si un homme m'aime vraiment, il les aimera, eux aussi, et il les acceptera. Ils ne seront pas un handicap. Et ils finiront par grandir.

Lorsque Paul avait mis un terme à leur histoire, India s'était sentie rejetée, dévalorisée au plus profond d'elle-même.

Non seulement elle n'était pas aussi bien que Serena, mais elle avait trop d'enfants... Maintenant, cependant, elle avait pris du recul et réfléchi. Ses enfants, tout comme elle, étaient des gens bien. Et lorsqu'elle repensait à tout ce qu'il lui avait dit au fil des mois, quand ils se téléphonaient quotidiennement, elle songeait qu'à certains égards elle aurait même pu en remontrer à Serena elle-même.

Lentement, Paul raccompagna India jusqu'à sa tente. Arrivé sur le seuil, il s'immobilisa et la regarda. Il était heureux d'avoir passé la journée avec elle. Ç'avait été un moment important pour eux, une sorte d'adieu à ce qu'ils avaient partagé autrefois, et le début d'une nouvelle amitié. Ils avaient gardé certaines bonnes choses et s'étaient débarrassés d'autres, plus dangereuses ; ce faisant, ils s'étaient redécouverts.

— A demain, lui dit-il. Dors bien.

La journée avait été longue, et tous deux étaient épuisés. Paul s'apprêtait à s'éloigner lorsqu'il se retourna vers India avec un sourire timide et lui dit quelque chose qui la toucha profondément :

— Je suis heureux que tu sois venue ici.

— Moi aussi, répondit-elle avant de disparaître dans sa tente avec un petit signe de la main.

C'était une bonne chose que leurs routes se soient croisées de nouveau. Peut-être était-ce le destin qui l'avait voulu... Depuis leur première rencontre, ils avaient tous les deux parcouru beaucoup de chemin, dans des circonstances souvent difficiles. India, elle, commençait enfin à apercevoir le « bout du tunnel » ; mais elle savait que Paul, lui, avait encore un long trajet devant lui. Et elle espérait qu'il arriverait un jour à destination.

26

LES DEUX semaines qui suivirent passèrent à une vitesse incroyable, presque trop vite pour India, à qui cependant ses enfants manquaient terriblement. Elle accompagna Paul à plusieurs reprises dans ses missions de ravitaillement, et fit quelques balades en Jeep avec Randy et Ian. Elle photographiait également sans relâche les enfants de l'orphelinat et ceux qui venaient se faire soigner à l'hôpital, et interviewait toutes les personnes qu'elle rencontrait. Elle rentrerait aux Etats-Unis avec des centaines de pellicules, et un reportage qui, elle le savait, serait extraordinaire.

Paul et elle bavardaient souvent, parfois des soirées entières. A présent qu'ils avaient fait la paix, ils étaient capables de passer ensemble de merveilleux moments. Ils riaient de petites choses, partageaient le même sens de l'humour, et India s'aperçut bientôt que, même si leur relation n'était plus la même, ils tenaient encore énormément l'un à l'autre. Paul veillait sur elle, et s'efforçait en permanence de lui faciliter les choses ; quant à elle, elle s'inquiétait pour lui, et se réjouissait lorsque ses démons familiers paraissaient le laisser en repos.

La veille du départ de la jeune femme, ils passèrent la soirée ensemble. Paul lui parla de ce qu'il avait l'intention de faire par la suite ; il projetait de quitter le Rwanda vers le mois de juin, et avait prévu de monter une autre opération de ravitaillement au Kenya. Il comptait également retourner en Europe ou aux Etats-Unis durant l'été pour passer un peu de temps à bord de l'*Etoile-des-Mers*.

— Appelle-moi si tu passes à New York, lui dit India.

— Iras-tu à Cape Cod, cette année ?

— Oui, en juillet et durant la première semaine d'août. Après, je laisserai la maison et les enfants à Doug et Tanya.

— Tout cela me paraît très civilisé, observa Paul.

— N'est-ce pas ?

— Qu'as-tu l'intention de faire à la fin du mois d'août ?

Il savait qu'elle n'avait nulle part où aller, sinon à Westport.

— J'espère travailler, répondit-elle. J'ai demandé à Raoul de me trouver quelque chose d'intéressant.

Elle avait adoré son séjour au Rwanda, bien plus qu'elle ne l'avait escompté, et le fait d'avoir retrouvé Paul dans le camp ajoutait une dimension supplémentaire à cette expérience qu'elle savait ne devoir jamais oublier. Elle avait l'impression d'avoir trouvé la dernière pièce d'un puzzle ; même si elle aimait toujours Paul, elle se sentait capable de tirer un trait sur leur liaison, à présent.

Le lendemain, il l'emmena lui-même en avion jusqu'à Kigali, afin de lui éviter de reprendre le vieux coucou dans lequel elle était arrivée. Il ne lui restait plus qu'à monter dans un vol pour Kampala ; de là, elle pourrait retourner directement à Londres.

Elle savait que les enfants attendaient son retour avec

impatience, et avait terriblement hâte de les revoir. Au moment de la quitter, Paul lui demanda d'embrasser Sam pour lui, et de dire bonjour aux autres de sa part.

— Promis. S'ils ne sont pas en prison, le taquina-t-elle.

C'était plus facile pour elle maintenant que les vieilles peurs de Paul n'étaient plus une barrière entre eux, et qu'elle-même n'attendait plus rien de lui. Elle avait ses rêves, et ceux-ci ne dépendaient plus de Paul.

L'avion qu'elle devait prendre finit par arriver ; l'heure des adieux avait sonné. Elle sourit à Paul et le serra dans ses bras.

— Sois prudent, Paul... Et ménage-toi, tu le mérites.

— Toi aussi. Et si je vois un type en ciré à la recherche d'un ouragan, je te l'envoie.

— Ne t'inquiète pas pour ça.

— Je t'appellerai, si je me résous à retourner à la civilisation.

Il pouvait se le permettre, désormais ; il ne se sentait plus menacé.

— Ça me fera plaisir, affirma India.

Il la prit alors dans ses bras, et la serra contre lui quelques secondes de plus. Il y avait encore beaucoup de choses qu'il aurait aimé lui dire, mais il ignorait comment s'y prendre. Plus que tout, il avait envie de la remercier. De quoi ? Il ne savait pas exactement. Peut-être de l'avoir si bien compris, d'avoir su lire en lui et de l'avoir laissé être lui-même. Ils s'acceptaient totalement, maintenant, sans se juger, et c'était un sentiment merveilleux.

India avait les larmes aux yeux lorsqu'elle monta dans l'avion. Longtemps, Paul demeura sur le tarmac, les yeux fixés sur elle. Il attendit pour partir que l'avion eût décollé, puis qu'il eût fait une fois le tour de l'aéroport, avant de s'élancer vers sa destination. Alors seulement il se dirigea vers son propre appareil d'une démarche lasse.

Comme il repartait vers Cyangugu, sans cesser de penser à India, il sentit une étrange sensation de paix l'envahir. La jeune femme ne lui faisait plus peur, elle ne lui donnait plus envie de fuir, et il ne se sentait même plus coupable des sentiments qu'il éprouvait pour elle, quels qu'ils fussent. Il l'aimait, comme une amie, une mère, une sœur. Il savait que les crises de fou rire qu'ils avaient partagées allaient lui manquer, ainsi que cette lueur malicieuse qui brillait si souvent dans le regard d'India, et qu'il avait appris à bien connaître. Il était heureux de voir qu'elle n'était plus blessée, en colère, qu'elle n'avait plus peur de lui, elle non plus. Elle n'avait plus désespérément besoin qu'il l'aime, elle n'attendait plus rien de lui. En fait, elle n'était tout simplement plus désespérée. India était un oiseau volant librement dans le ciel, et le fait de penser à elle en ces termes le rendait heureux. Ce n'est qu'une fois de retour au camp, en entendant tout le monde répéter combien elle allait leur manquer, qu'il se rendit pleinement compte de son absence.

Plus tard ce jour-là, il passa devant la tente de la jeune femme, et éprouva une douleur presque physique à l'idée de ne plus la voir. Tout à coup, ce qu'ils avaient partagé lui semblait plus important qu'il ne l'avait cru sur le moment. En dépit de l'indépendance féroce qu'il revendiquait, il se sentait perdu sans elle. Le simple fait d'être là alors qu'elle n'y était plus le faisait souffrir.

Cette nuit-là, endormi dans la tente des pilotes, il fit un cauchemar pour la première fois depuis des mois. Il rêva

DOUCE AMÈRE

qu'India était dans un avion qu'il regardait s'envoler, et que, soudain, l'appareil explosait. Dans son rêve, il la cherchait partout, pleurant, sanglotant, suppliant les gens autour de lui de l'aider. Mais il avait beau pleurer, regarder partout, s'agiter en tous sens, il ne la trouvait pas.

27

Lorsque India entra chez elle, à Westport, la maison était impeccable, la baby-sitter l'attendait, et les enfants prenaient sagement leur dîner dans la cuisine. Dès qu'ils la virent, ils poussèrent des exclamations ravies et se précipitèrent pour l'embrasser ; Sam s'empressa de lui montrer son plâtre, et tous commencèrent à parler en même temps, pressés de lui raconter tout ce qui s'était passé en son absence. Pour eux, ces trois semaines avaient été interminables, et pour elle aussi, d'une certaine manière, même si elle avait l'impression d'avoir accompli quelque chose d'important, tant au plan personnel que professionnel.

En voyant à quel point tout était propre et bien organisé, elle ressentit une vive gratitude envers Tanya, et, ce soir-là, elle l'appela à New York pour la remercier. Elle se doutait que Doug n'avait rien fait de plus qu'à son habitude : il les avait emmenés au cinéma de temps en temps, et était rentré tous les soirs à la maison par le train de dix-huit heures cinquante et une, juste à temps pour mettre les pieds sous la table. Les enfants eux-mêmes avaient fini par admettre à contrecœur qu'ils aimaient bien Tanya.

Bien sûr, India avait un peu de mal à accepter qu'elle eût pu être remplacée si aisément dans le cœur de Doug ; cela lui prouvait que, comme elle l'avait craint, elle n'avait été pour lui qu'une épouse générique, qu'il n'avait pas hésité à renvoyer lorsqu'il n'avait plus été satisfait de sa « prestation ». Mais, au fond, quelle importance ? Elle n'avait plus envie d'être mariée avec lui. Elle était même choquée de réaliser à quel point il lui manquait peu, après dix-sept ans de vie commune.

Malgré tout, elle ne put s'empêcher de sursauter quand il lui annonça, ce soir-là au téléphone, que Tanya et lui se marieraient aussitôt le divorce prononcé, en décembre. Pendant une minute, elle ne dit rien, puis elle parvint à articuler un « Félicitations » presque inaudible. Lorsqu'elle raccrocha, quelques instants plus tard, ses mains tremblaient.

— Qu'est-ce qui ne va pas, m'man ? demanda Jessica en entrant dans sa chambre pour lui emprunter un pull.

— Rien, je... Est-ce que tu savais que ton père et Tanya allaient se marier ?

Ce n'était probablement pas le meilleur moyen d'annoncer la nouvelle à sa fille, si celle-ci n'était pas au courant, mais India était trop sous le choc pour y songer. D'ailleurs, Jessica ne parut pas troublée outre mesure.

— Ouais, ses enfants m'avaient prévenue, répondit-elle en haussant les épaules.

— Ça... ça ne te pose pas de problème ? voulut savoir India, qui s'inquiétait de la réaction de sa fille.

Jessica eut un petit rire cynique.

— Est-ce que j'ai le choix ?

— Non, reconnut India.

Elle non plus n'avait pas le choix, d'ailleurs. En refusant

de satisfaire les moindres caprices de Doug, elle avait renoncé à tout droit sur lui. Mais peut-être était-ce mieux ainsi. Au cours des derniers mois, elle s'était retrouvée, et cela ne se serait sans doute jamais produit si elle était restée avec son mari. Et maintenant, elle savait qu'elle ne pourrait plus jamais retourner en arrière. Nul ne parviendrait désormais à la faire renoncer à sa personnalité, à son indépendance, à ses rêves profonds. Elle n'avait que trop longtemps ignoré ses vrais désirs pour faire plaisir aux autres.

Malgré tout, son ego était un peu malmené, et elle l'avoua à Gail lorsqu'elle la vit à l'école le lendemain, en allant chercher les enfants. Elle annonça la nouvelle du mariage de Doug à son amie, et fut surprise d'apprendre qu'elle était déjà au courant.

— Tout le monde le savait donc, sauf moi ? demanda-t-elle, contrariée.

Elle avoua à Gail qu'elle avait été déprimée d'apprendre que Doug allait se remarier, et ne comprenait pas pourquoi elle réagissait ainsi.

— C'est parfaitement normal, voyons ! affirma son amie. Tu as été mariée avec lui pendant dix-sept ans, comment pourrais-tu ne pas être affectée ?

Tanya était plus jeune et plus « branchée » qu'India, même si les enfants la trouvaient « débile ». Et elle savait tenir parfaitement une maison, cela, India l'avait constaté. Bref, elle était exactement ce que Doug avait toujours voulu.

En songeant à tout cela, India se sentait terriblement seule. Elle avait l'impression que tout le monde était en couple, sauf elle. Tanya et Doug vivaient ensemble, ils allaient se marier... Même Gail semblait plus heureuse avec Jeff, depuis quelque temps. Ils avaient loué une maison pour l'été à

Ramatuelle, près de Saint-Tropez, et, pour une fois, Gail paraissait se réjouir à l'idée de passer ses vacances avec son mari et ses enfants. Tout à coup, India avait le sentiment que le monde entier fonctionnait par paires, comme dans l'arche de Noé, alors qu'elle n'avait que son travail et ses enfants. Et Paul allait passer le restant de ses jours à parcourir le monde en pensant à Serena...

Néanmoins, elle finit par se secouer. Après tout, elle était loin d'être à plaindre : beaucoup de gens auraient donné n'importe quoi pour être à sa place. Et elle était plus heureuse que l'année précédente, quand Doug et elle se querellaient constamment et qu'il cherchait à l'empêcher de travailler. Il lui suffisait de se souvenir de cette période, et de la solitude qui avait été la sienne, alors même qu'elle était mariée, pour remettre les choses à leur place. Elle était peut-être seule pour l'instant, mais pas esseulée.

La dernière semaine d'école arriva, et, comme chaque année, India prépara les valises de tout le monde. Les enfants avaient hâte de partir à Cape Cod, à l'exception de Jessica, qui ne voulait pas être séparée de son nouveau petit ami. A Cape Cod, disait-elle en soupirant à fendre l'âme, il n'y avait que « ces raseurs de Boardman ».

— Tu trouveras bien quelqu'un avec qui t'amuser, la rassura India la veille de leur départ.

Jessica lui jeta un regard désespéré.

— Mais, maman, il n'y a personne, là-bas !

Les mots de Jessica trouvèrent un écho au fond d'India. Elle non plus n'avait personne à rejoindre, personne à retrouver, où qu'elle aille... Certes, elle avait pris l'habitude de gravir seule les montagnes qui se dressaient sur son chemin, de faire les choses qui lui importaient sans attendre l'aide de personne. Et quand on lui confiait une mission, son travail lui apportait d'énormes satisfactions. Mais elle n'avait pas d'homme pour l'aimer, et parfois, cela lui manquait.

— Jessica, observa-t-elle avec un sourire, si tu ne trouves personne à quinze ans, quel espoir cela laisse-t-il aux autres ?

Mais naturellement, Jessica ne pouvait concevoir qu'India pût nouer une relation avec un homme à son âge. Pour elle, à quarante-quatre ans, on était franchement vieux, pour ne pas dire fini... C'était amusant, et cela rappela à India sa conversation avec Paul à propos de Sean. De toute évidence, elle aussi était considérée par ses enfants comme une sorte de fossile.

Ils prirent la route pour Harwich le lendemain matin et accomplirent tous les rituels familiers : ouverture de la maison, préparation des lits, vérification des écrans anti-moustiques et tour de quartier pour saluer les vieilles connaissances. Et ce soir-là, allongée dans son lit, India sourit avec bonheur en écoutant l'océan.

Le lendemain, elle passa voir les Parker et quelques autres amis. Comme chaque année, Dick et Jenny l'invitèrent avec ses enfants à leur barbecue du 4 juillet ; et lorsqu'ils s'y rendirent, la jeune femme s'efforça de ne pas se laisser envahir par les souvenirs de Paul et Serena. Il ne servait à rien d'y repenser.

Les semaines se succédèrent, et India se rendit compte que, même sans mari ni amant, elle passait un merveilleux été, détendu et agréable. Elle adorait être avec ses enfants. Paul lui manquait encore, d'une certaine manière, mais elle avait reçu une carte postale de lui ; il se trouvait au Kenya, où il avait monté une opération de ravitaillement semblable à celle du Rwanda. Il paraissait heureux. Dans un post-scriptum, il disait qu'il lui cherchait toujours un homme en ciré, et cela avait fait sourire India.

Elle ne pouvait penser à l'année précédente, à leur rencontre et aux moments qu'ils avaient passés à bord de l'*Etoile-des-Mers* sans un sentiment d'irréalité. Pour elle, ç'avait été le début d'un rêve mais, au moins, elle n'avait plus l'impression que celui-ci s'était terminé en cauchemar. Elle ressentait toujours un pincement au cœur au souvenir de ce qu'elle avait éprouvé pour Paul, mais ses blessures intérieures commençaient à s'estomper, à l'instar de sa cicatrice à la tête. Elle avait découvert avec le temps qu'on ne pouvait s'accrocher éternellement à son chagrin.

Elle appela Raoul à la fin du mois de juillet, espérant qu'il pourrait lui trouver une mission pour la période où les enfants seraient à Cape Cod avec Doug et Tanya, mais son agent n'avait encore rien à lui proposer.

Le plus étrange était de songer que l'année précédente, à la même époque, Doug et elle étaient encore ensemble, à s'affronter constamment. Elle avait aujourd'hui l'impression qu'ils étaient séparés depuis une éternité... Ils menaient des vies si différentes, désormais !

Un an plus tôt, elle était mariée avec Doug, et le suppliait de la laisser retravailler un peu. Serena était toujours vivante. Tant de choses avaient changé, en l'espace de si peu de temps... Parfois, elle se demandait si Paul pensait aux mêmes choses qu'elle. A tout ce qui leur était arrivé durant ces douze mois.

Comme l'année précédente, Sam avait pris des cours de voile au mois de juillet, et cela lui avait tellement plu qu'elle l'avait inscrit également pour le mois d'août. Il parlait encore souvent de l'*Etoile-des-Mers* avec émerveillement ; India, elle, avait l'impression que cet épisode de sa vie n'avait été qu'un rêve.

Depuis le début des vacances, ils jouissaient d'un temps merveilleux mais, vers la fin juillet, cela changea du tout au tout. Pendant deux jours, la pluie tomba sans discontinuer, et le vent se leva, obligeant India à sortir des pulls pour toute la maisonnée, au grand regret des enfants, qui détestaient se couvrir en été. Ils durent rester à l'intérieur, à regarder des cassettes vidéo et à jouer à des jeux de société ; India les emmena également au cinéma avec une demi-douzaine de leurs amis. Il n'était pas aisé de leur trouver des choses à faire lorsque le temps se gâtait ainsi. Au moins Jessica, elle, était contente : elle sortait avec l'aîné de « ces raseurs de Boardman », et semblait s'en accommoder parfaitement. En fait, tout le monde paraissait satisfait de ces vacances, et seule India regrettait un peu que sa dernière semaine à Cape Cod fût placée sous le signe de la grisaille.

En vérité, le temps ne fit qu'empirer, et cinq jours avant son départ pour Westport, India regardait le journal télévisé avec les enfants lorsque le présentateur annonça qu'un gros ouragan se dirigeait droit sur la côte du Massachusetts. Sam parut très excité par la nouvelle.

— Ouah ! s'exclama-t-il. M'man, tu crois que l'ouragan va emporter la maison ?

C'était arrivé à quelqu'un qu'ils connaissaient, plusieurs années plus tôt, et cela avait fortement marqué l'imagination du petit garçon.

— J'espère que non, lui répondit India avec calme.

La télévision avait diffusé des conseils pour les personnes se trouvant sur le chemin du cyclone, baptisé Barbara. A en croire les cartes météorologiques, Cape Cod était directement dans l'axe. Le premier cyclone de la saison, Adam, avait frappé la Caroline du Sud deux semaines plus tôt, causant d'énormes dégâts ; India espérait du fond du cœur que celui-ci serait moins violent.

Doug les appela, ce soir-là. Lui aussi avait entendu les nouvelles, et il était inquiet pour eux. Il leur donna quelques instructions utiles, mais en définitive ils ne pouvaient pas faire grand-chose. Si la situation devenait trop dangereuse, ils devraient évacuer la maison et retourner à Westport ; mais pour l'instant, il y avait encore une chance que le cyclone change de trajectoire.

Au fur et à mesure que les heures passaient, la tension montait, au sein de la petite communauté de Cape Cod, mais, en fin de compte, les prières des vacanciers furent entendues : Barbara ne fit qu'effleurer les côtes du Massachusetts avant de remonter vers le nord.

Malgré cela, les vents furent tels que les écrans anti-moustiques furent arrachés des fenêtres et des portes, et que les arbres qui poussaient autour de la maison des Taylor furent arrachés. L'un d'eux tomba sur le toit, et il en résulta une fuite dans la cuisine.

Deux jours avant la fin de son séjour à Cape Cod, India plaçait des seaux sur le sol pour recueillir l'eau et courait d'une fenêtre à l'autre afin de s'assurer qu'elles tenaient bon, lorsque le téléphone sonna. Habituée à ce que les appels fussent toujours pour les enfants, la jeune femme ne décrochait quasiment jamais ; mais ce jour-là, ils étaient tous allés chez des amis, et elle finit par répondre avec agacement.

Il n'y avait personne à l'autre bout du fil. Un instant, elle songea qu'il s'agissait d'une plaisanterie, mais elle se rappela qu'ils avaient eu des problèmes avec la ligne toute la matinée.

Le téléphone sonna de nouveau, mais, là encore, elle ne put entendre son correspondant.

— Je n'entends rien ! cria-t-elle dans le combiné, songeant qu'il s'agissait peut-être de Doug, qui rappelait pour s'assurer que tout allait bien.

Il avait été très contrarié lorsqu'elle lui avait parlé de la fuite, et avait déjà commencé à se plaindre du coût des réparations.

Le téléphone sonna encore une fois, et elle décida de l'ignorer. Qui que ce fût, il devrait rappeler plus tard. Au même instant, elle entendit un grand bruit et se précipita dans sa chambre, pour découvrir que le vent avait réussi à arracher la double fenêtre. Pestant contre les éléments, et contre ses enfants qui n'étaient pas là lorsqu'elle avait besoin d'eux, elle alla chercher de l'adhésif et le colla sur les vitres pour éviter qu'elles n'explosent. Elle terminait à peine lorsque le téléphone se remit à sonner. Exaspérée, elle décrocha ; cette fois, cependant, au milieu de la friture, elle réussit à distinguer quelques mots presque inaudibles.

— India... viens... ouragan... arrive...

Puis elle crut entendre quelque chose comme « essoré », et la communication fut coupée. L'appel était de toute évidence pour elle, mais si son correspondant cherchait à la prévenir à propos de l'ouragan, il arrivait un peu tard. Elle se sentait comme Dorothy dans *Le Magicien d'Oz* ; toutes les doubles fenêtres étaient arrachées les unes après les autres. Devant la fureur des éléments, il était difficile de croire que le cyclone les avait évités, et elle eut une pensée émue pour les gens qui se trouvaient directement sur son chemin.

Elle bataillait contre la fuite de la cuisine et contre une autre qui était apparue dans la salle de bains lorsque tout à coup, jetant un coup d'œil par la fenêtre, elle vit Sam et un de ses amis qui couraient comme des fous sur la plage. Quand il l'aperçut, Sam agita les bras dans sa direction ; elle essaya de lui faire signe de rentrer, mais il refusa d'obéir. Sachant combien il adorait s'amuser sous la pluie, elle ne fut guère surprise ; néanmoins, craignant qu'il ne fût emporté par le vent, elle sortit sur la terrasse et lui cria de revenir à l'intérieur. Il ne l'entendit pas.

India attrapa l'imperméable de son fils, enfila le sien, et courut vers Sam, la tête baissée pour se protéger des rafales de vent. Alors qu'elle approchait des deux enfants, elle releva la tête et fut frappée par la beauté du spectacle. Le ciel était presque noir, et l'océan en furie ressemblait à du mercure. Le vent soulevait des nuées de sable qui allaient se jeter dans les flots. Elle n'avait pas de mal à comprendre le sentiment d'exaltation que ressentait Sam devant la puissance de la nature.

— Rentre ! lui cria-t-elle.

Elle essaya de lui donner son imperméable, mais il était déjà si trempé que cela semblait vain. D'ailleurs, alors qu'elle lui tendait le ciré, une rafale de vent le lui arracha et il s'envola à toute vitesse, tache jaune sur le ciel noir.

Lorsqu'elle reporta son attention sur Sam, India le vit qui montrait quelque chose du doigt, en direction du large, tout en criant des mots qu'elle ne saisissait pas. Elle plissa les yeux pour voir ce qu'il essayait de lui montrer, mais ne distingua qu'une forme au loin, masquée par la pluie et les vagues démesurées. Elle s'approcha encore de Sam, et put enfin comprendre ce qu'il lui disait :

— Maman... C'est... c'est l'*Etoile-des-Mers* !

Elle fronça les sourcils et secoua la tête. Sam se trompait ;

le voilier se trouvait toujours en Europe. S'il avait eu l'intention de revenir aux Etats-Unis, Paul l'aurait appelée, comme promis, ou lui aurait au moins envoyé une carte postale. Cependant, Sam paraissait sûr de son fait, il sautait sur place, surexcité, le doigt toujours pointé vers l'océan. De fait, en regardant mieux, elle vit qu'il y avait bien un bateau sur les flots déchaînés.

— Ce n'est pas l'*Etoile-des-Mers*, affirma-t-elle. Rentre, maintenant, tu vas attraper une pneumonie !

Au même instant, elle s'immobilisa. Le bateau qui arrivait vers eux ressemblait bel et bien au voilier de Paul. Cela semblait impossible, et pourtant... Toutes voiles dehors, il se détachait sur le ciel noir comme une apparition fantastique, poussé par le vent à la vitesse de l'éclair. Mais India ne pouvait imaginer Paul mettant ainsi la vie de son équipage en danger. Ç'eût été pure folie que de naviguer dans un ouragan, et Paul était un marin accompli, conscient des dangers.

Malgré elle, néanmoins, elle demeurait sur le rivage au côté de son fils et de son camarade, fascinée. Même si elle était sûre que le bateau ne pouvait être l'*Etoile-des-Mers*, elle devait reconnaître qu'il lui ressemblait de façon troublante...

Finalement, elle parvint à s'arracher à sa contemplation et à convaincre Sam et son ami de rentrer à la maison avec elle. Une minute encore, ils restèrent sur la terrasse, à regarder le formidable voilier lutter contre les éléments. Des vagues gigantesques se lançaient à l'assaut de sa proue, et ses mâts, agités par le vent, semblaient fragiles comme des allumettes. Le navire était encore très loin de la côte, mais se dirigeait droit sur eux.

India se demanda si le voilier avait été surpris par la tempête alors qu'il se trouvait au large, et s'il cherchait maintenant à se réfugier au port. Fallait-il qu'elle appelle les gardes-côtes pour qu'ils lui viennent en aide ? Elle savait qu'il y avait de nombreux rochers au large de la pointe, et que par un temps comme celui-là il était très dangereux de naviguer dans les environs, même pour un bateau de cette taille.

Elle s'apprêtait à imiter Sam et son ami, qui avaient fini par se réfugier à l'intérieur de la maison, lorsque la pluie se calma, et qu'elle put voir le navire plus clairement. Au même instant, elle se remémora l'étrange coup de téléphone qu'elle avait reçu un peu plus tôt. « Viens... tempête... arrive... » Avait-on voulu la prévenir que la tempête arrivait – ce qu'elle savait pertinemment – ou lui dire quelque chose d'autre ? La voix avait prononcé son nom, mais elle n'avait pu la reconnaître, en raison des perturbations sur la ligne.

Et soudain, elle sut. Tout à coup, elle eut la certitude que Sam avait raison, et qu'il s'agissait bien de l'*Etoile-des-Mers*.

La jeune femme se tourna pour faire signe au petit garçon à travers la fenêtre, mais il n'était plus là, sans doute était-il allé jouer dans sa chambre ou regarder la télévision avec son camarade. De nouveau, elle fit face à l'océan, regardant le voilier lutter contre l'ouragan, tandis que les mots résonnaient dans sa tête. « Viens... arrive... » Et « essoré ». Se pouvait-il qu'elle eût mal compris, et que son correspondant eût parlé de « ciré » ?

Oui, comprit-elle soudain, seul Paul serait capable de naviguer par un temps pareil. Et c'était lui qui avait appelé, un peu plus tôt. Mais que faisait-il ?

Au lieu de retourner dans la maison, elle s'approcha de la grève, et vit que le bateau se dirigeait vers le yacht-club. Elle ne savait pas pourquoi, ni comment, mais Paul était là... Il était venu, dans la tempête. Et il lui avait téléphoné pour le lui annoncer. Elle commença par marcher ; puis elle se mit à courir. Elle ne s'inquiétait pas pour les enfants, elle savait qu'ils pouvaient se débrouiller.

C'était fou, incroyable. Pourquoi Paul avait-il fait une chose pareille ? Et que se passerait-il si un coup de vent le précipitait contre les rochers ? Et si... Mille questions tourbillonnaient dans sa tête.

Elle vit le voilier négocier la pointe, et le regarda s'approcher. Peut-être Paul n'était-il pas à bord, se dit-elle afin de ne pas être déçue. Peut-être même qu'elle se faisait des idées, et qu'il ne s'agissait pas de l'*Etoile-des-Mers*.

Ou peut-être qu'il était aussi fou qu'elle, et croyait en quelque chose qu'ils avaient perdu autrefois, et dont elle rêvait encore, parfois. En cet instant, elle voulait que ce soit lui, elle voulait qu'il soit là plus qu'elle n'avait jamais souhaité quelque chose dans sa vie. Lorsque, enfin, elle atteignit le yacht-club, elle était à bout de souffle ; elle courut jusqu'à la pointe et attendit.

Les bateaux ancrés dans la rade s'agitaient furieusement sous les rafales de vent, et de nombreux propriétaires étaient venus les amarrer plus solidement, et s'affairaient d'un air préoccupé. India reporta son attention sur le voilier. Aussitôt, elle le vit, et son cœur fit un bond dans sa poitrine. Il était debout sur le pont, vêtu d'un ciré jaune, et deux hommes l'encadraient. Ils étaient suffisamment près à présent pour qu'elle n'eût plus aucun doute : c'était bien Paul. Elle le reconnaissait sans peine.

Soudain, comme s'il avait senti son regard posé sur lui, il leva lentement la tête vers elle. Le voilier s'apprêtait à aborder la partie la plus difficile de sa manœuvre d'approche.

India demeurait parfaitement immobile dans le vent, les

yeux fixés sur Paul, comme si elle craignait, si elle le perdait de vue, qu'il ne disparût à jamais. Il lui fit un petit signe ; en plissant les yeux pour mieux le voir, elle réalisa qu'il souriait et à son tour elle lui fit un signe de la main. Malgré son imperméable, elle était trempée jusqu'aux os, mais elle s'en moquait.

Elle vit tout l'équipage monter sur le pont, et il cessa un moment de la regarder pour donner des ordres à ses hommes. Très vite, ils ramenèrent les voiles et mirent le moteur en marche. Paul voulait manifestement s'approcher au maximum. Peu après, elle le vit jeter l'ancre pendant que deux hommes mettaient le dériveur à l'eau, et elle se demanda ce qu'il faisait. Certes, les vagues étaient moins hautes à l'intérieur de l'anse, mais elle n'arrivait pas à imaginer qu'il pût arriver à terre sans chavirer. Retenant sa respiration, elle le regarda monter à bord de la frêle embarcation. Les paroles qu'elle avait prononcées au Rwanda lui revenaient en force ; elle avait dit vouloir un homme capable de traverser un ouragan pour venir à elle, et elle savait qu'il s'en souvenait, puisqu'il avait plaisanté à propos de « l'homme au ciré » dans sa carte postale du Kenya. Elle était certaine à présent que c'était ce qu'il avait essayé de lui dire au téléphone... Etait-ce une mauvaise plaisanterie ?

Non. En le voyant lutter contre le vent à bord du dériveur, elle comprit qu'il était sérieux, plus sans doute qu'il ne l'avait jamais été auparavant.

Terrorisée à l'idée de le voir chavirer et se noyer sous ses yeux, India suivait sa progression avec angoisse ; les quelques minutes qu'il fallut à l'embarcation de Paul pour atteindre les marches du yacht-club lui parurent des heures. Elle courut à sa rencontre, et il lui lança l'amarre du bateau, qu'elle tint pendant qu'il sautait à terre. Il attacha le dériveur à l'une des bittes d'amarrage, puis se tourna vers India et fit un pas vers elle, avant de s'immobiliser et de la regarder en silence. Ce regard, elle le connaissait bien ; il évoquait au fond d'elle une voix à la fois distante et familière, une voix qu'elle avait bien souvent entendue en rêve. La voix de l'espoir. Le souvenir doux-amer de ce qu'ils avaient partagé et perdu aussitôt après.

India voulait lui demander ce qu'il faisait là, mais elle était incapable de parler. Elle ne pouvait que le regarder en silence, tandis qu'il la prenait dans ses bras et l'attirait à lui.

— Ce n'est pas vraiment un ouragan... Mais est-ce que ça fera l'affaire ? demanda-t-il à son oreille. J'ai essayé de t'appeler.

— Je sais. Je n'entendais pas ce que tu disais.

Elle recula légèrement pour plonger une nouvelle fois son regard dans le sien, effrayée par ce qu'elle risquait d'y découvrir. S'était-elle trompée ? S'agissait-il une fois de plus d'un rêve cruel ?

— J'ai dit que j'arrivais. Ce n'est pas un ouragan, juste une tempête... Mais une grosse. Si tu veux un ouragan, India, je t'emmènerai dans le Nord... Si tu veux de moi..., dit-il, mêlant ses larmes aux rafales de pluie qui lui cinglaient les joues. Je suis là. Je suis désolé d'avoir mis si longtemps à arriver jusqu'à toi.

Mais, pour India, le temps n'avait plus d'importance. Il leur avait fallu une année pour traverser la tempête, toute une vie pour se trouver ; mais en fin de compte, le rêve était devenu réalité.

D'une main tremblante, India effleura la joue de Paul. Tous deux avaient été perdus, malmenés par les bourrasques ;

mais, par elle ne savait quel miracle, ils avaient fini par se retrouver.

Le sourire qu'elle adressa à Paul en cet instant lui révéla tout ce qu'il avait besoin de savoir. Et elle, de son côté, comprit qu'il était enfin venu la chercher, tandis qu'il ouvrait son ciré pour l'attirer tout contre lui et l'embrasser à perdre haleine.

Achevé d'imprimer par N.I.I.A.G.
en octobre 2000
pour le compte de France Loisirs, Paris

N° éditeur : 34239
Dépôt légal : novembre 2000
Imprimé en Italie